KB056702

에피소드로 읽는 천문학의 역사

유쾌한 천문학자들

에피소드로 읽는 천문학의 역사

유쾌한 천문학자들

이광식 지음

예술과마을

머리말

세상에서 가장 큰 이야기

오늘날 우리가 가지고 있는 우주에 관한 모든 지식은 최소한 지난 1만 년 동안 인류 최고의 지성들이 일구어낸 결실이라 할 수 있다.

20만 년 전 지구 행성에 최초로 등장한 인류는 자신들이 딛고 있는 땅덩어리는 부동의 자세로 세계의 중심에 굳건히 박혀 있으며, 하늘은 신이 만든 하나의 뚜껑으로 인식했고, 거기에 무수히 많은 별들이 박혀 있는 거라고 생각했다. 인류 최초의 천문학자들은 이것에 천구天球/celestial sphere라는 이름을 붙여주었다.

물론 태양과 달 역시 천구에 박혀 있는 그 무엇이었다. 그 둘이 밤하늘의 여느 별들과 다른 점은 나약한 인간의 삶에 결정적인 영향을 끼치는 존재로서, 그것을 '신'이라 생각하기도 했다는 점이다. 지구상의 수많은 원시 종족들의 신화 속에 숨쉬는 태양신, 달의 신은 그렇게 창조된 것이다. 많은 문명권에서 천문 현상은 신의 현현顯現으로 받아들여졌다.

그런 후 오랜 우주의 시간, 아니 찰나의 우주 시간이 흘렀다. 그동안 지구상에 살다 간 수많은 현자들은 그 빛나는 지성으로 우주의 비밀들을 하나하나씩 벗겨냈다. 그 결과, 지금 인류가 살고 있는 우주의 모습은 어떤 것일까?

먼저, 우리가 살고 있는 이 지구는 우주의 중심은커녕 심지어 가장자리도 아니라는 사실을 알게 되었다. 이 우주에는 중심이란 것 자체가 존재하지 않으며, 태양은 무수히 많은 별들 중 평범한 작은 별에 지나지 않는다는 사실도 알았다. 또한 영원히 반짝일 것으로 믿었던 별들 역시 우리 인간처럼 생, 로, 병, 사를 거쳐 이윽고 사라지는 덧없는 존재라는 사실도 알게 되었다.

그러나 별은 죽어서 자기 몸을 우주로 뿌리고, 또 그 별먼지들이 모여서 새로운 별로 탄생하는 윤회의 길을 걷는다. 그뿐인가? 우주 역시 우리처럼 생일을 갖고, 지금 이 순간에도 빛의 속도로 팽창하며, 원자 알갱이 하나도 한자리에 머무는 법이 없는 일체무상의 대우주다. 따라서 우리가 오늘 사는 이 우주는 어제의 우주와 다르며, 또 내일의 우주와도 같지 않은 것이다.

지구의 모래알보다 많은 무수한 별들이 피고 지며 명멸하는 이 광막한 대우주 속에서, 그렇다면 우리 인간은 무엇일까? 나는 누구일까? 우주와 인간, 나와 우주는 어떤 끈으로 서로 묶여 있는 관계일까?—이 같은 의문은 인류 최고의 지성들이 걸어간 우주로의 길을 따라가면서 이 책의 마지막 장을 덮을 무렵 각자 나름대로의 답을 얻을 수 있으리라 믿는다.

읽는 재미를 위해 풍부한 일화를 곁들이다보니 앞서 펴낸 책들과 다소 중복됨을 피할 수 없었다는 점에 양해를 구하며, 모쪼록 긴 우주의 여정을 유쾌하게 즐겨준다면 글쓴이로서는 더 바랄 게 없겠다.

강화도 퇴모산에서
이광식

차례

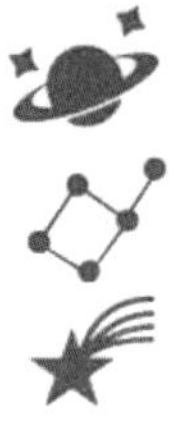

여기에 우리가 있다

1990년 2월 14일, 우주 탐사선 보이저 1호가 지구로부터 60억km 떨어진 명왕성 궤도 부근에서 찍은 지구. 이 먼지처럼 작디작은 점을 천문학자 칼 세이건은 '창백한 푸른 점(Pale Blue Dot)'이라고 불렀다. 이 티끌처럼 작은 점 속에서 우리들 80억 인류가 살고 있다. 그래서 천문학을 공부하면 겸손해지고 인격이 형성된다고 한다. 그리고 "머지않아 헤어질 것들을 깊이 사랑하라"고 권유한다.

01. 별자리를 만든 이름 없는 고대인들
– 양치기 천문학자들

맨눈으로 별자리가 일그러지는 것을 보려면
적어도 5만 년은 살아야 한다.
앙드레 브라익 (프랑스 천문학자)

천문학은 인류 문명사에서 볼 때 가장 일찍 태동한 학문 중의 하나이다. 그것은 인간의 생존 문제와 직결되어 있었기 때문이다. 선사의 원시인들에게 가장 중요한 문제는 바로 식량 확보였다. 식물의 열매와 날알을 채취하고 짐승을 사냥하는 것으로 연명했던 원시인들에게 가장 중요한 정보는 시간, 방위, 그리고 계절에 관한 것이었다.

그들은 하늘의 달과 별을 보고 시간과 방위를 알아냈으며, 태양의 운행을 보고 계절을 읽었다. 태양이 뜨거나 지는 곳이 지평선상에서 위치를 바꾼다든지 계절마다 보이는 별들이 달라짐을 관찰하여 농사나 종교적 의식을 위한 시기를 정했다. 문화에 따라서는 이러한 자료가 예언에 사용되기도 했다.

최초의 천문학자들은 대체로 자신의 종족을 이끄는 사제였으며, 가장 관심 깊게 관찰한 천체는 태양과 달, 행성의 움직임 등이었다. 대부분의 초기 문명에서 이들 천체는 신과 영혼적으로 동일시되었다. 선사시대의 천문학자들은 천체와 천문현상을 신의 현현顯現으로 이해했으며, 비와 가뭄, 계절과 조수 같은 자연현상과 관련된 것으로 받아들여졌다.

그리하여 선사시대의 천문학은 점차 종교와 신화, 우주론과 점성학, 역법으로 확장되어갔다. 서양의 천문학이 점성술과 완전히 분리된 것은 겨우 몇백 년 전인 17세기의 일이다.

원시인의 천문 지식 '네브라 스카이 디스크'

석기시대에서 벗어나 청동기 시대로 넘어가던 무렵인 3,000~4,000년 전쯤 원시인들이 남긴 대표적인 천문학 유물인 '네브라 스카이 디스크'Nebra Sky Disc에는 천체현상에 대해 선사시대 사람들이 가졌던 놀라운 지식과 우주관이 반영되어 있다.

1999년 독일 중부 네브라 시 인근 촌락인 미텔베르크에서 발굴된 이 놀라운 유물은 정밀한 조사 결과, 2005년 기준으로 약 3,600년 전에 만들어진 진품으로 밝혀졌다. 천체가 묘사된 청동 원반으로, 지름 약 30cm, 두께가 중앙으로부터 4.5mm에서 1.5mm로 점점 얇아지는 형태이며, 무게는 2.2kg이다.

원반 표면에는 금으로 된 상징물들이 박혀 있는데, 이들은 태양 또는 보름달, 초승달 그리고 별들(플레이아데스로 보이는 별들도 있음)로 해석된다.

이 하늘원반에 표현된 것에는 천체현상에 대해 선사시대 사람들이 가졌던 놀라운 지식이 반영되어 있다. 천체에 관한 고대인들의 초기 지식과 관측 능력, 그리고 우주관을 어렴풋하게나마 짐작할 수 있는 단 하나의 유물

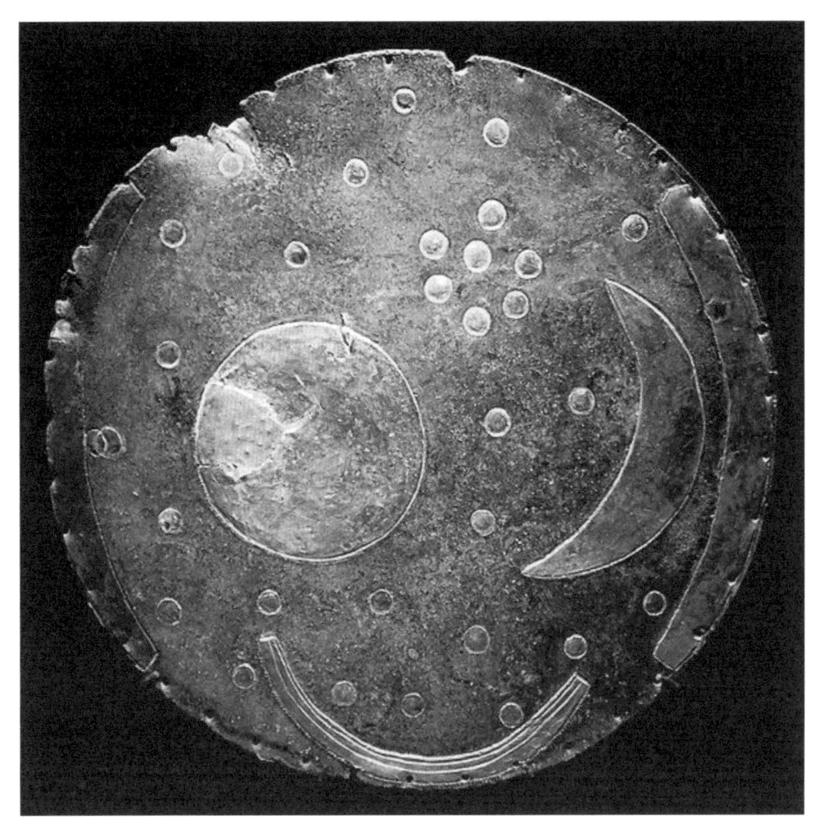

청동기인들의 우주관을 담은 네브라 스카이 디스크. 천문 현상을 구체적 실체로 묘사한 것으로는 전 세계에서 가장 오래된 것이다. 2013년 6월 유네스코 세계기록유산에 등재되었다. © Wikipedia

이라는 점에서 네브라 스카이 디스크는 더없이 귀중한 문화적-역사적 가치를 지닌 20세기 최대의 발굴품이라 할 수 있다. 이 하늘원반에 표현된 것들은 대략 다음과 같은 4가지 특징을 가지고 있다.

1. 하늘원반에는 32개의 금 동그라미를 비롯해, 역시 금으로 된 커다란 원형 접시와 초승달 모양의 문양이 붙어 있다. 원형 접시는 해를 표현한 듯하고, 초승달 문양은 모양이

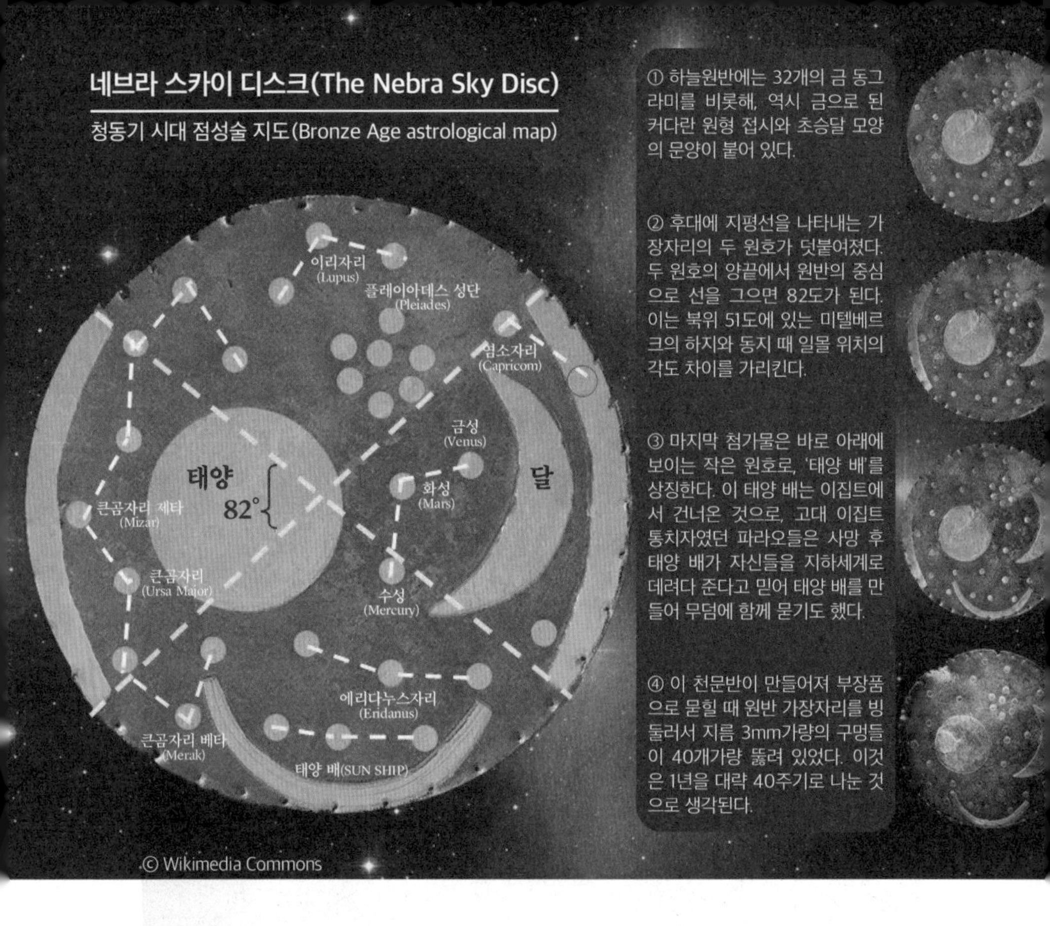
네브라 스카이 디스크(The Nebra Sky Disc)
청동기 시대 점성술 지도(Bronze Age astrological map)
이리자리
(Lupus)
플레이아데스 성단
(Pleiades)
염소자리
(Capricorn)
금성
(Venus)
태양
82°
달
화성
(Mars)
큰곰자리 제타
(Mizar)
큰곰자리
(Ursa Major)
수성
(Mercury)
에리다누스자리
(Eridanus)
큰곰자리 베타
(Merak)
태양 배(SUN SHIP)
① 하늘원반에는 32개의 금 동그라미를 비롯해, 역시 금으로 된 커다란 원형 접시와 초승달 모양의 문양이 붙어 있다.
② 후대에 지평선을 나타내는 가장자리의 두 원호가 덧붙여졌다. 두 원호의 양끝에서 원반의 중심으로 선을 그으면 82도가 된다. 이는 북위 51도에 있는 미텔베르크의 하지와 동지 때 일몰 위치의 각도 차이를 가리킨다.
③ 마지막 첨가물은 바로 아래에 보이는 작은 원호로, '태양 배'를 상징한다. 이 태양 배는 이집트에서 건너온 것으로, 고대 이집트 통치자였던 파라오들은 사망 후 태양 배가 자신들을 지하세계로 데려다 준다고 믿어 태양 배를 만들어 무덤에 함께 묻기도 했다.
④ 이 천문반이 만들어져 부장품으로 묻힐 때 원반 가장자리를 빙 둘러서 지름 3mm가량의 구멍들이 40개가량 뚫려 있었다. 이것은 1년을 대략 40주기로 나눈 것으로 생각된다.
© Wikimedia Commons

말해주듯 초승달이거나 월식이 진행 중인 달을 나타낸 듯하다. 조그만 금 동그라미는 별로 보이는데, 특히 동그라미 7개가 오종종 모여 있는 것은 플레이아데스(좀생이별)를 나타낸 것으로 보인다.

2. 후대에 와서 덧붙여진 것들이 있는데, 지평선을 나타낸 가장자리의 두 원호다. 두 원호의 양끝에서 원반의 중심으로 선을 그어보면 각도가 82도가 되는데, 이는 북위 51도에 있는 미텔베르크의 하지와 동지 때 일몰 위치의 각도 차이를 가리킨다. 원반의 둥근 접시를 보름달이 아니라 해로 보는 것은 바로 일몰 각도 차이 때문이다.

3. 마지막 첨가물이 하나 더 있는데, 바로 아래에 보이는 작은 원호로, '태양 배'sun SHIP를

상징한다. 이 태양 배는 명백히 이집트에서 건너온 것으로, 고대 이집트 통치자였던 파라오들은 사망 후 태양 배가 자신들을 지하세계로 데려다 준다고 믿어 태양 배를 만들어 무덤에 함께 묻기도 했다. 청동기 시대에 지식의 유통이 벌써 널리 이루어지고 있음을 보여준다.

4. 이 천문반이 만들어져 부장품으로 묻힐 때 원반 가장자리를 빙 둘러서 지름 3mm가량의 구멍들이 40개가량 뚫려 있었다. 이것은 1년을 대략 40주기로 나눈 것으로 생각된다. 특히 원반이 휴대용으로 만들어졌다는 점에서 농사짓기를 위해 만든 실용적인 도구였을 가능성도 충분히 있다.

다른 문명권이 해와 달, 별을 신화적인 소재로 다루고 있을 때, 네브라 청동기인들은 천문현상을 모두 현실적인 실체로 보고 태양, 달, 별자리 모두를 통합적으로 표현했다. 청동기인들의 우주관이 대단히 현실적이었음을 보여주는 대목이라 하겠다.

원시시대의 천문학은 이렇게 생존의 필요성에서 출발했으며, 이러한 사정은 인류가 농사를 지으며 정착 생활을 영위한 후에도 달라지지 않았다.

이처럼 동서양을 막론하고 농사를 짓기 위해서는 정확한 계절과 날씨를 알 필요가 있었다. 그리고 문명이 발전함에 따라 나중에는 해양과 지리에 관한 관측-측량이 역시 천문학 발전을 추동했다.

어떤 지역에서는 피라미드나 스톤헨지처럼 천문학적 목적을 가진 것으로 추정되는 거대한 유적이 건설되기도 했다. 바빌로니아와 고대 그리스, 중국, 인도, 이란, 마야 문명 같은 동서양의 초기 문명들은 천문대 유적과 밤하늘에 관한 많은 관측기록을 남겼다.

제사 같은 종교적 목적 외에도 이러한 천문대들은 1년의 길이를 재거나, 매해 일정한 시기에 농사를 짓고 수확하기 위해 하늘을 관측하는 데 쓰였을 것으로 추정된다.

초기 천문학은 오늘날에는 측성학으로 알려진, 하늘에서 별과 행성들의 위치를 측정하는 것이 대부분을 차지했다. 이러한 관측으로부터 행성의 운동, 태양, 달, 지구와 우주의 본질에 관한 연구가 시작되었다. 동서양을 막론하고 고대인들은 지구가 우주의 중심이며, 태양과 달은 지구를 중심으로 공전한다는 천동설, 곧 지구중심설을 믿었다.

빛은 메소포타미아에서

고대문명 발상지의 하나인 서남아시아의 티그리스강과 유프라테스강 사이에 있는 메소포타미아는 현재 이라크를 중심으로 시리아 동북부와 이란 서남부를 포함하는 지역을 가리킨다. 어원은 고대 그리스어에서 왔는데 '메소'는 중간, '포타'는 강, '미아'는 도시를 가리키는 뜻으로, 말하자면 '두 강 사이에 있는 도시'라는 의미다.

이 두 강, 즉 티그리스강과 유프라테스강이 주기적으로 범람하여 가져다주는 더없이 비옥한 토지는 일찍부터 사람들을 끌어모았다. 기원전 약 6,000년 구석기 시대부터 인간이 정착하기 시작한 이래 마침내 인류 고대문명의 발상지로 발돋움하기에 이르렀다.

역사적으로 특히 중요한 사건 중의 하나는 메소포타미아의 한 도시 바빌론에서 수학·과학적 천문학이 시작되었다는 것이다. 강 유역을 끼고 있는 이 지역은 1년 중 8개월은 구름 없는 맑은 날이 계속되었기 때문에 천문관측에 더없이 적합했다.

고대인들은 천체의 신이 세계와 인간의 운명을 지배한다고 믿었다. 따라서 천체의 동향과 이변을 관측하는 일은 중요한 행사였고, 신전은 천문대요, 신관은 천문학자이기도 했다. 여기서 운명 판단을 위한 천문학인 점성술이 생겨나게 되었다. 이 때문에 천체가 출몰하는 것을 계산하다가 달력을 만들게 되었고, 그것에 따라서 수학이 발달하게 되었다.

메소포타미아 문명을 일군 수메르인은 10진법과 60진법을 아울러 사용했다. 60진법에 따른 공간 분할에서 360도의 원이 생겨났고, 그와 관련하여 '30×12(30은 달의 대체적인 주기)=360일(1년)'이라는 개념이 생겨나게 되었다.

그들은 달의 운행을 기준으로 하여 1년을 12달로 하는 태음력을 만들고, 다시 하루를 24시간, 1시간을 60분, 1분을 60초로 하는 60진법을 만들었다. 또한 오랜 천문관측을 통해 독자적인 태양력을 만들었는데, 1년을 12개월로 나누고, 6개월은 29일씩, 나머지 6개월은 30일씩으로 정해 1년을 354일로 하는 역법이었다. 그러나 이렇게 하면 실제 태양의 1년 운행 시간보다 11일 6시간 정도의 편차가 발생하는데, 그들은 이 문제를 윤달을 추가하는 것으로 해결했다.

수메르인은 또한 천체를 관측한 결과, 하늘에서 움직이는 천체는 모두 7개라는 것을 알아냈다. 곧 수성, 금성, 화성, 목성, 토성 다섯 행성과 해와 달이었다. 그들은 해와 달 역시 행성으로 보았다. 그리하여 거룩한 숫자 '7'이라는 관념을 낳게 되었으며, 이것이 '7요일'로서 오늘날까지 전해지고 있다.

또한 바빌론 천문학자들은 월식이 사로스saros라는 주기를 가지고 반복적으로 일어난다는 사실을 발견했다. 고대 칼데아인은 경험으로 일식과 월식이 223삭망월, 즉 18년 11일 만에 되풀이된다는 것을 알고 있었다.

'식蝕주기'라고도 하는 사로스 주기는 일식과 월식이 동일한 상황에서 일어나는 18년 11일의 주기를 말한다. 지구의 궤도면인 황도와 달의 궤도면인 백도가 서로 일치하지 않고 5도 9분 기울어져 있기 때문에 일어나는 현상이다.

메소포타미아의 천문학 발전은 점성술의 성행과 밀접한 관계가 있었는데, 이를 위해 점성 사제들은 7층탑 꼭대기에 관측소를 만들고 천체의 운행을 관측하고 많은 천문 자료를 남겼다. 점토판에 갈대로 쐐기문자를 쓴 수많은 서판들이 현대까지 전해지고 있다. 고대 바빌로니아 시대로 거슬러올라가는 서판에는 여러 해 동안 일광 시간의 변화를 숫자로 기록한 내용들이 남아 있다.

별자리를 만든 양치기들

별자리를 최초로 만든 사람도 역시 기원전 3,000년 무렵 티그리스강과 유프라테스강 유역에서 양떼를 기르던 셈족계 유목민 칼데아인이었다.

양떼를 지키기 위해 드넓은 벌판 한가운데서 밤샘하던 그들의 눈에 칠흑의 하늘에 총총한 별들이 마치 손에 잡힐 듯했을 것이고, 그래서 그 중에서도 밝은 별들을 따라가며 그림 그리기 놀이를 하다보니 갖가지 동물들이 나왔고 그것이 바로 별자리가 되었던 것이다. 그 양치기들이야말로 최초의 진정한 별지기였고 아마추어 천문학자의 원조였다.

기원전 3,000년경에 만들어진 이 지역의 표석에는 양, 황소, 쌍둥이 등 태양과 행성이 지나는 길목인 황도를 따라 배치된 12개의 별자리, 즉 황도 12궁을 포함한 20여 개의 별자리가 기록되어 있다. 그들은 또 1년이 365일하고도 1/4일쯤 길다는 것도 알고 있었다.

메소포타미아의 천문학자들은 행성과 항성(별)을 명확히 구분했는데, 하늘에 붙박혀 있는 항성을 '길들여진 산양', 별들 사이를 떠도는 행성을 '길들여지지 않은 산양'에 비유했다. 뿐만 아니라 그들은 다섯 행성의 운행 궤

유대교 회당에 있는 6세기 모자이크 황도 12궁.
황도 12궁은 메소포타미아 천문학에서 처음 만들었다. © Wikipedia

도를 정확히 계산했다.

메소포타미아 천문학자들은 육안으로 관측한 별을 기록하고 이름을 붙인 다음, 크게 세 부류로 나눈 항성목록을 만들었다. 여기에는 바빌로니아 천문학의 기초를 이루는 천계의 3구분에 따른 별과 별자리의 목록, 주요한 별이나 별자리가 일출 시에 출현하는 날의 목록 등이 기재되어 있다.

천계의 3구분이란 북극성의 주위를 회전하는 별들의 영역을 '엔릴(대기의 신)의 길'이라 하여 별자리 33개를, 천공의 가장 높고 동서에 펼쳐지는 영역을 '아누(하늘의 신)의 길'이라 하여 별자리 23개를, 그리고 남쪽의 별들이 장시간 수평선 아래에 있는 영역을 '에어(물의 신)의 길'이라 하여 별자리 15개를 각각 할당했다. 또한 태양이 1년 동안 지나는 별자리 12개를 '황도 12궁'으로 지정했다. 이는 길흉화복을 점치는 점성술에 이용되었다. 점성술사들은 오늘날까지 메소포타미아의 황도 12궁으로 점을 치고 있다.

이 같은 바빌로니아 시대의 별자리는 현대 별자리와 완전히 동일하지는 않지만 분명히 현대 별자리의 원형이 되었다.

한자로 성좌星座라고 하는 별자리는 한마디로 하늘의 번지수다. 이 하늘의 번지수는 88번지까지 있다. 별자리 수가 남반구와 북반구를 통틀어 88개 있다는 말이다. 1930년 국제천문연맹이 결정한 이 88개 별자리로 하늘은 빈틈없이 경계지어져 있다.

예로부터 별자리는 여행자와 항해자의 길잡이였고, 야외생활을 하는 사람들에게는 밤하늘의 거대한 시계였다. 지금도 이 별자리로 인공위성이나 혜성을 추적한다. 물론 별자리의 별들은 모두 우리은하에 속한 것이다.

메소포타미아의 천문학은 후세의 유럽 천문학에 커다란 영향을 미쳤다. 오늘날 1주일을 7일로 나누고 시간에 60진법을 쓰고 원을 360도로 나누는 것 등이 모두 메소포타미아 천문학에서 유래된 것이다.

메소포타미아 천문학은 이후 다른 문명에서 발달할 천문학적 전통의 기반을 닦았다. 고대 천문학에서 보이는 이집트인들의 내공도 만만찮았다. 역시 기원전 3,000년경 이미 43개의 별자리가 있었다. 그후 바빌로니아-이집트의 천문학은 그리스로 전해졌다.

02. 별을 보다가 우물에 빠진 천문학자

- 탈레스(BC 625경~BC 546경)

가장 아름다운 것은 우주이니,
신이 창조한 것이기 때문이다.
탈레스 (고대 그리스 철학자)

천동설의 기초를 닦은 고대 그리스

바빌론 이후 천문학에서의 중요한 발전은 고대 그리스에서 이루어졌다. 그리스 천문학은 천문 현상에 대해 이성적이고 물리적인 답을 구하려 했다는 특징이 있었다. 그리스 천문학자들은 우주론에서 신을 떼어내고, 지구와 달, 태양과 행성들의 물리적 특성을 밝혀내고자 했다.

오늘날에는 누구나 알고 있는 사실이지만, 공처럼 둥근 흙덩어리인 지구가 저 불덩어리 태양의 둘레를 초속 30km로 돌고 있다는 사실은 고대 인류에게는 상상도 할 수 없는 일이었다. 그들에게 지구는 반석처럼 견고한 우주의 중심으로, 태양과 달을 비롯한 모든 천체들은 지구를 중심으로 돈다는 천동설 외의 가설은 설 자리가 없었다.

말할 것도 없이 천동설, 곧 지구중심설의 가장 강력한 힘은 인간의 감각에 딱 들어맞는다는 점이다. 아침에 동쪽에서 뜬 해는 저녁이면 서쪽으로 기울고, 밤하늘의 달과 별 역시 같은 움직임을 보인다. 이는 의심할 수 없는 현실이었고, 천동설은 고대인에게는 하나의 상식이 되었다.

우주를 이해하는 것이 인간의 필수적인 일이라고 생각했던 고대 그리스인들은 관찰과 추론과 논리에 의존해 자연계를 설명하려고 했으며, 자기들이 명백한 사실로 알고 있는 것을 기초로 논리적으로 추리하면 올바른 결론에 이를 수 있다고 믿었다.

이러한 철학을 바탕으로 그들은 여러 가지 정확한 결론을 이끌어냈다. 예를 들면 그들은 우주에 기본적인 질서가 있다는 것을 알아냈다. 그리하여 특이하게도 수천 년 동안 신화로 엮어져 있던 우주론에서 신의 모습을 지우는 대신 태양과 달의 거리, 지구의 크기 등을 사색과 이론의 장으로 끌어내왔다.

우주에 대한 그리스인의 이 같은 접근법은 인류 역사상 최초의 천문학적 사건이었다. 왜냐하면 어느 문명권에서도 우주에 물리적인 잣대를 들이댄 사례가 없었던 것이다. 예컨대 행성과 항성의 크기라든가 거리 같은 것을 생각해본 적이 없었다. 해와 달, 별 같은 천체들이 지구와 얼마나 멀리 떨어져 있는가 하는 문제는 전혀 고민거리가 되어본 적이 없었다. 그러한 요소들은 인류의 생존방법, 곧 사냥이나 농사짓기 등과는 하등의 관계가 없었기 때문이다. 다만 시간과 계절만을 알려주는 것으로 충분했던 것이다. 별은 천구에 그냥 붙박혀 있는 존재로 치부하면 그뿐이었다.

이처럼 물리적인 관점으로 천체를 연구하고, 기하학적인 입체로 우주를 구상한 것은 그리스 문명이 최초이자 유일했다고 볼 수 있다. 여기에서 천문학은 비로소 하나의 과학으로 싹을 틔우고 성장하기 시작했다.

고대 그리스 천문학자들은 별과 행성을 구별할 수 있었다. 별은 상대적으로 천구에 고정되어 있는 반면, 행성은 별들 사이를 운행하며 비교적 짧은 시간 동안에도 상당한 거리를 움직이기 때문이다. 문제는 행성들의 움직임을 어떻게 정확히 예측하는가에 있었다. 물론 점성술도 그 필요성을 거들었을 것이다.

고대인들은 지구가 공처럼 둥글다는 사실을 일찍부터 알고 있었다. 그것은 2가지의 강력한 증거가 뒷받침하고 있었다. 하나는 다른 별들과는 달리 밤새 제자리를 지키는 북극성이 북으로 갈수록 점점 더 고도가 높아진다는 사실이었다. 고대의 천문학자들은 지구의 북극에 가서 북극성을 본다면 분명 90도 수직으로 올려다보일 것이라고 확신했다. 이는 지구가 공처럼 둥글다는 분명한 증거였다. 아리스토텔레스의 다음과 같은 말도 그 같은 사실을 방증한다.

"어떤 사람이 여행을 할 때, 북쪽에서 보는 별과 남쪽에서 보는 별은 서로 다르며, 이는 지구가 그다지 크지 않은 구球임을 의미한다."

또 다른 증거는 월식 때 달에 드리워지는 지구의 그림자가 둥글다는 점이었다. 지구가 삼각형이라면 그 그림자는 삼각형일 것이고, 지구가 사각형이라면 그 그림자는 사각형이 되어야 한다. 하지만 달에 떨어진 지구의 그림자는 원형이므로, 지구가 분명 구체球體라는 사실을 말해주는 것이다.

'물의 철학자'

고대인들은 이성적으로 만족스러운 답을 구하기 어려운 것들에 대해서는 대체로 신화나 초월적인 힘에 의존하여 그 답을 구하곤 했다. 이런 경향은 현대에 와서도 여전히 존재한다. 그러나 탈레스는 결코 초월적인 힘에 의존하지 않고 끝까지 합리적인 해답을 구하는 과정에서 "만물의 근원이 무엇인가?"라는 질문을 스스로 던지고는 "만물의 근원은 물이다"고 대답했던 것이다.

흔히 탈레스가 던진 "만물의 근원은 무엇인가?"라는 질문을 아르케arche에 대한 탐구라고 말하는데, 아르케란 일반적으로 '기본 원리' 또는 '근원', '제일 원인' 등을 뜻한다. 고대 그리스 철학자들은 이 아르케를 찾는 것이 최대의 화두였다.

탈레스의 가설이 현대인에게는 다소 어이없이 들릴 수도 있겠지만, 중요한 것은 탈레스가 세계의 비밀에 대해 엄청난 답안을 제시했다는 차원이 아니라, 엄청난 질문을 던졌다는 점에 주목해야 한다. 이로써 탈레스는 세계의 근원에 대해 신화적인 풀이가 아닌, 인간 이성으로 탐색하는 첫발을 내디딘 철학자로 기록되었다.

게다가 탈레스의 '물' 가설도 따지고 보면 그리 터무니없는 답이라 할 수도 없었다. 예컨대 플라톤은《티마이오스》에서 물이 응결됨으로써 돌이나 지구가 되고, 물이 융해·분산됨으로써 증기나 공기가 된다고 말했으며, 아리스토텔레스도 습한 성질의 실체가 공기, 점토 그리고 흙으로 변하는 것을 관찰할 수 있는데, 그렇기 때문에 탈레스가 물을 만물의 근원이라고 말하게 되었다고 기록하고 있다.

그뿐 아니다. 탈레스와 그의 동시대인이었던 중국의 우주론자 노자(BC 604경~BC 6세기 말경) 역시 그가 남긴《도덕경》에서 '도가 물을 낳았다'는 '태생일수'太生一水를 말한 것으로 보아, 고대세계에서 물이 만물의 근원 물질로 인식된 것은 그리 놀랄 만한 일은 아니다.

탈레스에게 우주의 비밀을 알려주는 천문의 뮤즈 우라니아.
18세기 베네치아의 화가 안토니오 카노바 그림. © Wikipedia

실제로 탈레스는 지구가 물 위에 떠 있고, 지구는 그 물로부터 생성되었다고 주장한 것으로 알려지고 있는데, 탈레스가 널리 알려진 것은 이러한 주장보다 아마 그의 실족 사건 때문일 것이다. 사연인즉슨, 어느 밤 탈레스가 별을 쳐다보면서 들판을 가다가 우물에 빠졌는데, 그를 구해준 영리한 트라키아 하녀가 "하늘의 이치를 알려고 하면서 바로 앞의 우물은 보시지 못하는군요!"라고 비웃었다는 것이다.

밀레토스 학파의 창시자로 여겨지는 탈레스에 대해 아리스토텔레스는 '철학의 아버지'라는 칭호를 기꺼이 바쳤다. 그리고 현대에 이르러서도 탈레스는 최초의 철학자, 최초의 수학자, 최초의 고대 그리스 7대 현인이라는 별명으로 유명하다.

이처럼 '최초'라는 타이틀을 주렁주렁 매달고 있는 탈레스는 소아시아 이오니아 지방의 밀레토스라는 도시 출신으로, 여러 분야에서 학식이 넓었다고 한다. 탈레스는 젊었을 때 이집트 여행을 갔다 왔는데, 그 영향으로 수학과 천문학을 좋아하게 되었다고 한다. 수학과 천문학에 관련된 업적들이 아주 많은데, 대표적인 업적으로는 천문학을 이용해서 기원전 585년에 일어나는 일식을 예언한 것이 있다.

탈레스는 기하학에도 많은 업적을 남겼는데, 탈레스가 발견한 것으로 알려진 기하학의 정리 5가지를 살펴보면 다음과 같다.

1. 임의의 원은 지름에 의해서 2등분된다.
2. 두 직선이 만나면 만드는 맞꼭지각은 같다.
3. 반원에 대한 원주각은 항상 직각이다.
4. 삼각형의 한 변과 양끝의 각이 다른 삼각형의 그것과 같으면 두 삼각형은 합동이다.
5. 이등변삼각형의 두 밑각은 서로 같다.

텔레스는 이러한 기하학을 이용해 이집트에서 가장 큰 피라미드로 알려진 쿠푸 왕의 대피라미드의 높이를 측정한 업적으로도 유명하다.

또한 북극성이 있는 작은곰자리의 위치를 설명하면서 별자리가 바다에서 항해를 위한 가이드로 유용할 것이라는 견해를 밝혔으며, 1년의 길이와 춘분과 추분, 동지와 하지의 시간을 계산했다. 그리고 황소자리에 위치한 산개성단인 히아데스 성단을 최초로 관찰하고, 플레이아데스 성단의 위치를 계산하는 데 기여했다.

만물의 근원을 물이라 생각하고 지구는 평평하고 무한한 바다 위에 섬처럼 떠 있다고 생각한 탈레스의 우주관은 그의 제자 아낙시만드로스가 이어

받아 '제일 원인인 만물의 근원'을 찾으려 했으며, 아낙시만드로스의 친구인 아낙시메네스는 만물의 근원을 '공기'라고 주장하게 된다.

헤로도토스의 《역사》를 보면 이 일식에 관한 일화를 확인할 수 있다.

리디아의 알리아테스 왕과 메디아의 왕 키악사레스 2세는 5년이 지나도록 전쟁을 계속했다. 양쪽 모두 일진일퇴를 반복하면서 긴 교착상태에 빠짐으로써 두 나라의 민생은 피폐해졌다. 그러다 전쟁이 6년째로 접어들었을 때 탈레스는 하늘이 노해 일식이 일어날 것이라고 예언했다. 그럼에도 전쟁이 재개되었을 때, 별안간 하늘이 어두워지며 해가 사라지고 캄캄한 밤이 되었다.

두 군대가 놀라 전쟁을 멈추자 다시 해가 나오고 세상이 환히 밝아졌다. 이에 놀란 두 왕은 전쟁을 그치라는 하늘의 뜻이라고 여겨 바로 평화협정을 맺고, 전선이 있었던 인근의 강(현대의 터키 키질이르마크강)을 두 나라의 국경으로 합의한 데 이어, 키악사레스 2세의 아들 아스티아게스와 알리아테스의 딸 아리에니스를 결혼시켜 평화의 상징으로 삼았다.

이 '일식 전투'(할리스 전투)의 시기는 명확하게 알려지지 않았지만, 후세의 천문학자들이 전투가 벌어진 추정 위치와 일식 주기를 기준으로 역산한 결과, 일식이 일어난 기원전 585년 5월 28일에 전투가 있었다는 결론이 나왔다. SF작가이자 과학자인 아이작 아시모프의 평에 의하면, '일식 전투'는 세계 역사상 가장 이른 시기의 일식 기록이라고 한다.

'아르케'를 찾아서

'아르케'를 찾는 인류의 여정은 현대에까지 쉽없이 이어졌는데, 일례로 17세기 철학자이자 수학자인 고트프리트 라이프니츠는 스스로에게 이런 질문을 던졌다. "세상은 왜 텅 비어 있지 않고 무엇인가가 있는가?" 그러고는 이렇게 덧붙였다. "이 세상이 환상일 수도 있고, 모든 존재는 꿈에 불과할지도 모르지만, 내가 보기에 이들은 너무도 현실적이어서 우리가 환상에 현혹되지 않고 있다는 것을 입증하기에 충분하다."

하지만 애석하게도 그때까지 지구상에서 아르케가 무엇인지 답해줄 사람은 아무도 없었다. 이 아르케가 20세기 들어서야 과학의 힘을 빌어 정체를 드러내게 된다.

20세기 들어 빅뱅 이론은 빅뱅 직후 우주공간에 나타난 최초의 물질은 원자번호 1인 수소(H)임을 밝혀냈다. 이 수소 2개가 산소원자(O) 하나를 만나면 H_2O, 곧 물이 된다. 그렇다면 아르케가 물이라고 선언한 탈레스의 말도 반은 맞았다고 해야 할 것 같다.

탈레스는 여러 명의 제자를 두었는데, 그 중에서도 아낙시만드로스와 피타고라스가 유명하다. 전하는 말에 의하면, 이 '물의 철학자'는 운동경기 관람 중에 탈수증으로 사망했다고 한다. 사망지는 미상이다.

'아르케'를 찾는 데 평생 철학적인 사색을 이어왔던 탈레스가 남긴 사색의 결실이라 할 수 있는 어록이 지금까지 몇 줄 전해내려오고 있다.

"이 세상에 존재하는 모든 것들 중 가장 오래된 것은 신이니, 태어나지 않기 때문이다."

"가장 거대한 것은 공간이니, 모든 것을 포함하기 때문이다."

"가장 현명한 것은 시간이니, 모든 것을 결국 명백하게 밝히기 때문이다."

03. 우주론의 아버지
– 아낙시만드로스(BC 610경~BC 546경)

철학이 '나는 누구인가?'라고 묻는다면,
천문학은 '나는 어디에 있는가?'라고 묻는다.
울리히 뵐크 (독일 천문학자)

세계의 기본질료, '아페이론'

이른바 '원통형 우주관'으로 알려진 최초의 이성적 우주론을 내놓은 사람은 탈레스의 제자 아낙시만드로스였다. 이는 지상에서 달과 별, 해의 움직임을 관찰한 끝에 이성적으로 유추한 것으로, 이런 이유로 아낙시만드로스는 '우주론의 아버지'로 불린다.

탈레스의 젊은 제자였지만, 탈레스가 아무런 저서를 남기지 않았기 때문에 아낙시만드로스는 그리스인 중 최초로 자연에 관한 논문을 집필한 철학자가 되었다. 동시에 그는 사람들이 살고 있는 지역을 지도화하려는 시도를 감행한 최초의 인물이기도 하다.

그는 우주론과 만물관에서 독자적인 사상을 구축함으로써 그리스 시대의 철학과 천문학에서 중요한 위치를 차지했는데, 그의 독자적인 사상은 '만물의 근원은 물'이라고 설파한 스승 탈레스에 대한 반박으로부터 시작되었다고 볼 수 있다.

아낙시만드로스는 스승 탈레스의 영향을 받아 '만물을 구성하는 근본적이고 1차적인 질료가 존재한다'는 명제에는 동의했다. 하지만 탈레스가 만물의 단일한 근본 재료가 '물'이라고 한 것에 대해서는 동의하지 않았다. 여기서 질료란 물질의 재료를 뜻하며, 아리스토텔레스는 이것에 형상이 가해짐에 따라 현실적으로 존재하는 일정한 물物이 된다고 보았다.

아낙시만드로스가 물이 만물의 기본 질료가 될 수 없다고 생각한 까닭은 물의 성질이 규정적이라고 생각했기 때문이다. 질료로서 성격이 규정된다면 다른 성격의 물질로 구현될 수 없다고 생각한 것이다. 따라서 규정적인 성질을 가진 물은 건조한 물질의 재료가 될 수는 없다고 생각한 그는 만물의 근원이 되는 존재는 성격이 무규정적이어야 한다고 보았다. 동시에 세상의 모든 것을 이루어야 하므로 무한정하다고 생각했다. 여기에서 그는 '없음'을 뜻하는 접두어 'a-'와 '경계' 혹은 '한도'를 뜻하는 'peras'와 결합하여 무규정적이고 무한정한 존재를 가리키는 '아페이론'apeiron/무한자이라는 결합어를 만들었다.

아낙시만드로스는 또한 영원한 운동으로 인해 하나인 아페이론으로부터 원초적인 대립자들이 분리되어 나온다고 보았다. 이전 철학자들이 자연의 가장 근본적인 원소들로 물, 공기, 불, 흙으로 규정함에 따라 이를 깊이 관찰한 아낙시만드로스는 서로 반대의 상태에 있는 이 원소들이 파괴되지 않으면서도 서로 섞이거나 분리되면서 조화를 이루어내는 과정을 발견하고, 한 상태가 무한정 상태가 된다면 다른 상태의 소멸로 이어지기 때문에 이 4원소 중 어느 한 원소도 원질로 인정할 수 없었다. 따라서 그는 존재하는 모든 것의 처음과 근원인 중립적이고 미분화된 무한자無限者, 곧 아페이론을 상정하게 되었다.

모든 것의 원질료인 아페이론, 곧 무한자는 4원소들의 중간에 위치한다. 아페이론은 따라서 '중간자' 혹은 '중성자'라고도 불리는데, 이것은 변하지 않는 중간자적이면서도 규정될 수 없는 원질만이 공간적인 분리와 결합을 통해 우주에 존재하는 다양하고도 개별적인 물질들을 생성해낸다고 생각했다. 이 같은 개념은 현대 물리학에 부합하는 것으로, 예컨대 만물의 근원인 수소(H)는 무정형적인 중성자로 정의할 수 있을 것이다.

아낙시만드로스는 아페이론을 그의 우주론에 접목시켰으며, 4원소는 생성과 소멸로 인해 멈추지 않는 회전운동을 하지만, 아페이론이 지구와 우주의 모든 것들을 지탱해주는 힘을 필연적으로 제시한다고 주장함으로써 우주론의 중심적인 개념으로 자리매김했다.

아낙시만드로스의 만물관에 따르면 존재하는 모든 것의 원질료인 아페이론은 영원하고, 늙지 않으며, 모든 세계를 둘러싸는데, 모든 것은 이것으로부터 생겨나고 소멸하여 다시 이것으로 돌아간다. 따라서 세상에서 크고 작은 생성과 소멸이 발생할 때 부분들은 변화를 겪지만, 전체로는 변화가 없다. 그래서 이것은 신적인 것으로 여겨지기도 한다.

아낙시만드로스의 원통형 우주관

이 같은 만물관에 기초한 아낙시만드로스의 우주관은 신화적인 요소를 철저히 배제한 대담한 가설로서, 이전의 우주론자들과 상당히 구별되는 기계론적 모델이었다. 그것은 소크라테스 이전의 철학자들이 우주에 대한 물리적 과정을 이해하기 위해 노력한 전통을 이어받은 것이기도 했다.

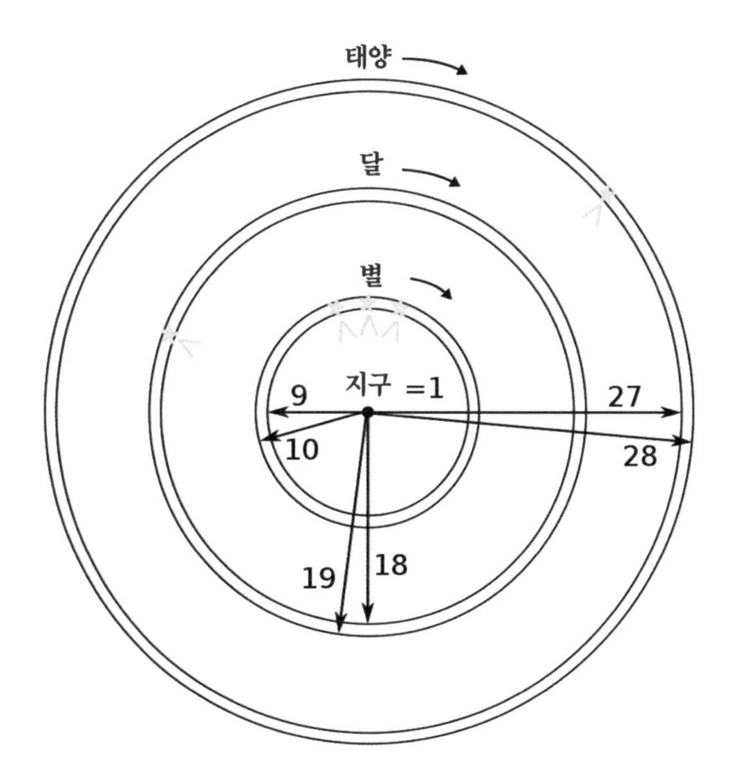

아낙시만드로스의 원통형 우주관 © Wikipedia

또한 우주의 구조는 위에서 보았을 때 크기가 다른 여러 동심원들이 중첩되어 있는 형태이며, 태양은 지구를 둘러싸고 있는 불이 가득한 고리에 뚫려 있는 구멍이 지구 둘레를 도는 것이라고 보았다.

아낙시만드로스는 우주의 모양과 크기를 상상하고 설명하는 데 건축학적·기하학적 방법론을 차용했다. 그는 우주가 완전한 원통형이라고 보았다. 이때 이 원기둥의 높이는 지름의 1/3이다. 그리고 이 원기둥을 3개의 불의 바퀴가 둘러싸고 있는데, 이 바퀴에 대해 아낙시만드로스는 다음과 같이 설명한다.

우주가 탄생하던 시점에 뜨거움과 차가움의 기원이 영원한 물질 아페이론으로부터 분리되었는데, 이것에서 나온 구형의 불꽃이 마치 나무껍질이 나무를 둘러싸듯이 지구를 둘러싸는 증기가 되었다. 그리고 이 불꽃이 부서진 조각들이 하나의 바퀴 모양을 하게 되는데, 그것은 불로 채워진 속이 빈 동심원 바퀴 시스템과 유사했으며, 테두리는 플루트처럼 구멍이 뚫렸다.

그렇다면 왜 하필이면 불의 바퀴일까? 여기에는 당시 그리스 물리학의 기본이 되던 원리가 개입되어 있다. 바로 '가벼운 것은 위로, 무거운 것은 아래로'라는 원리인데, 아낙시만드로스는 4개 원소(불·공기·물·흙) 중에서 흙이 가장 무겁고, 불이 가장 가볍다고 생각하였다. 그래서 가장 무거운 흙이 우주의 중심이 되는 땅을 이루고, 가장 가벼운 불이 천체를 이룬다고 본 것이다.

어쨌든 결과적으로 태양은 지구와 같은 크기의 구멍을 통해 볼 수 있는 가장 먼 바퀴의 불이었고, 그 구멍이 막힐 때 일식이 일어난다. 태양 바퀴의 지름은 지구 지름의 27배이고 불이 덜 강한 달 바퀴의 지름은 18배였다. 그 구멍은 모양을 바꿀 수 있어 달의 위상을 설명할 수 있다. 더 가까이에 있는 별과 행성도 같은 모델을 따랐다.

이것들은 위에서 보았을 때 여러 개의 크기가 다른 동심원들이 중첩되어 있는 것과 같은 형태이다. 그의 모델에서 지구는 우주 중심에 아무것에도 의지하지 않은 채 고요히 떠 있는 원통형의 천체로, 그 평평한 부분에 사람과 생물들이 살고 있으며, 주위는 바다로 둘러싸여 있다고 생각했다. 그리고 위는 둥글고 별이 가득 찬 구[球] 형태의 것이 덮어씌워져 있다고 생각했다. 그러나 별 사이의 하늘을 가로지르거나 순행과 역행을 되풀이하는 행성들의 운동을 보면 하나의 구로써는 설명할 길이 없어 아낙시만드로스는 여러 개의 천구가 겹겹이 쌓인 모델을 설정할 수밖에 없었다.

아낙시만드로스의 이 구는 나중에 '천구'天球라는 이름을 얻었으며, 그후 2,000년간 인류의 우주관에 지대한 영향을 미쳤다. 천동설의 학자들은 크리스탈로 만든 단단한 구를 연상케 하는 이 천구를 복잡한 천체 운동을 설명하는 데 즐겨 사용했다. 이 천구의 수는 후에 계속 불어나서 아리스토텔레스에 이르러서는 54개로까지 증가되었다.

'지구는 허공에 떠 있다'

땅, 즉 지구는 떨어지는 일 없이 공간 속을 떠다니는 유한한 물체고, 하늘은 우리 머리 위에만 있는 것이 아니고 우리를 둘러싸고 사방에 있다고 말한 아낙시만드로스는 우주공간에 떠 있는 지구는 무언가에 기대어 있을 필요가 없다고 믿었다.

이 같은 아낙시만드로스의 깨달음은 북극성 주위를 도는 별들의 일주운동에서 나온 것이다. 별들은 매일같이 지평선 위에 떠올라 북극성 주위를 돌고는 다시 지평선 아래로 떨어지기를 반복하는 것을 보고, 자기가 서 있는 지구의 반대쪽도 허공이라는 통찰을 얻었다.

이 통찰은 최초의 우주 혁명이자 과학적 사고의 출발점으로 평가받고 있다. 과학철학자 칼 포퍼는 이 아이디어를 "인간 사고의 전체 역사에서 가장 대담하고 가장 혁명적이며 가장 강력한 아이디어 중 하나"라고 평가한다. 이러한 모델은 천체가 지구 아래를 지나갈 수 있다는 개념을 허용하여 그리스 천문학으로의 길을 열었다.

아낙시만드로스는 또한 태양을 거대한 질량을 가진 천체로 간주한 최초의 천문학자였으며, 태양이 지구에서 얼마나 멀리 떨어져 있는지 물리적인 거리를 상정하고, 천체가 서로 다른 거리에서 회전하는 시스템을 최초로 제시했다. 그리고 무엇보다 특기할 점은 지구를 덮고 있는 천구를 최초로 창안했다는 것이다. 이 발명은 의심할 여지없이 후학들에게 그대로 받아들여져 수천 년 동안 인류의 우주관을 지배했다.

지구 구형설을 받아들이지 않은 아낙시만드로스의 우주관 역시 일종의 천동설이라 할 수 있다. 지구 구형설을 믿든 안 믿든 간에 그리스 철학자들이 우주 구조에 대한 생각에는 하나의 공통점이 존재했는데, 그것은 지구가 우주의 중심에 부동자세로 존재하며, 모든 천체가 지구 주위를 돈다는 지구 중심의 천동설이라는 점이다.

그러나 같은 천동설이라 하더라도 학파에 따라 주장하는 학설들이 다 같지는 않았다. 에크판토스는 지구가 우주의 중심이지만 자전하고 있다고 주장했으며, 필롤라오스는 지구도 태양도 우주의 중심은 아니지만 자전과 공전을 하고 있다고 주장했다.

아낙시만드로스의 우주론이 오늘날까지 높은 평가를 받고 있는 것은 당시 물리학의 범주를 벗어나지 않고 나름 합리적인 방식으로 우주의 모습을 설명했다는 점, 그리고 태양을 거대한 크기의 물질로 보고 이것과 지구 사이의 거리를 따져본 최초의 천문학자였다는 점이다.

과학사가들은 당시 밀레토스의 상황을 "한편에 대부분의 천문가 그룹이 있고, 다른 한편에 홀로 아낙시만드로스가 있었다"라고 표현할 만큼 아낙시만드로스의 위상을 높이 평가한다.

04. '만물의 근원은 수'이다
– 피타고라스(BC 570경~BC 495경)

신비한 것은 세상이 어떠한가가 아니라,
세상이 존재한다는 그 자체다.
비트겐슈타인 (영국 철학자)

아낙시만드로스가 최초로 평평한 지구를 주장한 것과 반대로 지구가 둥글다고 주장한 사람이 곧바로 나타났다. 바로 그의 제자인 피타고라스였다.

기원전 6세기 중엽에 사모스섬의 유복한 가정에서 태어난 피타고라스는 밀레토스의 탈레스와 아낙시만드로스 아래에서 공부했다. 스승 탈레스의 주선으로 이집트로 유학을 떠난 피타고라스는 23년 동안 나일강 연안의 여러 신전을 다니며 멤피스의 사제들에게서 기하학과 천문학 등을 배우는 한편 그들의 신비사상에 입문한 것으로 전한다.

뭐니뭐니해도 피타고라스를 가장 유명하게 만든 것은 바로 피타고라스 정리다. 수학을 아무리 싫어하는 사람이라 해도 피타고라스 정리만은 알 것이다. 직각삼각형에서 빗변의 제곱은 다른 두 변의 제곱의 합과 같다는 정리 말이다.

수학사에서 가장 위대한 '피타고라스 정리'

피타고라스 정리는 우주의 모든 물체 사이의 거리를 측정하는 데도 만능의 효험을 발휘한다. 건축, 삼각측량, 전기회로 설계 등등 수없이 많은 부문에 쓰일 뿐 아니라, 오늘날 필수품이 된 내비게이션의 GPS에서 산출되는 거리 역시 피타고라스의 정리를 거친 값들이다.

이런 연유로 피타고라스 하면 수학자를 대표하는 이름이 되었다. 그런데 피타고라스의 정리를 정말 피타고라스가 최초로 발견했는가 하는 것은 확실치가 않다. 피타고라스 정리의 관계를 만족시키는 세 양의 정수의 쌍을 '피타고라스 3조'라고 한다. 예를 들어 '3, 4, 5'는 피타고라스 수이다. 이런 피타고라스 3조를 바빌론인은 이미 많이 알고 있었으며, 전해오는 일화에 따르면 이집트인은 밧줄을 3 : 4 : 5 비율로 매듭지어 직각삼각형을 만들었다고 한다. 인도인 역시 피타고라스 정리를 "직사각형의 대각선의 제곱은 두 이웃변의 제곱합과 같다"는 내용으로서 알고 있었으며, 3세기 때 중국 위나라 사람 유휘는 원주율을 계산하는 데 피타고라스 정리를 사용했다. 그러나 분명한 것은 피타고라스 학파에 의해 피타고라스 정리가 확실히 뿌리를 내리게 되었다는 점이다.

그런데 피타고라스 학파라고는 하지만, 이 집단은 학파라기보다는 종교 단체나 비밀결사에 더 가까웠다. 피타고라스 자신부터 당대에는 수학보다는 종교 사상가로 더 유명했다. 그는 사람의 영혼은 일시적인 현상이 아닌 불멸하는 실체이며, 몸이 소멸할 때마다 그 영혼은 다른 짐승이나 사람의 몸으로 옮겨간다고 믿었다. 그는 자신은 전생에 트로이 전쟁에서 싸운 것을 기억한다고 말했으며, 길을 가다가 주인에게 매 맞는 개를 보고는 "개를 때리지 말라. 소리를 들어보니 내 친구의 영혼이다"라며 개 주인을 제지했다고 한다.

피타고라스 정리를 보여주는 바빌로니아 시대의 점토판 © Wikimedia Commons

영혼 불멸설을 따르는 피타고라스 학파는 사람이 살아가는 방식에 따라 내세의 운명이 결정된다고 믿고 수행을 통해 영혼을 정화해야 한다고 주장했다. 이런 이유로 이 학파의 사람들은 엄격한 교리를 지키며 금욕주의와 육식을 금지한 채식 위주의 공동체 생활을 영위해갔다. 그들은 수많은 금기사항을 지키고 있었는데, 가장 유명한 금기는 콩을 먹지 말 것, 빵을 통째로 뜯어먹지 말 것, 흰 수탉을 만지지 말 것 같은 괴이한 교리도 있었다.

아름답고 조화로운 전체, '코스모스'

고대 그리스 철학에서는 만물의 근원, 곧 아르케Arche를 찾는 것이 최대 화두였다. 이에 대해 최초로 아르케를 '물'이라고 제시한 탈레스가 있었지만,

그의 제자였던 피타고라스의 아르케는 다름 아닌 '수'였다. 그는 만물이 수로 이루어져 있으며, 세상의 모든 것에서 숫자의 비율을 찾을 수 있다고 주장했다.

오늘날 우리는 수학과 과학은 서로 분리될 수 없을 정도로 밀접한 관계에 있다고 생각한다. 많은 과학이론들은 수학을 이용해서 표현되며, 과학적 사실들을 표현하기 위해서 다양한 수학이론들이 고안되기도 한다. 이런 밀접한 관계는 한 가지 사실을 가정하고 있다. 우리 세계는 수학적으로 질서 있고 조화로우며, 따라서 수학적으로 표현될 수 있다는 것이다.

피타고라스주의자들은 바로 이 점을 역사상 최초로 파악한 사람들로서, 그들은 또한 별과 행성들 역시 어떤 수학적인 공식에 따라 움직인다고 주장했는데, 이 놀라운 통찰은 후세에 전해져 코페르니쿠스와 케플러에 의해 지동설을 확립하는 데 디딤돌이 되었다.

피타고라스 학파는 수학뿐 아니라 철학, 종교, 음악, 과학 등에도 방대한 업적을 남겼으며, 이러한 업적은 후대에 전해져 서양의 모든 학문에 지대한 영향을 끼쳤다.

피타고라스는 형태의 순수성을 근거로, 신의 작품이자 인류의 터전인 지구는 완전한 구여야 할 것이라고 여겼다. 지구가 공과 같이 둥글다고 추론한 역사상 최초의 인물로 여겨지는 피타고라스는 지구가 공 모양이라고 생각했을 뿐 아니라, 우주의 중심에도 있지 않다고 보았다. 그리고 우주 전체가 공처럼 둥근 모양이며, 그 중심에는 불덩어리인 '중심불'이 있으며, 가까운 순서대로 지구, 달, 태양, 금성, 수성, 목성, 토성, 항성, 별무리 등 천체 10종류가 배열되어 있다고 보았다.

또한 이들 천체는 중심이 같은 10개의 원궤도를 운행하면서 질서 있는 우주를 이룬다고 생각했는데, 이를 '코스모스'cosmos라 불렀다. 그는 카오스의 반대 개념으로 우주를 '아름답고 조화로운 전체', 즉 코스모스로 상정함으로써 우주를 인간의 사고 범위 안으로 끌어들였던 것이다.

피타고라스가 만물의 근원이 수라고 주장했던 것은 현실을 이해할 수 있는 규칙을 숫자에서 찾았던 때문으로, 우주에 대한 미학적-수학적 전망은 이렇게 피타고라스에 의해 탄생되었다. 피타고라스의 '수로 이루어진 세계'의 개념은 그후의 과학사에 커다란 영향력을 끼쳐 2,000여 년 뒤 코페르니쿠스와 케플러를 거쳐 현대 양자물리학에까지 이어진다.

피타고라스의 세계를 파탄낸 제자

최초로 스스로를 철학자, '지혜를 사랑하는 자'라고 부른 피타고라스는 정수 연구에 빠져서 모든 사물을 자신이 연구하는 정수의 규칙에 결부시키려 했다. 그가 아는 수의 세계는 정수에서 벗어날 수가 없었다. 그 당시는 무리수라는 것이 생겨나기 이전이었던 때문이다. 그러나 그의 정수 세계는 한 제자에 의해 파탄나고 말았다. 어느 날, 제자 히파소스가 피타고라스를 찾아와 이렇게 질문했다.

"스승님, 스승님이 설명한 정리(지금의 피타고라스 정리)는 매우 이상적이었습니다. 그런데 제가 그것을 증명하던 중 이상한 일을 경험하게 되었습니다. 직각삼각형에서 직각을 낀 두변의 길이가 각각 1cm라고 하면 빗변의 길이는 얼마입니까?"

히파소스는 그의 스승의 이름이 붙은 정리인 피타고라스의 정리를 두 변의 길이가 1인 직각삼각형에 적용하여 $\sqrt{2}$라는 숫자를 발견했고, 완전한 정수비로 표현할 수 없는 숫자라는 것을 증명했다. 그러나 당시 피타고라스 학파는 만물의 근원은 자연수라고 생각했고, 모든 수는 자연수의 비로 표현할 수 있다고 가르치고 있었다.

라파엘로가 교황 율리오 2세의 주문으로 그린 프레스코화 《아테네 학당》(1510~1511) 속에 묘사된 피타고라스.

모든 수는 정수밖에 없다고 생각한 피타고라스는 대답할 말을 잃고 말았다. 피타고라스 학파의 이단이었던 그는 바다에서 난파를 당해 죽었다고도 하고 피타고라스 학파에 의해 암살되었다고도 한다. 그리고 이 문제는 절대로 입 밖에 내지 말라는 단호한 명령도 있었다고 한다.

피타고라스의 최후는 비참했다. 그의 학교가 있는 크로토네 도시에 정쟁으로 인해 폭동이 발생하는 바람에 학교는 불태워지고, 피타고라스를 비롯한 그의 제자 38명이 살해되었다. 일설에 의하면, 피타고라스는 크로토네에서 약간 북쪽으로 떨어진 메타폰툼으로 피신했으나, 도주로를 막은 콩밭에 차마 숨어들지 못하고 멈칫거리다가 추적해온 폭도들의 손에 살해되었다고 한다.

05. '빵'에서 원자를 본 고대의 천재
- 데모크리토스(BC 460~BC 370)

지혜로운 사람에게는 온 지구가 집이다. 나는 페르시아 왕국을 얻기보다
오히려 우주의 원인에 대한 설명을 하나라도 더 찾아내기를 원한다.

데모크리토스 (고대 그리스 철학자)

2,400년의 역사를 가진 소립자 물리학

아인슈타인 이후 최고의 천재로 일컬어지는 미국의 물리학자 리처드 파인만은 원자에 대해 이렇게 한마디로 규정했다.

"세계는 원자로 이루어져 있다. 다음 세대에 물려줄 과학지식을 한 문장으로 요약한다면, '모든 물질은 원자로 이루어져 있다'는 것이다."

이처럼 원자는 물질세계의 가장 기본적인 질료이자 현대 물리학의 화두이다. 현대문명의 총화인 컴퓨터, TV, 휴대폰 등 모든 전자기기들은 원자의 과학인 양자론 위에 서 있는 것들이다. 물리는 원자에서 시작하여 원자로 끝난다고 할 수 있다. 원자는 새로 생기거나 사라지거나 바뀔 수 없으며, 수명은 10^{32}년으로, 거의 영원불멸이다.

그런데 원자의 크기는 대체 얼마나 될까? 전형적인 원자의 크기는 10^{-10}m다. 1억분의 1cm란 얘기다. 상상이 안 가는 크기다. 중국 인구와 맞먹는 10억 개를 한 줄로 늘어놓아야 고작 가운뎃손가락 길이만 한 10cm가 된다. 각설탕만 한 $1cm^3$의 고체 속에는 이런 원자가 10^{23}개쯤 들어 있다. 이것은 어느 정도의 숫자일까? 지구상에 있는 모래알의 개수와 맞먹는 숫자이다.

원자의 속고갱이인 원자핵의 크기는 얼마나 될까? 약 10^{-15}m다. 원자의 10만분의 1 정도다. 그렇다면 원자의 크기는 무엇으로 결정되는가? 원자핵을 중심으로 돌고 있는 전자 궤도가 결정한다. 결론적으로 말하면, 원자는 그 부피의 10^{-15}(부피는 세제곱), 곧 1,000조분의 1을 원자핵이 차지하고, 그 나머지는 모두 빈 공간이라는 말이다.

이게 대체 얼마만 한 공간일까? 원자가 잠실 야구장만 하다면 원자핵은 그 한가운데 있는 콩알보다도 더 작다. 지구상의 모든 물질을 원자핵과 전자의 빈틈없는 덩어리로 압축한다면 지름 200m의 공을 얻을 수 있다. 자연은 원자를 제조하는 데 너무나 많은 공간을 남용했다고 해도 할 말이 없을 것 같다.

물질을 세분해 가면 '분자 → 원자 → 원자핵' 등으로 세분화되고, 마지막에 더 이상 나눌 수 없는 가장 작은 알갱이에 이르게 되는데, 이를 소립자素粒子라고 한다. 소립자는 현재까지 발견된 물질을 구성하는 가장 작은 단위의 입자이다. 이러한 물질의 최소단위를 연구하는 학문을 소립자 물리학이라 하는데, 우주의 기본입자 물체를 연구하는 물리학의 한 분야이다. 가장 먼저 발견된 소립자는 1897년 영국의 물리학자 존 톰슨에 의해 발견된 전자이다. 20세기에 접어들어 원자와 소립자에 대한 연구가 본격적으로 시작되었는데, 이 소립자 물리학의 역사는 기원전 4세기까지 거슬러

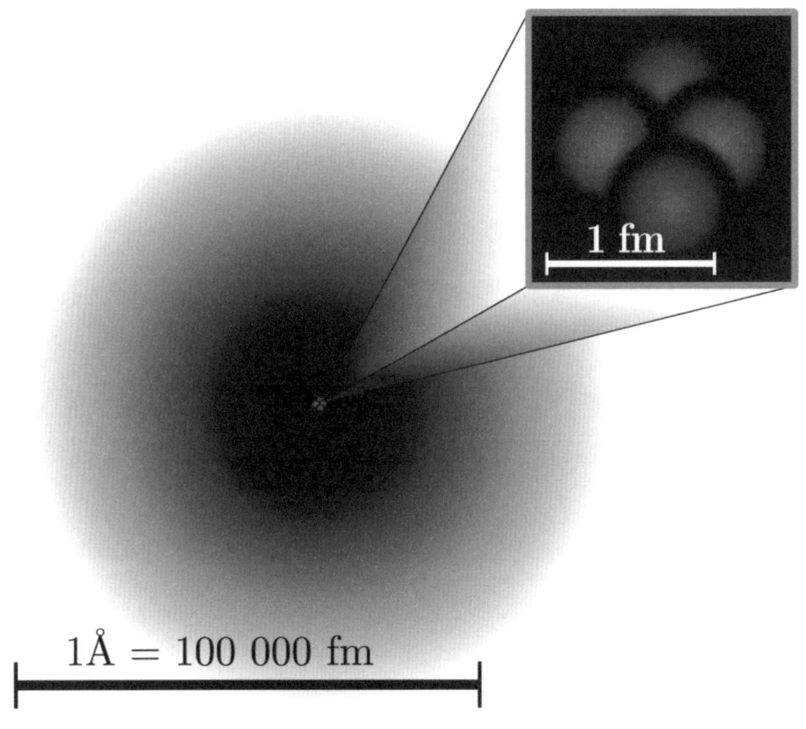

헬륨 원자. 한가운데 4개의 점들이 핵이고, 주위의 검은 부분이 전자 구름이다.
1옹스트롬(Å)은 10^{-10}m 또는 0.1nm를 나타낸다. © Wikipedia

올라간다. 무려 2,400년의 역사를 갖고 있다는 말이다.

최초의 '원자 개념'은 갓 구운 빵에서 나왔다

고대 그리스 철학자 중 "물질의 최소 단위를 모르고서는 결코 우주를 이해할 수 없다"고 말한 사람은 바로 플라톤(BC 427경~BC 347경)이었다. 그는 또 '우주는 왜 텅 비어 있지 않고 무언가가 존재하는가?' 하고 물었다. 물질의 기원에 관한 가장 원초적인 질문이었다. 물론 그러한 질문에 제대로 답할 만한 과학이 당시엔 없었다.

그러나 물질에 대해 가장 독창적이고 놀라운 주장을 한 사람이 나타났다. 기원전 5세기 그리스의 데모크리토스였다. 세계는 모두 원자로 이루어져 있다는 원자설atomism을 주창한 것인데, 원자설이란 세계의 모든 사상事象을 원자와 그 운동으로 설명하는 학설이다.

소크라테스(BC 470경~BC 399)와 동시대 인물인 데모크리토스는 기원전 460년경 그리스 북부 지방 트라키아의 해안도시 압델라에서 부유한 시민의 아들로 태어났다. 이 도시는 그리스의 고대 철학과 근동의 사상이 모여든 그리스 북동부 트라케 연안에 자리하고 있었는데, 전하는 말에 의하면, 데모크리토스는 여행과 배움을 좋아해서 부모님이 물려준 큰 재산을 이집트와 바빌로니아, 페르시아, 인도 등지를 여행하느라 아낌없이 탕진해버렸다.

그는 당시의 법에 따라 재산을 탕진한 죄로 재판정에 불려나가 재판을 받게 되었는데, 재판정에서 자신이 여행하면서 보고 듣고 배운 것들을 낱낱이 진술하자 재판관은 "그는 유산을 탕진한 게 아니라 마르지 않는 지식으로 바꾸었다"며 무죄를 선고했다고 한다.

그후 데모크리토스는 레우키포스에게서 배웠으며, 그 생애의 대부분을 연구와 저술 및 교수로서 보냈다. 그 밖의 개인적인 면에 대해서는 알려진 것이 없다.

그 뒤로 그는 미래의 일을 예언함으로써 명성을 얻었고, 자신의 책《대우주 체계》를 사람들에게 낭독해주고 떼돈을 벌게 된다. 그의 명성은 널리 퍼졌으며, 심지어 생전에 청동상까지 세워졌다고 한다.

지식을 얻는 방법에 대해 "지식은 2가지 방법으로 얻을 수 있다. 지성에 의해 타당한 추론을 얻을 수 있고, 다른 방법은 모든 감각을 정교하게 동원해서 얻어낸 자료를 통해 추론하는 것이다"라고 말한 데모크리토스는 물질의 본성에 대한 추론을 통해 "모든 물질은 더 이상 나눌 수 없는 작은 것,

곧 아토모스atomos로 이루어져 있음이 틀림없다"고 갈파했다.

그렇다면 데모크리토스는 아무런 과학적 관측도구도 없었던 그 시대에 어떻게 만물이 원자로 이루어져 있다는 것을 알아냈을까? 데모크리토스가 '아토모스'를 착상하게 된 것은 놀랍게도 '갓 구운 빵' 때문이었다.

길고 긴 단식 기간을 보낸 데모크리토스는 거의 단식이 끝나가던 어느 날, 뜻하지 않게 아토모스('더 이상 나누어지지 않는'이라는 뜻)라는 개념을 떠올리게 되었다. 그것은 아내가 그가 있던 방 안으로 갓 구운 빵을 들고 들어왔을 때였다. 데모크리토스는 고개를 돌리기도 전에 그것이 빵임을 단박에 알 수 있었다. 그는 생각했다. '눈에 보이지 않는 빵의 진수essence가 허공을 가로질러 내 코에 도달했다.'

그는 빵 냄새를 공책에 적어놓고는 '공간을 가로질러온 빵의 진수'에 대해 깊이 사색했다. 그러고는 그가 관찰했던 작은 물웅덩이를 떠올렸다. 물웅덩이는 점점 작아지다가 결국 말라붙어 사라진다. 왜 그럴까? 눈에 보이지 않는 물의 진수가 웅덩이에서 빠져나가 멀리 사라진 것이다. 빵의 진수가 내 코를 자극하고 사라진 것과 마찬가지로. 이 위대한 고대의 천재는 마침내 다음과 같은 결론에 도달하게 되었다.

"모든 물질은 더 이상 나눌 수 없는 작은 것, 곧 원자(atomos)로 이루어져 있으며, 이것이 바로 물질의 보이지 않는 가장 작은 구성요소로서, 세계는 무수한 원자와 빈 공간 외에는 아무것도 존재하지 않는다. 다른 것은 다 견해에 불과하다."

그는 또 원자를 설명하면서, 원자는 영원불변하며, 절대적인 의미에서 새로 생겨나거나 사라지는 것은 아무것도 없으며, 사물들이 안정되어 있고 시간이 흘러도 변하지 않는 까닭은 모든 원자들이 똑같은 크기를 갖고 자기가 차지하고 있는 공간을 꽉 메우고 있기 때문이라고 주장했다.

물론 오늘날 우리는 원자가 더 작은 입자들로 이루어진 보따리 구조라는 사실을 알고 있다. 따라서 데모크리토스가 말한 원자는 입자로 바꿔 생각해야 할 것이다. 어쨌든 데모크리토스가 말한 대로 물질을 계속 쪼개나가다보면, 그 이름이 무엇이든 간에 물질의 최소 단위에 이르게 된다. 왜냐하면 물질을 무한히 쪼개나갈 수는 없는 것이기 때문이다.

소립자 물리학이 밝힌 바에 따르면, 현재 물질을 구성하는 궁극적인 최소단위, 곧 기본입자는 6종의 쿼크와 6종의 렙톤, 총 12가지로 알려져 있다. 이것들이 바로 데모크리토스가 말한 '아토모스'인 셈이다.

현대의 원자론에 비추어 보면 틀린 주장도 있지만, 큰 틀에서 볼 때 데모크리토스의 통찰은 옳았다. 데모크리토스는 최초로 '기계론적 우주관'mechanistic view of the universe을 완성했다고 평가된다. 데모크리토스는 물질의 본질을 설명하는 데 신神을 배제함으로써 유물론의 길을 열었다.

데모크리토스가 시도한 신을 배제한 자연관은 근대나 현대 과학을 기준으로 봐도 지극히 혁신적이다. 뉴턴·갈릴레오·코페르니쿠스·데카르트와 같은 '근대 과학의 아버지들'은 모두 데모크리토스의 전철을 밟아 과학과 종교, 신을 조화시키기 위해 고투했다. 원자론을 중심으로 하는 데모크리토스의 학설은 고대 그리스에 있어서 초기 유물론의 완성인 동시에, 후기 에피쿠로스 및 근세 물리학의 발전에 결정적인 영향을 주었다.

물질의 궁극적인 최소단위 '아토모스'

데모크리토스는 이 아토모스를 우주 기원의 가설로까지 밀고나갔다. 무수한 아토모스가 무한한 공간에 퍼져 있으며, 이것이 운동하여 거대한 소용돌이를 만드는데, 이들은 '같은 종류끼리는 서로 모이며 운동 방향과 크기는 서로 구별된다'는 법칙에 따라 무수한 세계를 만든다고 설명한다.

아토모스가 결합해 만드는 모든 세계는 '탄생 → 성장 → 소멸'의 과정을 거치며, 소멸된 결합체는 다시 해체, 결합의 과정을 거쳐 새로운 세계를 만드는데, 이는 신화 속의 피닉스phoenix/불사조가 끊임없이 스스로 불타고 다시 재 속에서 태어나는 것과 비슷하다고 주장한다. 바로 우주가 끊임없이 생성과 소멸의 순환을 이어간다는 우주 진화론의 '원조'라 할 수 있다.

근대의 과학 사상가인 데카르트나 라플라스, 칸트는 태양계가 성운의 소용돌이에 의해 탄생했다는 이른바 '성운설'을 주장했는데, 데모크리토스는 이미 2,000년 전에 이와 비슷한 '아토모스 우주 기원설'을 제시한 것이다. 참으로 놀라운 일이 아닐 수 없다.

인간의 눈에는 결코 보이지 않는 극미의 원자, 그러나 이 원자들이 우주의 삼라만상들을 이루고 있는 것이다. 참고로, 이 우주에는 총 10^{82}개 원자들로 이루어져 있으며, 그것들이 만드는 물질은 우주 공간의 1조분의 1 정도를 채우고 있을 뿐이다. 우주는 이처럼 태허太虛(음양을 낳는 기(氣)의 본체. 이것이 응집되어 만물이 되고, 만물은 분해하여 이것이 된다), 그 자체인 것이다.

한 물리학자의 말을 빌면, "큰 성당 안에 모래 3알을 던져넣으면 성당 공간의 밀도는 수많은 별을 포함하고 있는 우주의 밀도보다 높게 된다." 그러니 우주는 사실 텅 빈 공간이나 다를 바가 없다. 우리는 그야말로 색즉시공色卽是空의 세계에서 살고 있는 것이다.

현대 물리학은 2,400년 전 물질의 최소 단위라는 개념을 싹틔운 데모크리토스의 '아토모스' 착상에서부터 출발했다고 해도 과언이 아니다.

데모크리토스의 행복론

네덜란드 화가 헨드릭 테르 브루겐이 그린 《데모크리토스》(1628). 데모크리토스는 자주 웃는 버릇이 있어서 '웃는 철학자(laughing philosopher)'란 별명을 얻었다.

데모크리토스가 100세 넘게 장수하다가 죽었을 때 국가에서 장례를 치러줬는데, 그가 죽은 방식 또한 아주 이색적이다.

고대 그리스인은 늙어서 자신의 몸을 스스로 다스리지 못하게 되면 곡기를 끊고 자진하는 풍습이 있었다. 데모크리토스 역시 100세가 넘게 살았으니 죽을 때가 되었다며 곡기를 끊고 스스로 죽음을 맞이하려던 참에, 함께 살던 누이가 그에게 간곡하게 죽는 걸 미뤄달라고 부탁했다. 누이는 곧 있을 테스모포로스 종교 축제에 참석하고 싶어했는데, 축제 기간 동안 오빠가 죽으면 참석하지 못할 것이 걱정됐던 것이다.

그러자 데모크리토스는 누이에게 갓 구운 따뜻한 빵을 매일 가져다 얼굴 위에 올려달라고 부탁했고, 그는 그 빵을 코에 대고 빵의 원자가 풍기는 냄새를 맡으며 축제 기간 동안 버티었다. 이윽고 축제가 끝나고 "이제 죽어도 되겠느냐"라고 누이에게 물어 오케이 사인을 받은 후 사흘 만에 아무런 고통 없이 생을 마감했다. 항상 큰 소리로 잘 웃는 버릇이 있어서 '웃는 철학자'란 별명을 얻은 데모크리토스는 인생을 유쾌하게 사는 것이 가장 잘 사는 것이라 말하면서, "유쾌함이란 영혼이 고요함과 평화로움 속에서 다른 감정이나 공포, 미신으로부터 방해받지 않은 평온함ataraxia을 유지하는 것"이라고 정의했다.

06. 고대 그리스의 천동설을 완성하다
– 아리스토텔레스(BC 384~BC 322)

천문학은 우리 영혼이 위를 바라보게 하면서
우리를 이 세상에서 다른 세상으로 이끈다.
플라톤 (고대 그리스 철학자)

고대 그리스에서 천문학은 수학의 한 분야였다. 천문학자들은 천체운동의 모습을 모방할 수 있는 기하학적 모델을 만들려고 골몰했다.

플라톤의 아카데미아에서 수학했던 에우독소스(BC 408경~BC 355경)는 등속 원운동과 천구의 개념을 바탕으로 한 천동설인 동심천구설을 주장했는데, 이에 따르면 지구가 우주의 중심에 있고, 다른 천체가 그 주위를 돈다는 것이다.

그는 우주의 모습이 지구를 중심으로 여러 층으로 겹친 천구가 감싸고 있는 것이라 생각하고, 가장 바깥 천구는 항성이 아로새겨진 항성구로, 하늘의 북극을 축으로 하여 대략 하루에 걸쳐 동에서 서로 회전하여 일주운동이 일어난다고 보았다. 그리고 항성구와 태양 사이에 행성이 운행하는 천구가 있으며, 지구에서 볼 때 행성은 별자리 사이를 천천히 움직이는 것처럼 보인다.

이 설은 행성·달·태양의 불규칙한 운동을 지구를 중심으로 한 27개의 천구의 회전운동의 결합으로 설명하려 했으나, 그 세부적인 계산에서 문제가 나타났다. 첫째, 천구의 궤도가 실제로는 원이 아니라는 문제이고, 둘째, 천체운동이 실제로 등속이 아니라 속도가 변한다는 문제가 있었다. 그러나 에우독소스의 모델은 과학적 우주상의 기초를 마련한 것으로, 후에 아리스토텔레스와 프톨레마이오스에 의해 체계화되었다.

이 같은 여러 그리스 철학자들의 다양한 천동설을 종합하여 하나의 체계로 엮어낸 사람은 바로 만학의 시조라고 일컬어지는 아리스토텔레스였다.

아리스토텔레스는 그리스 북부 칼키디키 반도에 위치한 트라키아 지방의 스타기라에서 태어났다. 아버지 니코마코스는 마케도니아 왕 아민타스 2세의 시의侍醫였고, 어머니 파이스티스는 칼키스의 이민 출신이었다.

어린 아리스토텔레스는 왕자 필리포스 2세의 소꿉동무로 궁정에서 자랐으나 어려서 양친을 여의었고, 17세 때(BC 367) 아테네로 이주해 플라톤의 아카데미아에 들어갔다. 이후 플라톤의 사망 때까지 약 20년 동안 그곳에서 연구에 정진하는 한편, 학생 지도도 담당했던 것으로 전한다.

지구 구형설을 주장하다

아리스토텔레스는 기원전 4세기에 월식 때 달에 생기는 지구의 그림자를 근거로 지구가 구형의 천체라는 훨씬 과학적인 주장을 하면서 지구 중심 우주관을 내놓았다.

에우독소스의 동심천구설을 받아들인 아리스토텔레스의 우주관을 간단히

고대의 우주관을 표현한 유명한 삽화. '우주의 순례자'라고도 불리는 이 삽화는 1888년 프랑스의 천문학자이자 작가인 카미유 플라마리옹(1842~1925)의 책에 처음 등장했기 때문에 흔히 '플라마리옹 판화'라고도 불리지만 정확한 작자는 미상이다. 이 그림은 원래 흑백이었던 것을 채색한 것이다. © Wikipedia

설명하면, 우주의 중심에 평평한 땅이 있고, 그 위로 거대한 유리 반구가 뒤덮고 있으며, 그 구에 촘촘하게 해와 달과 별이 박혀 있다는 것이었다. 또한 태양이 지구보다 크고, 지구에서 별까지의 거리는 태양보다 몇 배나 멀며, 태양은 모든 별을 비추지만 지구는 그중 어느 것도 가리지 않는다고 생각했다.

그는 직접 천문현상을 관측한 기록을 남기기도 했는데, 그 중에는 BC 371년에 나타났던 대혜성을 관측한 기록이 남아 있다. 아리스토텔레스가 관측한 대혜성은 당시 보름달만큼 밝았다고 하는데, 근일점에서 태양에 극히 가깝게 통과하는 선그레이징 혜성이다. 이 종족의 혜성은 때로는 태양 표면에서 수천 km 가까이 접근해 태양의 조석력으로 산산조각이 나기도 한다.

어쨌든 모든 존재는 목적을 이루기 위해 있다고 생각한 아리스토텔레스는 자신의 우주관 역시 목적론적 세계관에 맞게 구성했다. 그는 먼저 달을 경계로 삼아 지상계와 천상계로 엄격하게 양분했는데, 천체는 천상의 존재, 곧 신성한 존재로 영혼을 갖고 있다고 생각했다. 아리스토텔레스는 하늘과 땅을 가르는 경계에 달이 있다고 생각했다. 달이 우주의 천체들 가운데 유일하게 형태의 변화를 보여주기 때문이다.

지상계는 4원소, 곧 물·불·흙·공기로 이루어져 있으며, 천상계는 지상의 물질과는 전혀 다른 제5원소인 '완전한 물질'인 에테르로 이루어져 있다고 주장했다. 그리고 지상계는 늘 변화하는 무상의 세계이지만, 천상계는 변화가 없는 완전한 세계로, 지상계의 운동이 직선인 반면, 천상계의 운동은 영원하면서도 완전한 원운동이라고 생각했다.

유한한 운동인 직선운동의 법칙에 따라 무거운 물체는 아래로, 가벼운 물체는 위로 올라가게 되는데, 이는 각각 자신의 목적을 이루기 위함이고, 그 목적은 본성에 따라 자신이 있을 곳으로 이동하는 것이다. 이에 따라 가장 무거운 원소인 흙으로 이루어진 지구가 우주의 중심에 위치하는 지구중심설을 주장했다.

지구를 구체라고 생각했던 아리스토텔레스는 지구 반대편에 있는 사물들이 지표에 붙어 있는 것은 모든 물질이 지구의 중심으로 향하는 성질이 있기 때문이라고 설명했다. 이는 일견 중력의 성질을 건드리는 개념이라고 볼 수도 있는 것이었다.

기독교와 궁합이 맞은 아리스토텔레스의 우주관

고대 그리스인의 우주론에서 가장 중요하게 다루어진 문제는 천체운동의 규칙성을 설명하는 것이었다. 이를 위해 아리스토텔레스는 지구 주위의 행성운동에 위와 같은 이론을 대입해서 지구 주위를 도는 행성들도 원운동을 해야 하며, 천체에서의 원운동은 완벽한 현상이기 때문에 힘을 받지 않아도 계속 돌 수 있다고 설명했다. 이 '완전한 원운동'은 그후 난공불락의 천체운동 이론으로 자리 잡아 케플러가 등장하기 전까지 2,000년 동안 위세를 떨쳤다.

아리스토텔레스의 우주관은 지구를 우주의 중심으로 삼은 만큼 유한한 우주를 전제로 한 것이었다. 그리고 그 역시 지구가 우주공간에 떠 있다는 것은 생각할 수 없었기 때문에 천체들이 붙박인 투명한 천구들이 우주 중심에 있는 지구를 둘러싼 채 돌고 있다고 믿었다. 투명한 천구가 회전함에 따라 천체가 도는 것처럼 보인다는 것이다.

그 유리 천구가 깨지지 않고 하늘의 모습이 변하는 것은 유리 공간 사이에 제5원소로, 보이지 않고 느낄 수도 없는 물질이 가득 차 있다고 생각했기 때문이다. 그의 제5원소설은 19세기 말 마이컬슨-몰리의 실험으로 반증되기 전까지 '에테르'라는 존재로 과학사에 큰 영향을 끼쳤다.

이 투명한 천구 아이디어가 오늘날 우리에게는 괴상하게 여겨지겠지만, 만유인력이 알려지지 않았던 그 시대에 해와 달, 별들이 허공중에 둥실 떠 있다는 것을 도저히 상상할 수 없었던 고대인들에게는 차라리 천구 같은 것에 붙박여 있다고 보는 것이 논리적으로나 체험적으로나 자연스러운 귀결이었다.

아리스토텔레스의 모형에 따르면 지구를 중심으로 먼저 달의 천구가 돌고 있으며, 그다음 태양, 금성, 수성, 화성, 목성, 토성 순서로 천구가 에워싸고 있다. 그리고 행성 천구 바깥으로는 별들이 붙박여 있는 항성 천구가 있으며, 맨 바깥에는 종천구終天球/제1천구가 있어 항성 천구에 최초의 회전 운동

아리스토텔레스의 우주관. 평평한 땅은 우주의 중심에 고정되어 있고, 그 위로 천구가 돌고 있다. © Wikipedia

력을 전달하며, 온 우주를 관할한다는 것이다. 그리고 순수한 '불'로 이루어진 모든 천체는 지구 주위를 따라 완벽한 원운동을 영원히 지속한다. 이른바 전형적인 천동설 모델이다.

이러한 아리스토텔레스의 우주관은 부분적으로 수정되기는 했지만, 중세를 거쳐 르네상스 시대까지 우주를 설명하는 주류 이론이 되었으며, 불가침의 지위를 누려왔다. 이를 수용한 프톨레마이오스 체계는 타락하고 변화가 심한 지상을 떠나 완벽한 천상을 바라던 기독교의 입맛에 딱 맞아 2,000년간 지속되었고, 지동설 같은 다른 이론들은 이단으로 배척받았다.

몇 해 전 작고한 영국 물리학자 스티븐 호킹은 아리스토텔레스의 우주관이 기독교에 잘 접목된 것은 "천구의 바깥으로 지옥과 천국을 배치한 공간이 많았기 때문"이라는 독특한 해석을 내놓기도 했다.

여담이지만, 유한한 우주관을 피력했던 아리스토텔레스는 실질적인 무한이란 존재하지 않는 것이라는 견해를 밝히기도 했다. 즉, 무한이란 인간의 상상 영역에 속할 뿐이며 실제로 존재하는 것은 아니라는 입장인데, 그는 삼단논법으로 이를 간단히 증명했다. "무한이라 하더라도 유한한 것들의 집합이다. 유한한 것들은 아무리 합쳐봐도 유한할 뿐이다. 고로 무한이란 존재하지 않는다."

아리스토텔레스의 만년은 약간의 파란이 있었는데, 알렉산더의 죽음 이후 아테네의 마케도니아에 대한 적개심이 다시 고조되었던 탓이었다. 그 여파로 기원전 323년, 데모필루스와 주교 에우리메돈은 아리스토텔레스를 불경죄로 고발했다.

그러자 아리스토텔레스는 소크라테스의 전철을 밟지 않기 위해 "나는 아테네인들이 철학에 대해 두 번 죄를 짓는 것을 허용치 않을 것이다" 하고는 에우보이아의 칼키스에 있는 어머니의 가족 영지로 피신했다. 그러고는 이듬해 아내 피티아스 옆에 묻히기를 요청하는 유언장을 남기고 위장병으로 63세의 생애를 마쳤다.

07. 인류 최초로 지동설을 싹틔우다
– 아리스타르코스(BC 310경~BC 230)

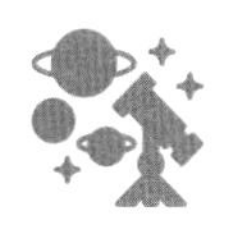

자연을 바라보고 그것을 이해하는 즐거움은
신이 우리에게 준 가장 아름다운 선물이다.

존 드라이든 (영국 시인)

고대인의 머릿속에 천동설이 확고히 뿌리내리고 있을 때, 아리스토텔레스보다 한 세대 뒤에 지동설을 들고 나온 천문학자가 있었다. 부동의 위치를 자랑하던 천동설에 역사상 최초로 도전장을 내민 사람은 기원전 3세기 사모스섬 출신의 고대 그리스 사람인 아리스타르코스라는 문제적 인물이었다.

사모스섬은 소아시아(지금의 터키)에 바짝 붙어 있는 섬으로, 우리나라의 거제도 크기만 한 작은 섬이지만 유명인사가 많이 태어났다. 아리스타르코스보다 3세기 전의 사람인 그 유명한 피타고라스와 이솝도 이 섬 출신이다.

크로톤의 필롤라오스(BC 470경~BC 385경)가 제시한 '우주 중심의 불' 개념에 영향을 받은 아리스타르코스는 '중심 불'을 태양으로 보고, 다른 행성들을 올바른 순서로 배치한 데 이어, 지구는 1년에 한 번 태양 주위를 공전하고 하루에 한 번 축을 중심으로 회전하는 최초의 태양 중심 모델을 세상에 내놓았다. 또한 아리스타르코스는 이전의 아낙사고라스처럼 밤하늘의 별들 역시 태양과 같은 천체이지만 지구에서 더 멀리 떨어져 있을 뿐이라고 생각했다.

무엇보다 아리스타르코스의 빛나는 지성은 천재적인 발상으로 지구의 크기와 비교하여 태양과 달의 크기를 추정해냈다는 점이다. 뿐더러 그는 지구에서 태양과 달까지의 거리를 추정해내기까지 했다. 이 같은 작업은 결국 지동설이라는 광맥으로 그를 인도하기에 이르렀는데, 이런 점에서 아리스타르코스는 히파르코스와 함께 고대의 가장 위대한 천문학자 중 한 사람으로 간주되며, 인류 역사상 가장 위대한 사상가 중 한 사람으로 꼽히게 되었다.

아리스타르코스가 태양을 중심으로 한 우주 체계로 천체의 운행을 설명하려고 한 시도는 인류 문명사에 실로 중요한 의미를 가지는 것이다. 이는 당시까지 전해 내려온 모든 학문과 전통적인 우주관을 뒤엎는 것이었다.

유감스럽게도 아리스타르코스의 우주 체계를 보여주는 원본 텍스트는 유실되었지만, 후세 학자들의 참고 문헌에 언급된 단편들을 조합하면 대략적인 틀을 재구성할 수는 있다.

아리스타르코스보다 조금 늦게 태어난 아르키메데스(BC 287경~BC 212경)는 《모래알을 세는 사람》The Sand Reckoner이라는 제목의 논문에서 아리스타르코스가 지구중심설을 대체하는 가설로 태양 중심 모델을 발전시킨 작업을 설명하고 있다.

아르키메데스는 《모래알을 세는 사람》에서 우주를 모두 모래로 채울 때 모래알의 개수는 몇 개가 될 것인지 계산하는 문제를 다루고 있다. 아르키메데스가 이런 뜬금없는 책을 쓴 것은 매우 큰 수의 예를 들기 위한 것으로, 고대 그리스인이 생각하던 우주 전체를 모래로 채우는 것을 가정했던 것이다.

아르키메데스는 당시에 알려져 있던 사모스섬의 아리스타르코스의 태양중심설을 기준으로 우주의 크기를 정했다. 아리스타르코스의 태양중심설에 관한 자료는 소실되어 전해지지 않고 있으며, 다만 아르키메데스의 《모래알을 세는 사람》이 그의 태양중심설을 설명하는 글 가운데 오늘날까지 전해오는 유일한 것이다. 그러나 언급된 내용이 너무 소략하여 아쉬움을 남긴다. 내용은 이렇다.

"그대는 대다수의 천문학자들이 우주는 구형으로 되어 있고, 그 중앙은 지구의 중심이라고 하는 것에 대해 들었을 것이다. (...) 사모스섬의 아리스타르코스가 내세운 가설을 보면 우주는 내가 제시한 크기보다 몇 배나 더 크다고 한다. 그 가설을 보면, 항성들과 태양은 움직이지 않으며, 지구가 태양의 둘레를 도는 것으로 되어 있다."

반달을 보고 지동설의 단서를 잡아챈 천재

아리스타르코스가 지동설의 실마리를 잡아냈던 것은 다름 아닌 중천에 뜬 반달이었다. 도대체 반달을 보고 어떻게 지동설을 알아냈던 것일까? 반달에서 지동설에 이르는 이 천재의 여정을 한번 따라가보도록 하자.

아리스타르코스의 저작 중 일반에게 유일하게 알려진 《해와 달의 크기와 거리에 관하여》는 지구 중심적 세계관에 기반을 두고 있다. 여기에 태양의 지름이 이루는 각은 2도라고 되어 있지만, 아르키메데스는 《모래알을 세는 사람》에서 아리스타르코스가 0.53도의 평균값에 훨씬 가까운 0.5도의 값을 가졌다고 말한다.

어쨌든 아리스타르코스의 지동설은 월식에서부터 시작되었다. 월식 때 보면 달에 떨어진 지구의 그림자는 언제나 둥그렇다. 아리스타르코스가 이러한 점에 비추어 지구는 곡면을 가진 구체임이 틀림없다고 생각한 것은 다른 고대 그리스 철학자들과 마찬가지였지만, 그는 여기서 한 걸음 더 나아갔다.

월식 때 달 표면에 비치는 지구 그림자를 보고 태양은 지구보다 훨씬 크고 지구로부터 멀리 떨어져 있다고 추정하고, 지구 그림자의 곡선과 달 가장자리 곡선의 곡률을 비교함으로써 지구-달의 상대적 크기를 알아냈다. 가히 천재의 발상법이라 하지 않을 수 없다. 그는 달의 지름이 지구의 약 3분의 1이라고 추정했다. 참값은 4분의 1이지만, 기원전 사람이 맨눈으로, 그리고 오로지 추론만으로 그 정도 알아냈다는 것은 참으로 놀라운 지성이라 하지 않을 수 없다.

월식을 관찰한 결과, 아리스타르코스는 지구의 둘레가 약 4만 2,000km라는 계산을 했고, 이로부터 달의 둘레가 약 1만 4,000km라는 결론에 다다랐다. 실제 달의 적도 둘레인 1만 921km에 가까운 놀라운 근사값이다.

아리스타르코스의 천재성은 여기서 멈추지 않았다. 달이 햇빛을 반사하여 빛난다는 사실을 알고 있었던 그는 달이 정확하게 반달이 될 때 태양-달-지구는 직각삼각형의 세 꼭짓점을 이룬다는 사실에 착안하고, 이 직각삼각형의 한 예각을 알 수 있으면 삼각법을 사용하여 세 변의 상대적 길이를 계산해낼 수 있다고 생각했다.

그는 먼저 달-지구-태양이 이루는 각도를 쟀다. 87도가 나왔다(참값은 89.5도). 세 각을 알면 세 변의 상대적 길이는 삼각법으로 금방 구해진다. 여기서 그는 태양이 달보다 지구에서 18배에서 20배 더 멀리 떨어져 있다고

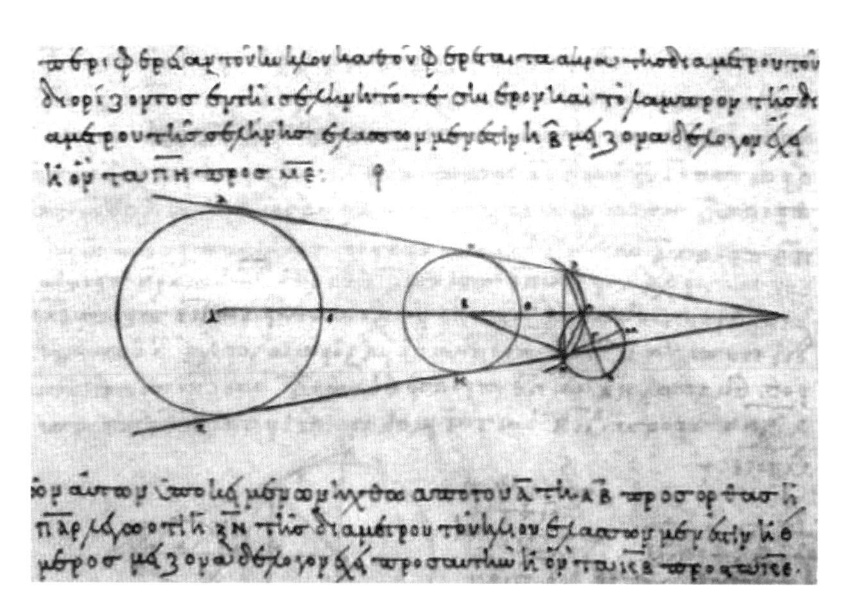

기원전 3세기 아리스타르코스가 태양-지구-달(왼쪽부터)의 상대적 크기를 계산한 그림. 10세기 사본. © Wikipedia

결론지었다. 그런데 희한하게도 달과 태양은 겉보기 크기가 거의 같다. 이는 곧, 달과 태양의 거리 비례가 바로 크기(지름)의 비례가 된다는 뜻이다. 따라서 태양의 지름은 달의 지름의 18배에서 20배 사이로 계산되었다. 아리스타르코스는 이 점에 착안하여 세 천체의 상대적 크기를 구했다.

그가 구한 세 천체의 물리적 양은 다음과 같았다. 태양은 달보다 약 19배 먼 거리에 있으며(참값은 400배), 지름의 크기 또한 19배 크다. 고로 지구보다는 7배 크다(참값은 109배). 따라서 태양의 부피는 지구의 300배에 달한다고 결론지었다. 실제 값과는 큰 오차를 보이긴 했지만, 당시의 조건을 고려한다면 이것만으로도 대단한 업적이라 하지 않을 수 없다. 그의 기하학은 완전했지만, 각을 정확히 측정할 기구가 없었던 모양이다. 하지만 그는 본질적인 핵심은 놓치지 않았다.

"지구보다 300배나 큰 태양이 지구 둘레를 돈다는 아리스토텔레스의 말이 과연 맞을까?"

이 의문에 대해 그는 지구와 다른 행성들이 태양 주위를 돌고 있다는 결론을 내렸다.

"이것은 모순이다. 지구가 스스로 자전하며 태양 둘레를 돌 것이다."

아리스타르코스는 나아가 태양이 지구보다 크기 때문에 태양의 연주운동은 지구의 공전으로 말미암은 것이고, 또한 항성은 태양과 동등한 천체이기 때문에 그 일주운동은 지구의 자전에 의한 것이라고 주장했다.

이로써 인간의 감각에만 의존해왔던 오랜 천동설을 젖히고 인류 최초의 지동설이 탄생하게 된 것이다. 지구가 하루 한 바퀴 자전하면서 태양 주위를 공전한다는 아리스타르코스의 태양중심설은 지구라는 이 거대한 땅덩어리가 태양 둘레의 허공을 날아다닌다는, 참으로 파격적인 주장이었다. 이처럼 최초로 인류를 우주의 중심에서 밀어낸 지동설은 반달에서 탄생했다고 할 수 있다.

인류를 우주로 인도한 위대한 지성

아리스타르코스의 우주 체계를 이루고 있는 가설들을 요약하자면 다음과 같이 정리할 수 있다.

- 태양은 우주의 중심에서 움직이지 않고 머물러 있다.

- 지구는 태양을 중심으로 기울어진 원 궤도를 돌고 있다.
- 지구는 하루 동안에 자체의 축을 중심으로 한 바퀴 돈다.
- 항성구는 움직이지 않는다.
- 지구의 크기는 항성구와의 거리에 비하면 마치 점과 같다.

그러나 당시 아리스타르코스의 이러한 주장은 지지를 받지 못했다. 한마디로 태양중심설은 일반의 '상식'과 '체험'을 정면으로 거스르는 것이었다. 그러나 상식이 과학적 진실과 별로 관계가 없다는 사례는 무수히 많다. 우리가 눈으로 보고 체험하는 자연이 실재의 모습이라고 생각하는 것은 큰 착각이다.

이러한 아리스타르코스의 지동설은 큰 반발을 불러일으켰을 뿐만 아니라, 신성 모독이므로 재판에 부쳐야 한다는 주장과 함께 스토아 학파의 학자들로부터는 날카로운 반론이 튀어나왔다.

당시 사람들이 아리스타르코스의 태양중심설을 반박한 근거는 대략 다음 3가지였다.

첫째, 지구가 움직이고 있다면 앞에서 불어오는 바람을 느껴야 하고, 발이 땅에서 미끄러지는 느낌이 있어야 하는데 전혀 그렇지가 않다.

둘째, 모든 물체는 우주의 중심으로 향하려는 경향을 갖고 있는데, 태양이 우주의 중심이라면 왜 지구상의 물체들이 태양으로 끌어올려지지 않는가?

셋째, 지구가 태양 둘레를 돈다면 시차視差(어떤 천체를 동시에 두 지점에서 보았을 때 생기는 방향의 차)로 인해 별들의 위치가 달라져야 하는데, 그런 현상은 전혀 발견되지 않고 있지 않은가?

물론 오늘날 우리는 현대 물리학을 동원해 완벽하게 정답을 작성할 수 있다. 뒤에서 더욱 자세히 설명하겠지만 우선 간단히 정리하면, 첫째 반박에 대해서는 갈릴레오의 상대성 이론, 둘째 반박에 대해서는 뉴턴과 아인슈타인의 중력이론, 셋째 반박에 대해서는 측정된 별까지의 막대한 거리가 정답이 될 것이다.

아리스타르코스는 항성이 거의 무한히 먼 거리에 있기 때문에 이것이 항성의 시차를 볼 수 없는 이유라고 생각했다. 사실 항성까지의 거리는 고대에 생각했던 것보다 훨씬 막대하므로, 항성의 시차는 망원경을 사용하지 않으면 검출할 수 없다.

이런 여러 가지 이유로 인해 불행하게도 지동설에 대한 반박을 잠재울 수 있는 물리학이 당시엔 없었다. 아리스타르코스의 뛰어난 통찰력은 당시 철학자들이 삼키기에는 너무 거대했고, 천문학은 올바른 길을 찾기 위해 그로부터 1,900년 뒤에 나타날 한 천재, 갈릴레오 갈릴레이를 기다려야만 했다.

사정이 대체로 이러했음으로 아리스타르코스의 태양중심설은 사회의 큰 반발을 불러일으켰다. 그의 지동설에 분노한 사람들은 아리스타르코스가 신을 모독하는 불경죄를 저질렀다면서 재판에 부쳐야 한다고 주장하기까지 했다. 아리스타르코스와 동시대의 스토아파 철학자인 클레안테스는 아리스타르코스의 주장은 신성 모독죄에 해당하므로 사모스섬의 아리스타르코스를 고발할 의무가 있다고 그리스 시민들에게 말했다.

당시의 우주론은 정지해 있는 원통형의 지구 위에 별이 가득 찬 여러 겹의 천구들이 덮씌워져 있는 형태인 아낙시만드로스의 원통형 모델로, 해·달·별들이 지구 주위를 돈다는 것이었다. 아리스토텔레스 역시 이 원통형 모델을 이어받아 천구의 수를 54개까지 늘였다. 천구가 지구를 둘러싸고 있다는 생각은 이후 2,000년간 우주론에 크나큰 영향을 미쳤다.

이 같은 아리스토텔레스의 천동설에 압도된데다 우리의 감각적 인식을 거스르는 아리스타르코스의 천문학적 아이디어는 오랫동안 빛을 볼 수 없었다. 태양중심설을 증명하기 위해서는 연주시차*를 입증해야 하는데, 이를 확인할 수 있는 기술이 당시에는 없었기 때문에 아리스타르코스의 지동설은 결국 세상에 받아들여지지 않았다. 신은 왜 별들을 그토록 멀리 두었는가 하고 아리스타르코스는 원망했을 것이다.

어쨌든 이러한 상황 속에서도 '지동'地動을 발견해낸 아리스타르코스의 예지는 시대를 초월한 것이었다. 그가 기원전 3세기에 행성의 배치를 확실히 완성하여 그려냈음에도 불구하고 그로부터 코페르니쿠스에 이르는 1,900년 동안 어느 누구도 행성의 정확한 배치를 알지 못했던 것이다.

세차운동歲差運動(지구의 자전축이 23.5도의 기울기를 가지고 자전하는 운동)을 발견한 히파르코스와 함께 고대의 가장 위대한 천문학자 중 한 사람으로 간주되는 아리스타르코스는 인류 역사상 가장 위대한 사상가 중 한 사람으로 꼽히고 있다. 그러나 아리스타르코스의 지구중심설은 당시 사회에서는 받아들여지지 않았다. 아리스토텔레스를 위시한 수많은 철학자들이 다져놓은 천동설이 고대인의 의식세계를 지배하고 있었기 때문이다.

인류 최초로 지구가 허공중에 뜬 채로 태양 둘레를 돈다는 사실을 발견함으로써 천문학사에서 위대한 거보를 내딛었던 아리스타르코스. 인류를 바른길로 이끌어준 이 천재에게 우리는 경의를 표하지 않으면 안 된다. 그리하여 그의 이름은 달 구덩이 중 하나에 붙여져 영원히 남게 되었는데, 그 중심 봉우리는 달에서 가장 밝은 부분이다.

* 연주시차(年周視差) : 지구의 연주운동으로 생기는 별의 시차. 연주운동은 지구가 태양 주위를 1년에 한 번 도는 공전 운동으로서, 평균 공전 반경은 1천문단위(AU)이다.

08. 막대기와 각도기로 지구의 크기를 측정하다

– 에라토스테네스(BC 276~BC 194)

그저 여기에 존재한다는 것만으로도
벅찬 감동을 느낀다.
라이너 마리아 릴케 (독일 시인)

지금으로부터 대략 2,300년 전, 그러니까 기원전 3세기에 자기가 사는 지구의 크기를 측정하려고 나섰던 고대인이 있었다.

감히 지구를 측정하려 한 그 고대인은 과연 성공했을까? 결론부터 말하자면 대성공을 거두었다. 문제의 인물은 고대 그리스의 에라스토테네스란 천문학자였고, 그가 측정에 사용한 도구는 달랑 막대기와 각도기 하나였다.

최초로 한 천체의 크기를 측정한 사람

지동설을 최초로 주장한 아리스타르코스보다 한 세대 뒤에 태어난 이 걸출한 인물은 르네상스의 레오나르도 다 빈치와 겨룰 만한 다재다능한 천재로,

천문학자이자 수학자, 지리학자, 역사가, 철학자였다.

고대 그리스의 키레네(현재는 리비아 지역)에서 태어나 아테네에서 교육을 받은 에라토스테네스는 알렉산드리아에 있었던 도서관 무세이온Mouseion의 도서관장으로 일하고 있었는데, 그는 아무리 따져보더라도 당대의 통섭統攝이자 석학이라고 할 수 있었다.

사람들은 그를 일컬어 그리스어 알파벳의 두 번째 글자인 '베타'(β)라는 별명으로 불렀는데, 이는 세상에서 두 번째로 아는 것이 많다는 뜻이라고 한다. 첫 번째는 수학사에서 3대 천재로 꼽히는 동시대인 아르키메데스라고 한다. 그러나 이런 별명으로 부른 것은 주로 그를 시기하고 경쟁의 상대로 여겼던 사람이라는 말도 전한다. 에라토스테네스가 손을 댄 거의 모든 분야에서 그는 '베타'가 아니라 아주 확실한 '알파'(α)였다. 에라토스테네스는 그가 세운 업적으로 '제2의 플라톤'이라고도 불렸다고 한다.

에라토스테네스는 천문학사에서 최초로 한 천체의 크기를 측정한 인물로 불멸의 이름을 남겼는데, 그가 측정한 방법은 참으로 간단한 것이었다.

다른 과학도 마찬가지지만, 천문학에서 측정이 차지하는 중요도 역시 절대적이다. 모든 과학은 측정으로부터 시작된다. 과학자들은 그래서 측정에 목을 맨 사람들이라 할 수 있다. "측정되지 않으면 측정되게 하라"는 것이 과학자들의 좌우명이다. 모든 물리량은 측정될 때에야 비로소 그 진정한 의미를 가진다. 따라서 측정은 우주를 이해하는 첫걸음이며, 천문학의 이정표라 할 수 있다. 아리스토텔레스 이후 인류가 오랫동안 지구 중심의 우주관에서 벗어나지 못했던 중요한 이유 중 하나는 지구 바깥 세계까지의 거리를 전혀 알지 못했기 때문이다.

20세기에 들어서도 안드로메다 성운까지의 거리를 알 수 없었기 때문에 인류는 우리은하가 우주의 전체라고 믿었다. 그러다가 마침내 에드윈 허블이 안드로메다까지의 거리를 측정하는 데 성공함으로써 우주가 우리의 모든 상상력을 넘어설 만큼 광대한 곳임을 비로소 알게 된 것이다.

에라토스테네스의 천재적 발상

다시 본론으로 돌아가, 에라토스테네스는 측정에 앞서 지구가 구체라는 세계관에 기초해 이론을 세웠다. 당시 그리스인들은 이미 지구가 둥글다는 사실을 알고 있었다. 바다로 둘러싸인 반도에서 살고 있었던 그들은 체험적으로 그 사실을 잘 알 수 있었다. 멀리 수평선에서 들어오는 배를 보면 먼저 돛대 끝이 보이고 차차 배의 몸통이 올라오는 것을 볼 수 있다. 이는 곧 바다의 표면이 휘어져 있음을 뜻하는 것이다.

이 곡률은 생각보다 커서 1km에 75cm나 된다. 그러니까 10km 떨어진 거리의 바다 수면은 눈의 수평 시각선보다 7.5m 아래에 있다는 뜻이다. 그러니 옛날 범선의 돛대가 보일 리 없다. 이 곡률대로 연장해나가면 지구 둘레 길이가 계산되는데, 그 답은 약 4만km다.

이런 지구의 크기를 측정하는 일에 최초로 도전한 에라토스테네스가 이용한 방법은 가히 천재적인 발상이면서도 너무나 단순한 것이었다. 해의 그림자를 이용한 것이었고, 도구는 달랑 각도기와 막대기 하나였다.

에라토스테네스가 지구의 크기를 측정하려고 마음을 먹은 것은 순전히 책에 쓰여진 한 줄의 문장 때문이었다. 독서광이기도 했던 그는 어느 날, 도서관에 있던 파피루스 책을 뒤적거리다가 우연히 다음과 같은 문장을 읽게 되었다.

"남쪽의 시에네(지금의 이집트 아스완) 지방에서는 하짓날인 6월 21일이 되면 수직으로 꽂은 막대기의 그림자가 없어지고, 깊은 우물 속의 물에 해가 비치어 보인다."

이는 곧 시에네가 북회귀선*상에 있는 지역으로, 그래서 하짓날 남중한 해가 수직으로 비친다는 뜻이다. 여기서 영감을 얻은 에라토스테네스는 이 사실을 잘 이용하면 지구의 크기를 구할 수 있을 것이라는 발상을 하기에 이른다.

에라토스테네스는 실제로 6월 21일을 기다렸다가 막대기를 땅 위에 수직으로 세워보았다. 하지만 그가 사는 알렉산드리아에서는 남중한 해가 분명 짧은 막대기 그림자를 만들었다. 이날 시에네에서는 막대기의 그림자가 생기지 않는다고 하는데, 알렉산드리아에서는 그림자가 생긴다는 것은 지구 표면이 평평하지 않고 휘어진 곡면이라는 뜻이라고 그는 생각했다. 에라토스테네스는 다음과 같은 5가지의 가정을 세운 후 계산에 들어갔다.

1. 알렉산드리아와 시에네의 거리는 5000스타디아(미터법으로 925km)이다.
2. 알렉산드리아는 시에네의 정북쪽에 있다.
3. 시에네는 북회귀선상에 있다(시에네의 하짓날 정오에 햇빛이 지면에 수직으로 비친다).
4. 지구는 완전한 구형이다.
5. 태양은 워낙 멀리 있으므로 지구로 들어오는 태양광선은 어느 곳이든 평행하다.

에라토스테네스가 파피루스 위에 지구를 나타내는 원 하나를 컴퍼스로 그렸을 순간, 엄청난 일이 일어났다. 수학의 위력이 여지없이 드러난 순간이었다. 이는 또한 수학적 개념이 정확한 관측과 결합되었을 때 얼마나 큰

* 북회귀선(北回歸線) : 북위 23° 27′의 위도선. 지구 자전축은 공전면에 대해 23° 27′ 기울어져 있다. 태양이 가장 북쪽의 위도에서 수직상에 오는 날을 하지라 하고, 그 위도선을 북회귀선이라 한다. 남회귀선은 그 반대다.

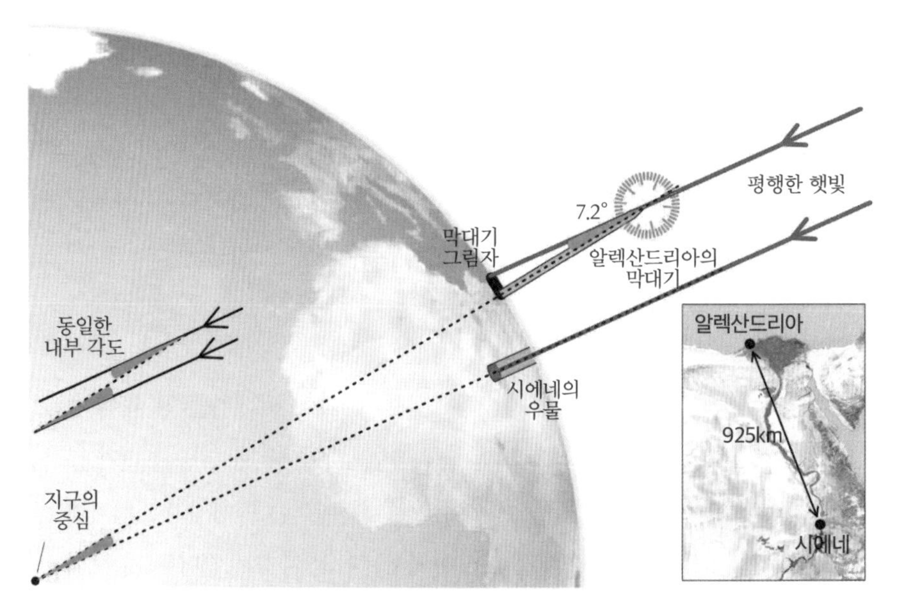

에라토스테네스가 지구의 크기를 측정한 방법 © Wikipedia

위력을 발휘하는가를 보여주는 수많은 사례 중의 하나일 뿐이기도 했다.

그림자의 끝과 막대기 끝을 잇는 각도를 재어보니 7.2도였다. 햇빛은 워낙 먼 곳에서 오기 때문에 두 곳의 햇빛이 평행하다고 보고, 두 엇각은 서로 같다는 원리를 적용하면, 이는 곧 시에네와 알렉산드리아 사이의 거리가 7.2도 원호라는 뜻이다.

에라토스테네스는 사람을 시켜 두 지점 사이의 거리를 걸음으로 재본 결과, 위에서 보듯 약 925km라는 값을 얻었다. 그다음 계산은 간단한 것이다. 925×360/7.2를 하면 약 4만 6,250이라는 수치가 나오고, 이는 실제 지구 둘레 4만km에 약 10%의 오차밖에 안 나는 것이다.

에라토스테네스의 지구 크기 측정이 정확하지 않은 이유는 지구는 완전한 구형이 아니라 적도 쪽이 조금 더 부푼 타원체이며, 알렉산드리아와 시

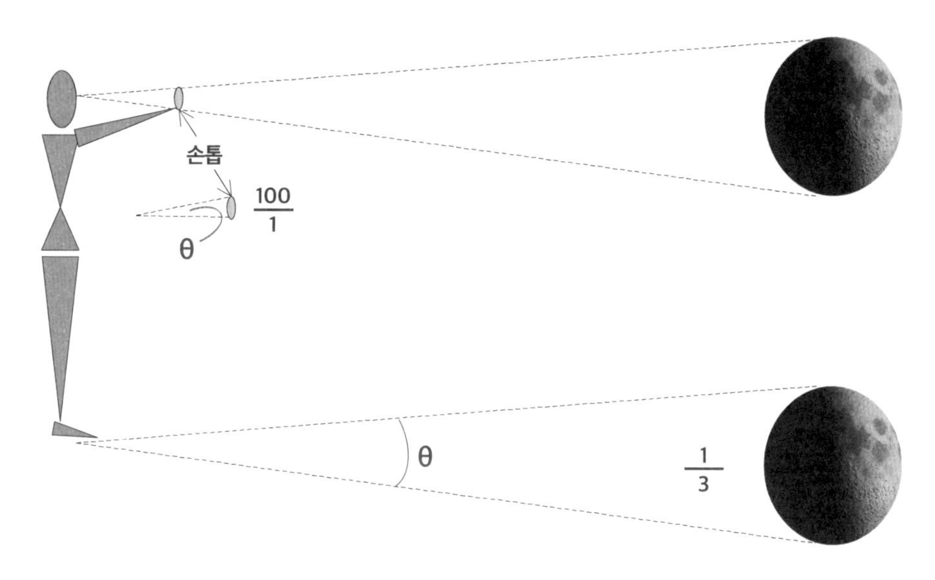

에라토스테네스가 지구에서 달까지의 거리를 측정한 방법

에네는 동일 경도상에 위치하지 않고, 두 지점 사이의 거리를 구한 값에 약간 오차가 있었기 때문이다.

그럼에도 불구하고 2,300년 전 고대에, 막대기 하나와 각도기, 사람의 걸음으로 이처럼 정확한 지구의 크기를 알아낸 에라토스테네스야말로 위대한 지성이라 하지 않을 수 없을 것이다.

이처럼 인류 최초로 한 천체의 크기를 알아냈던 에라토스테네스는 선배들이 개발해놓은 방법을 이용해서 달의 실제 크기와 거리를 금방 알아냈다. 아리스타르코스는 달의 크기가 지구의 3분의 1이라는 사실을 알았지만, 지구의 실제 크기를 몰라 달의 실제 크기 역시 알 수가 없었다. 하지만 에라토스테네스에 의해 그 업적은 결실을 맺게 되었다.

에라토스테네스가 달까지의 거리를 추정해낸 방법 역시 너무나 간단한 것이었다. 보름달일 때 달의 시직경*은 0.5도이다. 에라토스테네스는 보름달을 향해 팔을 쭉 뻗고 한쪽 눈으로만 보면 손톱이 달을 완전히 가린다는 사실을 알았다. 여기서 눈에서 손톱까지, 그리고 눈에서 달까지 이르는 선들이 이루는 두 삼각형은 닮은꼴이다. 손톱 크기와 팔 길이의 비는 1 : 100쯤 되니까, 달까지의 거리는 달 지름의 100배 정도임을 알 수 있다. 그의 계산에서 나온 달까지의 거리는 약 32만km였다. 이 측정법은 지금도 간단히 시행해볼 수 있다.

에라토스테네스는 지구를 25개쯤 늘어놓으면 달까지 닿을 수 있다고 생각했을 것이다. 실제 달까지의 거리는 약 38만km이니까, 그가 구한 값의 오차는 20% 미만이다. 천문학에서는 어떤 경우엔 수십 배 오차를 보이는 측정값들이 드물지 않다는 점을 생각할 때, 이 정도면 참으로 훌륭한 측정값이라 할 수 있다.

에라토스테네스는 또한 지구의 황도에 대한 자신의 예측을 사용하여 달력을 고안했다. 그는 1년이 365일이고 4년마다 366일이 있다고 계산했다. 그리고 태양의 지름을 계산했는데, 그는 태양의 지름을 지구 지름의 약 27배라는 계산서를 뽑아냈다. 실제 수치는 약 109배이지만, 당시의 여건에서 볼 때 이 역시 놀라운 업적이었다.

아르키메데스가 그의 책을 헌정했을 만큼 절친이기도 했던 에라토스테네스는 수학에서도 큰 업적을 남겼다. 대표적인 것은 소수素數를 걸러내는 '에라토스테네스의 체'를 고안한 것인데, 이 방법은 마치 체로 치듯이 수를 걸러낸다고 하여 붙여진 이름이다. 즉, 자연수를 순서대로 늘어놓은 표에서 합성수를 차례로 지워나가면서 소수 목록을 얻는 것을 말한다. 알고리즘의

* 시직경(視直徑) : 지구의 관측자가 본 천체의 겉보기 지름. 각의 단위인 도(°), 분(′), 초(″)로 나타낸다.

예제로도 유명하다. 어떤 수가 소수인지 판별하는 방법들 중에서 가장 자주 쓰이는 방법이 바로 에라토스테네스의 체이다. 고대에 고안한 이 방법이 현재까지 수학자들 사이에서 활발하게 쓰이고 있다는 생각을 해보면 그의 수학 실력이 얼마나 뛰어난지 짐작할 수 있다.

인류 역사상 최초로 한 행성의 크기를 정확하게 측정해낸 사람으로 이름을 길이 남긴 에라토스테네스는 황도경사각(지구축 기울기)을 정확히 측정하고, 윤년이 포함된 달력과 항성 목록을 만드는 한편, 천문학에서 영감을 받은 시와 희곡을 쓰기도 했다.

그러나 에라토스테네스는 나이가 들면서 기원전 195년경에 실명하게 되었다. 옛날 사람 중 노년에 실명하는 경우는 대개 녹내장에 의한 것이었다. 지금이야 혼탁한 수정체를 제거하고 인공 수정체를 끼우는 간단한 수술로도 시력을 되찾을 수 있지만, 옛날에야 속수무책으로 장님이 될 수밖에 없었다. 아마 심청의 아버지 심 봉사도 녹내장이 아니었을까 생각해본다.

어쨌든 책을 읽고 자연을 관찰하는 능력을 잃어버린 것이 에라토스테네스를 괴롭혔고 우울하게 만들었다. 더 이상 삶의 의욕을 잃어버린 그는 일절 곡기를 끊고는 스스로 생을 마감했다. 고대 그리스-로마인들은 온전한 육신을 더 이상 자기 힘으로 지탱하기 힘들다고 생각되면 이렇게 곡기를 끊고 스스로 삶을 마무리하는 경우가 드물지 않았다.

09. 별에다가 계급장을 붙인 천문학자
– 히파르코스(BC 190~BC 120)

별이 반짝이는 이 밤하늘은 전부 나의 것이다.
이 밤하늘의 전부가 내 안에 있다. 이 밤하늘은 전부 내 자신이다.
톨스토이, 《전쟁과 평화》 중 피에르의 독백에서

고대 그리스의 천문학자에게 가장 중요한 과제는 하늘에서 행성들의 움직임을 예측하는 일이었다. 천구에 붙박힌 존재로 인식되던 별은 그들의 우주관에서 자연히 부차적인 사유의 대상이었을 뿐이었다.

그런데 별을 직접적인 탐구 대상으로 삼은 천문학자가 최초로 등장하게 되었다. 바로 고대세계 최고의 천문학자로 꼽히는 히파르코스라는 천문학자로, 그는 지리학과 수학에서도 큰 업적을 남긴 헬레니즘 시대의 최고 과학자였다.

역사상 최초의 관측 천문학자

히파르코스는 기원전 190년 지금의 터키 이즈니크인 니케아에서 태어나,

최소한 기원전 162년부터 기원전 127년까지 35년 동안 천문학자로 활동하면서 남긴 업적은 놀라운 것이었다. 간단히 목록을 열거한다면, 지구의 세차운동 발견, 최초의 항성 목록 편찬, 별의 밝기 등급 창안, 삼각법에 의한 일식 예측, 달과 태양의 크기 및 거리 계산 등 그야말로 눈부신 것이다.

천체운동에 관한 계산의 기초로서 삼각법을 고안하고 사인함수표를 제작한 삼각법의 아버지이기도 한 히파르코스는 늘 삼각표를 몸에 지니고 다녔다고 한다. 그는 또한 구면 삼각법에 관련된 몇몇 문제를 푼 것으로 여겨지는, 시대를 뛰어넘은 중요한 수학자이기도 하다.

역사상 최초의 관측 천문학자로 평가받는 히파르코스는 삼각법을 이용해 처음으로 일식을 예견하는 방법을 개발한 선구자일 뿐 아니라, 발명가로서의 자질도 뛰어났는데 해와 달, 별의 고도를 측정하는 아스트롤라베(천문관측의), 태양, 달, 5행성의 위치를 측정하는 천구의(혼천의) 등을 발명하기도 했다.

또한 히파르코스는 태양과 달의 모형을 정확하고 양적으로 설명한 것으로 유명한데, 지구와 달 사이의 거리를 정밀하게 추정하고 황도와 백도를 실제와 가깝게 그려낸 최초의 천문학자로서, 지구 세차운동의 일종인 춘분점 세차*를 알아낸 것으로도 명성이 높다.

이 같은 눈부신 업적을 남겼던 히파르코스였지만, 우주관에 있어서는 선배격인 아리스타르코스의 태양중심설에는 한결같이 반대하고, 천상의 모든 물체들은 완전한 원운동을 하는 것으로 생각한 아리스토텔레스의 우주론에 따라 지구중심설을 구축했다.

히파르코스는 태양 중심 시스템을 처음으로 계산한 사람 중 한 사람이었

* 세차(歲差) : 천체의 작용에 의하여 지구 자전축의 방향이 조금씩 변하는 현상. 이 때문에 천구의 적도와 황도가 변하고, 그에 따라 춘분점이 해마다 조금씩 달라진다.

지만, 계산한 결과 궤도가 완벽한 원형으로 나타나지 않아 작업을 포기하고 말았다. 당시 지배적이었던 아리스토텔레스의 우주관에 의하면, 모든 천체의 운동은 완벽한 원운동을 하는 것으로 받아들여졌기 때문이다. 이 같은 아이디어는 코페르니쿠스적 태양중심설이 논쟁의 흐름을 돌릴 때까지 거의 2,000년 동안 교회를 중심으로 일반에 의해 굳건하게 지지받았다.

행성의 역행운동을 주전원으로 설명하다

그러나 난공불락의 천동설도 숙명적인 약점을 감출 수는 없었다. 천동설 주창자들을 가장 괴롭힌 것은 행성들의 예측을 벗어난 움직임이었다. 원운동에 따라 예측 가능한 경로로 움직여야 할 행성이 느닷없이 곡선 경로로 움직이기도 하고, 특히 화성은 때로는 뒷걸음질치듯 역행운동을 하기도 한다.

이처럼 지구 중심 천구론은 실제 관측 결과와 많은 부분에서 어긋났다. 행성들이 아리스토텔레스의 원운동에 따른다면 이런 오차는 있어서는 결코 안 되는 일이었다.

이에 골머리를 썩이던 천동설 주창자들은 이 어긋남을 메꾸기 위해 하나의 수학적 도구를 궁리해내기에 이르렀는데, 이른바 주전원周轉圓/epicycle이라는 소도구였다. 이는 행성들의 곡선운동을 원운동의 결합으로 설명해내려는 교묘한 방책이었다. 지구 중심 체계에서 이심원離心圓/eccentric circle은 중심이 지구에 있는 거대한 원이고, 주전원은 중심이 이심원의 원주를 따라 회전하는 작은 원이다. 이것들을 조합하여 행성의 곡선운동을 원운동으로 둔갑시키는 것이었다. 지구 중심과 원운동의 집합에서 나올 수 있는 유일한 방법론이라 할 수 있다.

히파르코스는 지구 중심인 아리스토텔레스의 우주 모형을 받아들여 천

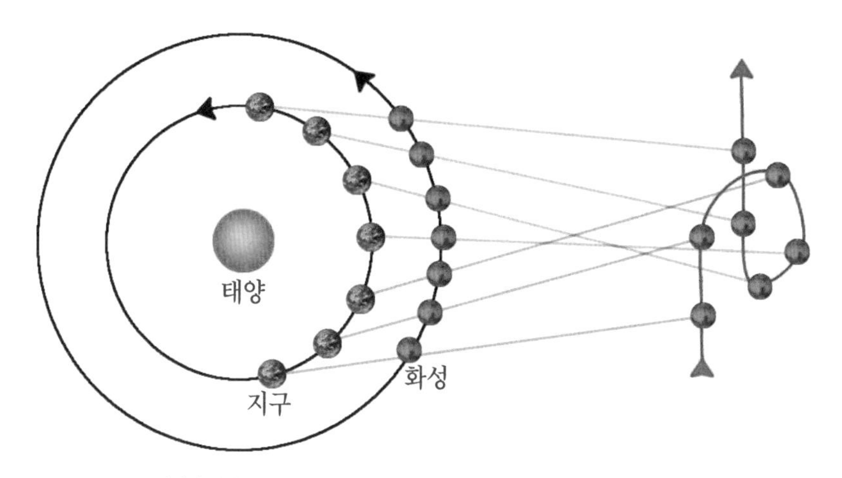

화성의 역행운동. 역행운동이란 행성이나 천체가 특정 위치에서 관측될 때,
그것이 속한 행성계 내에서 다른 천체들의 방향과는 반대로 이동하는 것을 말한다.

구의 수를 7개(해·달·수성·금성·화성·목성·토성)로 줄이고, 거기에 주전원이라 불리는 작은 원들을 덧붙였다. 천구의 궤도가 실제로 원이 아니라는 점을 극복하기 위해 도입한 이 주전원은 이심원이라는 큰 궤도를 따라 지구를 공전한다.

천체의 운동이 실제로는 속도가 변한다는 점을 설명하기 위해 천체가 중심이 아닌 이심 주위를 돈다고 가정했다. 즉, 행성은 작은 원인 주전원을 돌면서, 일정한 속도로 대원大圓으로 알려진 큰 이심 주위를 돈다는 것이다. 이는 행성의 역행운동을 설명하기 위한 장치였다. 이로써 태양, 달, 행성의 운동에서 관측되는 대부분의 불규칙성을 나름대로 잘 설명할 수 있게 되었다.

이와 같은 히파르코스의 기하학적 천구 모델은 나타난 현상을 그대로 표현하고 이론과 실제를 일치시키는 것이 주된 목적으로, 모든 천체가 원운동을 한다는 잘못된 기초 위에 세워진 것이었지만, 수세기 동안 유지되었으며 일부는 후대로 계승되기까지 했다. 왜냐하면 적어도 행성의 위치를 비교적 정확하게 예측할 수 있었기 때문이다.

별의 밝기 등급을 최초로 정하다

히파르코스가 세운 또 다른 신기록의 하나는 인류 최초로 별의 밝기에 따라 등급을 매기고 항성 목록을 작성했다는 것이다. 히파르코스가 별 목록을 만들기로 결심한 데는 하나의 사건이 계기가 되었다.

기원전 134년 전갈자리에서 신성이 나타났다. 당시의 사람들에게 이것은 큰 충격이 아닐 수 없었다. 하늘은 영원불변의 존재라는 아리스토텔레스의 말을 굳게 신봉하고 있었던 히파르코스는 하늘에서도 어떤 변화가 일어날 수 있다는 사실을 깨닫고는 별들의 위치를 정확하게 나타내는 별 목록을 만들 필요가 있다고 생각했다.

지구 표면에 있는 위치를 결정하는 데 엄밀한 수학적 원리를 적용하여 오늘날과 같이 경도와 위도를 이용해 위치를 나타낸 최초의 인물이기도 한 히파르코스는 별의 위치를 적경과 적위에 따라서 관측하고 그 자료를 목록으로 만들었다. 기원전 129년에 완성된 히파르코스의 목록에는 1,080개의 별이 수록되어 있으며, 별의 겉보기 등급을 오늘날에 쓰이는 것과 비슷한 6등급 체계로 분류했다. 이것이 최초로 완성된 별의 목록으로, 가히 기념비적인 업적이었다.

히파르코스가 별들의 밝기 등급을 정한 방법은 간단했다. 그는 먼저 가장 밝은 별을 기준으로 1등급을 잡은 후, 더 어두운 별을 숫자가 올라가게 등급을 설정하고, 가장 어두운 별을 6등급으로 설정하는 식으로 별의 밝기에 따른 계급장을 붙여 별들을 구분했다. 물론 이 밝기가 요즘처럼 소수점까지 찍어가며 구분하는 밝기는 아니지만, 히파르코스가 정한 별의 등급은

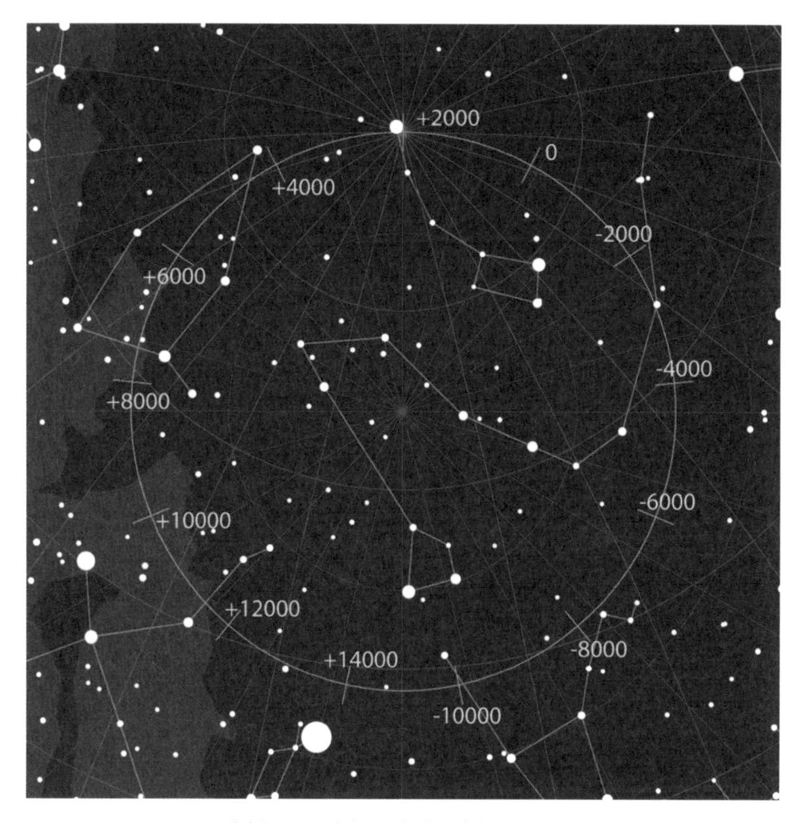

세차운동으로 인한 북극의 경로 변화 © Wikipedia

2,000년이 지난 오늘날까지 별의 밝기를 구분하는 기본틀이 되고 있다.

히파르코스는 또한 바빌로니아와 고대 이집트인들이 남긴 천체관측 기록을 연구하고 스스로의 관측기록과 비교한 결과, 지구의 세차운동(끄떡질)을 발견했다. 지구 자전축은 태양과 달의 인력에 의해 세차운동을 하고 있다.

팽이가 돌다가 멈추기 전에 팽이 꼭지가 축을 따라 작은 원을 그리는 것을 볼 수 있다. 히파르코스는 지구 자전축의 북극점도 그러한 모습으로 회전할 것이라는 세차운동의 이론을 정립하고 그 값을 계산해냈다. 먼저 1년 동안 춘분점이 이동한 각도를 구하고, 360도를 이 값으로 나누어 구한 값이 2만 6,000년이었다. 오늘날의 참값은 2만 5,800년이지만 무려 2,000년 전에 이처럼 참값에 가까운 값을 귀신같이 잡아낸 것을 보면 고대 세계 최고의 지성이었음을 알 수 있다. 이 같은 놀라운 발견은 그의 천재성과 고된 관측작업이 함께 일구어낸 결과였다. 히파르코스는 이로써 1년의 길이를 6½분의 오차 내로 계산해낼 수 있었다.

지금의 지구 자전축은 작은곰자리의 알파별을 향하고 있지만, 기원전 2,700년경의 이집트 사람들이 관찰할 당시에는 용자리의 알파별 투반이 북극성이었다. 지금도 북극성이 조금씩 천구북극에서 멀어져가고 있어, 약 1만 2,000년 뒤에는 거문고자리 알파별인 직녀성(베가)이 북극성으로 등극할 것이다. 그리고 서기 2만 년이 되면 투반이 다시 북극성이 된다.

시차로 달까지의 거리를 구하다

히파르코스의 천문학은 달에까지 이르렀는데, 지구에서 달까지의 거리를 정확하게 구한 것이다. 그 방법은 에라토스테네스의 지구 크기 측정과 비슷한 것이었다. 즉, 2개의 다른 위도상 지점에서 달의 높이를 관측해서 그 시차로 달의 평균 거리에서 태양과 달의 겉보기 지름이 0.5도로 같다는 것을 발견하고, 삼각법을 이용해 달이 지구 지름의 30배가량 떨어진 거리에 있다는 것을 계산해냈다. 이 역시 참값인 30.13에 놀랍도록 근접한 값이었다.

히파르코스는 또 달과 태양의 겉보기 지름이 거의 같다는 점에 착안해 삼각법으로 크기를 구했는데, 그가 구한 값은 태양은 지구 크기(부피)의 1,880배이고 지구는 달 크기의 27배였다. 태양은 거리가 너무나 멀어 삼각법 적용에 무리가 있어 큰 오차가 났지만, 달은 지구 지름의 3배라는 값은 실제 크기 3.7배에 근접한 값으로 나왔다.

이로써 그는 달에 대해 아리스타르코스가 구한 값(지구 지름의 9배)과 에라토스테네스가 구한 값(지구 지름의 25개)을 크게 개선한 셈이 되었다.

히파르코스는 또 4계절의 길이가 똑같지 않은 것에서 착안하여 태양의 궤도를 이심원으로 계산하고, 마찬가지로 달의 이심원을 정하여 태양과 달의 운행표를 만들어 일식과 월식을 예보했다.

이러한 히파르코스의 연구 업적은 천문학 역사상 그를 10대 천문학자의 반열에 올려놓았으며, 그의 지구중심 우주론은 약 300년 뒤에 등장한 프톨레마이오스에 의해 집대성되어 이후 1,400년 동안 서구인의 정신세계를 지배하게 되었다. 히파르코스는 14권의 책을 저술한 것으로 알려졌지만, 남아 있는 것은 거의 없고, 다만 후기 작가들의 참고문헌으로만 알려져 있을 뿐이다.

히파르코스는 나이 50살이 되어 로도스섬 해변 가까운 산꼭대기에 천문대를 세우고 천체를 관측하는 한편, 제자 포시도니오스에게 구면삼각법을 가르치면서 은둔생활에 들어갔다. 포시도니오스는 만년에 고향 로도스를 떠난 적이 없는 스승 옆에서 그와 함께 은둔생활을 하여 히파르코스의 계승자라는 영광을 얻었다.

히파르코스 이후 적어도 300년 동안 그를 능가하는 천문학자는 태어나지 않았다. 히파르코스는 고대 그리스 시대 최고의 천문학자였다. 18세기 프랑스의 천문학자 장바티스트 달랑베르는 히파르코스를 '천문학의 아버지'라고 부르며 경의를 표했다.

1989년 우주로 올라간 유럽 우주국[ESA]의 고정밀 시차 수집 인공위성 '히파르코스'는 그의 업적을 기리기 위해 헌정된 것이었다.

10. 지구중심설의 결정판, 《알마게스트》
- 프톨레마이오스(83경~168경)

맑게 갠 밤, 별이 빛나는 하늘을 쳐다볼 때
인간은 오로지 고귀한 영혼만이 느끼는 일종의 만족감을 얻을 수 있다.
임마누엘 칸트 (독일 철학자)

NASA의 발표에 따르면, 138억 년 전 빅뱅으로 출발한 우주의 크기는 무려 940억 광년에 이른다. 2조 개가 넘는 은하들이 우주의 중력 골짜기를 따라 거미줄처럼 얽혀 있는 구조인데, 희한하게도 이 우주에는 거의 은하들이 없는 엄청난 거대 공간이 곳곳에 자리 잡고 있다. 큰 것은 거의 5억 광년 규모에 이른다고 하는데, 이것을 이름하여 거시공동巨視空洞/Void이라 한다.

히파르코스가 죽은 기원전 120년부터 코페르니쿠스가 태어난 1473년까지 약 1,600년의 시간이 천문학의 역사에서 바로 '거시공동'에 해당한다고 볼 수 있다. 이 긴 세월 동안 '천문학 에피소드'에 올릴 만한 '은하급' 천문학자로서는 딱 한 사람을 들 수 있는데, 바로 1세기 고대 그리스의 클라우디오스 프톨레마이오스가 그 주인공이다.

고대세계의 천문학을 집대성해서 만든 프톨레마이오스의 '천동설 결정판'이 무려 1,400년 동안 인류의 우주관을 지배했다는 뜻이다. 이 문제적 인물은 과연 어떤 사람일까?

고대 천문학의 경전 《알마게스트》

추정컨대, 예수 사후 50년쯤이 지난 후인 AD 83년경 이집트 남부의 테바이드에서 태어난 프톨레마이오스는 영어권에서는 '톨레미'Ptolemy라 불리는데, 이집트의 프톨레마이오스 왕가와는 아무런 직접적인 상관은 없고, 그 시대의 대표적인 수학자, 천문학자, 지리학자, 점성학자로, 말하자면 당대 최고의 석학이었다.

히파르코스의 천문학적 업적을 고스란히 물려받은 프톨레마이오스는 아리스토텔레스로 대표되는 고대의 우주관을 바탕으로 바빌론과 헬레니즘의 천문학 데이터를 종합하여 고대 천동설 천문학을 집대성한 책을 썼는데, 바로 《알마게스트》Almagest라는 제목의 책이다. 보통은 '천문학 집대성'으로 불린다.

히파르코스의 연구실적을 기본으로 천동설에 의한 천체운동을 수학적으로 기술한 이 책은 총 13권으로 구성돼 있으며, 첫 2권에는 천동설에 대한 설명과 히파르코스의 사인 함수표가 수록돼 있고, 3권부터는 히파르코스의 삼각법과 수식을 이용해 해와 달, 행성의 위치 및 천문현상이 설명되어 있다. 프톨레마이오스가 직접 만들었던 일식과 월식 예보 방법도 자세히 기술되어 있으며, 1,000개가 넘는 별의 위치와 밝기를 기록한 항성 목록도 수록되었다. 또한 별의 밝기를 6등급으로 나누는 히파르코스의 별 분류 방법 역시 이 책을 통해 알려졌다.

프톨레마이오스의 《알마게스트》는 그 이론의 치밀함과 수학적 우아함으로 기독교에 그대로 수용되었으며, 1,400년 동안 최고의 천문학서로 군림했다. 수많은 '하자'에도 불구하고 천동설이 그토록 오래 버티어낸 것도 따져보면 《알마게스트》의 힘이라 할 수 있다. 이 책은 심지어 중세에 이르도록 지동설에 근거한 어떤 이론보다 행성의 움직임을 정확하게 예측해냈던 것이다. 행성들의 타원 운동은 물론 지동설조차 몰랐던 당시 상황에서 행성들의 움직임을 정확히 계산했다는 것만으로도 놀랄 만한 업적이었다.

이처럼 1,000년이 넘도록 인류의 정신세계에 엄청난 영향을 미쳤던 프톨레마이오스이지만, 그의 개인사에 대해서는 거의 알려진 것이 없다. 다만 2세기 중반 이집트의 알렉산드리아에서 활약하다가 죽었다는 것 정도만 알려져 있을 뿐이다. 그는 알렉산드리아에 있었던 도서관 무세이온에서 천문학, 점성술, 광학, 지리학 등을 연구했다. 프톨레마이오스가 근무한 무세이온은 오늘날 박물관의 원형으로 일종의 왕립 연구소이자 도서관이다. 바로 4세기 전 지구 크기를 최초로 측정했던 에라토스테네스가 관장을 지냈던 곳이다. 그는 지도에 최초로 북쪽과 동쪽을 정하고, 지역을 경도와 위도로 나타내는 등 뛰어난 업적을 남겨서 '지리학의 아버지'로 불리기도 한다.

프톨레마이오스가 이룩한 업적을 대충 꼽아본다면, 해, 달, 행성의 위치 계산법, 일식과 월식의 예측법을 개발하고, 관측장비 사분의를 고안했으며, 달의 비등속 운동을 발견하고, 대기에 의한 빛 굴절작용을 발견한 것 등이다. 그러나 그의 최대 업적은 프톨레마이오스 체계로 알려진 천동설을 확립한 것이다.

프톨레마이오스가 고안해낸 천체관측기구 사분의(四分儀). 0~90도의 눈금이 있는 4분원의 금속고리가 있는데, 그 중심을 축으로 연직면(鉛直面) 안에서 움직이는 통으로 별을 보며 천체와의 거리를 잴 수 있다.

천문학자의 임무

프톨레마이오스의 관심은 우주에 대한 수학적인 해석에 있었다. 그의 목적은 천상계의 움직임을 수학적으로 설명하는 것이었고, 그렇게 만들어진 수학적 모형으로 천문학적 사건을 예측하는 것이었다. 프톨레마이오스는 아리스토텔레스의 철학적 세계관에 의해 만들어진 형이상학적 구조를 확실하게 받아들였다. 《알마게스트》에서 그는 다음과 같이 말했다.

"우리 천문학자가 이루기 위해 애써야 하는 목적은 하늘에서의 모든 현상이 단일한 원운동에 의해 만들어졌음을 설명하는 것이다. (...) 5개 행성을 포함해 태양과 달의 불규칙성을 단일한 원운동으로 표현될 수 있다는 것을 증명하는 것은 우리 천문학자들의 임무이다. 그리고 오직 그러한 운동만이 신성한 자연에 적합하기 때문에, 이 임무를 달성하는 것은 철학에 기초한 수리과학의 궁극적 목표라고 간주할 수 있는 권리가 우리에게 있다."

이렇게 호기롭게 선언한 프톨레마이오스는 당시 대부분의 사람들이 그랬듯이 지구가 우주의 중심에 있으며, 모든 천체들은 지구를 중심으로 공전한다고 생각했다. 중력의 존재가 알려지지 않았던 당시로서 이것은 너무나 당연한 생각이었으며, 인간의 경험칙에도 잘 들어맞는 것이었다.

최초로 지동설을 주창한 아리스타르코스에서부터 천동설을 확립한 프톨레마이오스까지는 400년의 시간이 가로놓여 있다. 그렇다면 그동안 지동설은 영원히 지하로 들어가고 말았는가? 그렇지는 않다. 우리가 딛고 사는 이 땅덩어리 자체가 허공중을 날아다닌다는 지동설이 완전히 죽은 것은 아니었다. 프톨레마이오스 시대에까지 연면히 그 맥을 이어오고 있었다. 아리스타르코스로부터 300년 남짓 지난 시점에서 철학자이자 작가인 플루타르코스가 아리스타르코스의 지동설에 대해 언급하는 등, 지식인 사회에서 지동설에 관한 논의는 꾸준히 맥을 이어왔다.

천동설의 증거들

그렇다면 천동설의 끝판왕 프톨레마이오스가 지동설 주장을 깨뜨리기 위해 내세운 근거는 무엇이었을까? 대략 다음과 같은 것이었다. 만약 하늘이 움직이지 않고 지구가 움직인다면 그 결과로 특별한 현상들이 관측되어야 한다. 모든 물체는 우주의 중심으로 떨어진다. 지구가 우주의 중심에 고정되어 있지 않고 움직인다면 낙하하는 물체가 어떻게 지구 중심을 향해 떨어지겠는가?

또 하나의 논거는 지구 자전에 관한 것이었다. 만약 지구가 24시간에 한 번씩 자전한다면, 위를 향해 수직으로 던져진 물체는 같은 지점에 떨어지지 않아야 하지만, 실제로는 바로 그 자리에 떨어진다는 게 그의 논리였다. 또 그는 "지구가 자전한다면 산산조각난 지구가 천구 너머로 내던져지는 우스꽝스런 꼴이 될 것"이라고 말했다.

물론 이 같은 프톨레마이오스의 주장은 틀린 것이지만, 당시에는 여기에 반박할 만한 물리학이 없었다. 하지만 이 같은 주장은 1,500년 뒤 달리는 배 위에서 낙체* 실험을 한 갈릴레오에 의해 완벽하게 깨어졌다. 등속으로 달리는 배 안에서도 물체는 정확히 수직으로 떨어졌던 것이다. 풀이하자면, "모든 운동은 상대적이며, 등속 운동을 하는 모든 관찰자에게는 동일한 물리법칙이 적용된다"는 뜻으로, 갈릴레오는 이를 "같은 관성계에서는 모든 물리법칙이 동일하게 적용된다"고 정의했다. 이것이 바로 '갈릴레오의 상대성 이론'으로, 나중에 아인슈타인의 특수 상대성 이론으로 진화하게 된다.

지구 자전의 직접적인 증거는 프톨레마이오스의 주장이 있은 후 1,900년 뒤에 발견되었다. 그것은 바로 프랑스의 물리학자 레옹 푸코가 발견한 '푸코의 추'였다. 수직으로 매단 추를 진동시키면 추의 진동면은 시간이 지남에 따라 시계방향으로 움직인다는 사실이 밝혀진 것이다. 이는 지구가 반시계 방향으로 자전한다는 직접적인 증거였다.

* 낙체(落體) : 중력으로 땅에 떨어지는 물체. 공기 저항이 없으면 모든 물체는 재질이나 질량에 관계없이 일정한 가속도로 떨어진다.

어쨌든 지구가 고정된 채 우주의 중심에 있다는 가정에서 출발한 프톨레마이오스의 우주관은 그때까지의 천동설을 집대성한 결정판이라 할 수 있다.

프톨레마이오스가 그린 '복잡한' 우주의 모습

프톨레마이오스의 우주구조는 지구는 우주의 중심에 위치해 있고 맨 바깥의 항성천구가 우주의 바깥 경계이다. 항성천구 바로 안쪽부터는 행성천구들이 토성, 목성, 화성, 태양, 금성, 수성, 달의 순서로 지구를 중심으로 해서 돌고 있다.

천구는 딱딱한 구체이며, 이것이 지구와 태양, 행성을 포함한 모든 천체를 감싸고 있다. 항성은 천구에 붙어 있거나 천구에 뚫린 미세한 구멍으로, 천구 밖의 빛이 새어나와 보이는 것으로 여겨졌다. 그리고 달과 해, 행성은 신의 보이지 않는 힘에 의해 움직인다. 모든 변화는 천상과 지상의 경계에 있는 달 아래의 세계에서만 일어나고, 더 멀리 있는 천체는 정기적인 운동을 반복할 뿐 어떤 변화도 영원히 일어나지 않는 절대 존재라고 여겨졌다.

프톨레마이오스는 《알마게스트》에서 별들의 운동에는 5가지 기본 원리가 있다고 전제했다.

1. 천구는 구형으로 되어 있으며 공처럼 자전한다.
2. 지구는 역시 구형이다.
3. 지구는 천구의 중심에 놓여 있다.
4. 지구의 크기와 거리상으로 볼 때 항성구로부터 멀리 떨어져 있어서 지구에서 항성들을 바라보면 별처럼 보인다.
5. 지구는 장소 이동이 일어나는 운동을 하지 않는다.

지구가 중심에 있고 태양계의 천체들은 달, 수성, 금성, 태양, 화성, 목성, 토성의 순서로 있다고 생각한 프톨레마이오스는 《알마게스트》에서 천동설에 바탕을 두고 행성의 움직임을 원운동으로 설명하려 노력했다. 그러나 태양이나 행성의 공전속도는 각기 다르고, 그러한 이유로 시기에 따라 보이는 행성이 다르다.

프톨레마이오스는 고대부터 지구중심설에 반하는 2가지 데이터인 행성의 밝기 문제와 역행운동을 설명하기 위해 주전원周轉圓, 대원大圓, 이심離心 같은 개념을 좀더 확장시켰다. 이 같은 복잡한 수학적 도구들은 행성들이 실제로는 타원 궤도를 따라 운행한다는 사실을 모르고 있었던 헬레니즘 시대의 과학자들이 행성의 움직임을 이상적인 원운동으로 설명하기 위해 고안한 것들이다.

이전의 개념에 따르면 항성구의 중심은 지구지만, 행성의 대원의 중심은 이와 다른 곳에 위치한다. 대원의 중심이 항성구의 중심에서 벗어나 있기에 대원을 이심원이라 한다. 이심원은 이심을 중심으로 하는(지구는 중심에서 약간 벗어나 있으며 천구의 중심이다) 거대한 원이고, 주전원은 중심이 이심원의 원주를 따라 회전하는 작은 원이다.

하지만 이 이론만으로는 모든 행성들의 관측된 현상을 완전히 설명할 수 없었기 때문에 프톨레마이오스는 여기에 동시심equant의 개념을 더 도입했다. 이심원의 내부에 있는 동시심은 이심을 가운데로 해서 지구와 대칭되는 위치에 존재한다. 그는 행성의 주전원의 중심이 동시심이라고 부르는 점을 중심으로 일정한 속도로 원운동을 하고 있다고 가정했다.

이러한 가정에 의해 그는 관측된 많은 행성운동을 더 잘 설명할 수 있었다. 요컨대 커다란 이심원과 작은 주전원 외에, 이심원의 중심의 운동, 항성구의 일주운동, 동시심을 중심으로 하는 각도와 같은, 하나의 행성 운행에

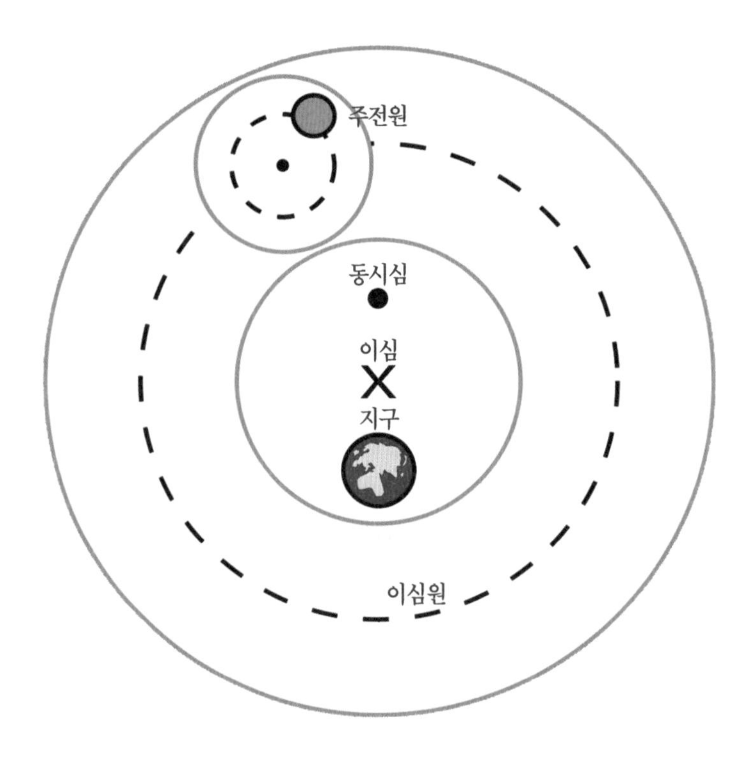

프톨레마이오스의 우주 모형. 행성이 주전원의 작은 궤도를 돌면서 대원의 큰 궤도를 돌고 있다. 계의 중심은 이심이며 지구는 중심에서 벗어나 있다. 이심을 기준으로 지구와 대칭되어 있는 점이 바로 동시심이며 프톨레마이오스가 새로 도입한 개념이다. 프톨레마이오스는 이러한 모형을 바탕으로 행성들의 밝기가 1년 동안 변하는 것과 행성의 역행운동을 설명했다. © Wikipedia

대한 5개의 움직임이 얽혀 있다.

이처럼 프톨레마이오스에 의해 지구중심설(천동설)은 정교하게 미세 조정됨으로써 약 1,400여 년 동안 지구가 우주의 중심에 있다고 믿게 된다.

프톨레마이오스 체계는 당시로서는 매우 뛰어난 것이며, 지구를 중심으로 가정하여 행성 및 태양의 운동을 설명하는 데 더 이상의 것은 없을 정도다. 만약 태양계의 행성운동이 모두 타원이 아니라 원운동이었다면, 프톨레마이오스 체계에서 행성의 운행을 거의 완벽하게 설명할 수 있다.

프톨레마이오스의 천동설은 단순한 천문학적인 계산방법이 아니었다. 거기에는 당시의 철학이나 사상이 담겨 있었다. 신이 지구를 우주의 중심으로 둔 것은 그것이 인간이 사는 특별한 천체이기 때문이다. 지구는 우주의 중심임과 동시에 모든 천체의 주인이기도 하다. 모든 천체는 지구의 종이며, 주인을 따르는 형태로 운동한다.

중세 유럽에서는 당시 아리스토텔레스의 철학을 받아들였던 중세 기독교 신학에 부합했기 때문에 천동설을 공식적인 우주관으로 간주했다. 14세기에 발표된 단테의 《신곡》 중 '천국편'에서는 지구 주위를 달, 태양, 목성 등의 행성이 있는 천구가 동심원 모양으로 둘러싸고 있고, 그 위에는 항성이 있는 천구, 보다 멀리서 움직이는 가장 높은 하늘을 볼 수 있다.

오늘날의 눈으로 보면 프톨레마이오스가 틀렸다고 간단히 말하기 쉽지만, 그의 천문학은 중력 개념이 없으며 지동설과 타원 궤도를 몰랐던 헬레니즘 천문학의 기준에 따라 평가해야 한다. 천동설은 당시에는 관측 사실과 정합성에서도 지동설보다 우위에 있었다.

《알마게스트》는 원운동을 이용하여 과거 어떤 우주체계보다 정확하게 행성의 위치와 움직임을 수학적으로 예측할 수 있게 해주었다. 이는 과학적 모형이 갖추어야 할 가장 중요한 필요조건, 즉 예측력을 충족시킨 매우 훌륭한 책이었다.

서기 150년에 출판되어 여러 세기 동안 베스트셀러 천문학 교과서로 군림했던 《알마게스트》는 9세기 들어 이슬람권으로 넘어가 아랍 천문학자들이 프톨레마이오스의 저서에 경의를 표하는 뜻에서 '가장 위대한 책'이란 뜻으로 '알마게스트'Almagest란 이름으로 아랍어 번역판까지 나왔는데, 그것이 굳어져 책 이름이 된 것만 봐도 이 책의 위대함을 능히 짐작할 수 있을 것이다.

이처럼 성서에 버금가는 지위를 누렸던 《알마게스트》에도 비판이 전혀 없었던 것은 아니었다. 예컨대 수많은 천구와 80개가 넘는 주전원을 가지고 있던 프톨레마이오스 체계에 대해 불만이었던 12세기 카스티야 왕 알폰소 10세는 이렇게 투덜거렸다고 전한다. "만약 전능한 신이 창조하기 전에 나와 의논했더라면 좀 더 단순한 우주를 만들라고 권했을 텐데…."

프톨레마이오스의 천동설은 서구 기독교 사회에서 1,000년 이상 신성불가침의 우주관으로 자리 잡았다. © Wikipedia

그러나 프톨레마이오스 시대에도 아리스타르코스의 지동설은 여전히 명맥을 유지하고 있었다. 다름 아닌 천동설의 우두머리 프톨레마이오스가 아리스타르코스의 태양중심설 우주 체계가 지닌 의미에 대해 언급했다. 이것만 보아도 프톨레마이오스가 얼마나 열린 마음의 소유자였던가를 능히 짐작할 수 있다. 그는 이렇게 서슴없이 고백했던 것이다. "별들의 세계에서 일어나는 현상들을 관찰해보면, 태양이 행성들의 중앙에 있다고 해도 방해되지는 않을 것이다."

어쨌든 프톨레마이오스의 천동설에 맞설 만한 논리가 없었던 당시, 천동설은 그 시대 천문학의 대세가 되었고, 그 위력은 무려 1,000년 이상 이어져 15세기까지 서구 기독교 사회에서 신성불가침의 우주관이 되었다. 기독교가 이 천동설을 잘 받아들인 데는 항성천구 바깥으로 천당과 지옥을 배치할 만한 넓은 공간이 있기 때문이라고 영국 물리학자 스티븐 호킹은 이색적인 주장을 펴기도 했다.

위대함은 책뿐이 아니었다. 책을 쓴 프톨레마이오스라는 인물 자체도 위대했다. 그는 자기 책에서 히파르코스를 자주 언급하고 높이 평가했다. 두 사람의 연구 업적이 거의 300년 정도의 시차가 있음에도 불구하고, 프톨레마이오스는 뛰어난 동시대 사람을 대하듯이 존경심을 가지고 이야기했다. 이 때문에 둘 중 누구에게 연구 업적이 돌아가야 하는지 구별하기 어려운 경우도 있다. 자신의 학문적 스승인 히파르코스와 업적을 놓고 따지거나 다투지 않은 프톨레마이오스의 대범함을 보면 그는 확실히 대인배였다.

《알마게스트》로 1,000년 이상 인류의 우주관을 주도했던 프톨레마이오스는 천문학의 역사에 불멸의 이름을 남겼다. 영국의 런던수학회 사람들이 즐겨 부르는 '천문학자의 술타령'Astronomer's Drinking Song이라는 노래에까지 그의 이름이 남아 있다.

오래전에 톨레미 선생
지구는 멈추어 있다고 생각했네
그 양반은 실수할 줄도 모른다네
술을 진탕 마시고 취할 줄 알았다면
지구가 돈다는 것을 알았을 텐데
그래서 선생, 내가 말하는 건데
진리를 발견하는 가장 좋은 방법은
매일 술병을 비우는 거라오.

《알마게스트》, '가장 위대한 책'을 남긴 프톨레마이오스의 에피소드는 이쯤에서 끝내기로 하고, 마지막 여담 하나로 마무리하자. 업적을 놓고 좀

스럽게 자기 것을 챙기지 않았던 대인배 프톨레마이오스는 우주 속의 자신의 존재를 다음과 같은 말로 표현했는데, 지금 들어보아도 참으로 감동적인 내용이다. 그는 천문학이란 날개를 달고 승천한 천문학자였다.

"나는 죽고 말 목숨이다. 그렇다. 덧없는 하루살이 인생이다. 그러나 별들이 총총히 빛나는 밤하늘을 바라보는 순간, 나는 더 이상 땅을 딛고 서 있는 게 아니다. 나는 창조주와 손이 닿고, 나의 살아 있는 영혼은 불멸을 마신다."

11. 하늘과 땅을 맞바꾸다

– 코페르니쿠스(1473~1543)

모든 발견과 견해 중에서 코페르니쿠스의 지동설만큼
인간 정신에 큰 영향력을 끼친 것은 다시 없을 것이다.

괴테 (독일 작가)

프톨레마이오스 이후 1,400년 동안 굳건히 군림해오던 지구 중심 우주관을 뒤엎은 사람은 좀 의외의 인물이었다. 그는 교회 일을 보는 성직자로, 1514년 지동설을 들고나온 교회 참사원 니콜라우스 코페르니쿠스였다. 참사원이란 교회 재산 관리와 교회 소속 학교 등의 업무를 맡아보는 주교좌성당 소속 성직자를 가리키는 말이다.

그러니까 가톨릭 성직자가 아이러니하게도 교회가 1,000년 이상 신줏단지처럼 모시던 아리스토텔레스의 지동설에 맞서 우주의 중심에 놓인 지구를 가차없어 끌어내리고 태양을 거기다 갖다놓았다는 뜻이다. 이로써 대우주의 중심이었던 자랑스러운 지구는 졸지에 한 성직자에 의해 태양계 변방의 작은 행성으로 전락하고 말았다.

코페르니쿠스적 전환

코페르니쿠스 하면 가장 먼저 '코페르니쿠스적 전환'이란 말을 떠올리는 사람이 많을 것이다. 이 말은 독일 철학자 임마누엘 칸트가 그의 저서《순수이성비판》에서 "우리들의 인식은 대상에 의거한다고 이제까지 생각되어 왔지만, 그 반대로 대상의 인식은 우리들의 주관 구성에 의해 비로소 가능하게 되는 것"이라는 자신의 인식론을 '코페르니쿠스적 전환'이라고 이름 붙였던 데서 비롯된 것이다. 말하자면 코페르니쿠스가 천체의 운행은 태양을 중심으로 돈다는 지동설을 주장함으로써 당시 천동설이 지배하던 인류의 정신세계에 엄청난 충격을 가져다준 '대반전'에 비유한 것이다.

이런 면에서 코페르니쿠스의 지동설은 하나의 완전한 혁명이었다. 그것도 무려 1,400년 만에 횃불을 올린 혁명이었다. 그의 혁명의 발길을 따라가 보자.

코페르니쿠스는 폴란드 중북부 도시인 토룬에서 관리이자 주철업을 하는 중산층 가정의 네 자녀 가운데 막내로 태어났다. 10살이 되던 해에 아버지를 여의고 성직자인 외삼촌의 양자로 들어가 토룬에서 고등학교까지 다닌 후, 남부지방의 대도시 크라카우(지금의 크라쿠프)의 대학에 입학하여 1494년까지 수학과 천문학을 공부했다. 대학을 졸업한 후 1495년 이탈리아의 볼로냐로 가서 외삼촌의 권유로 신학과에 입학했다. 비교적 말 잘 듣고 순한 성격의 조카였던 것으로 보인다.

한때는 이탈리아에 머무르면서 코페르니쿠스는 로마와 파도바 대학에 등록하여 강의를 들은 적도 있다고 한다. 신학과를 졸업한 후 외삼촌의 후원을 얻어 교회 참사관이 되었다. 그는 또 라틴어, 폴란드어, 독일어, 그리스어, 이탈리아어를 모두 능숙하게 할 수 있었다고 하는데, 여러모로 다재다능한 인재였던 것으로 보인다. 물론 천문학도 연구했지만 프로는 아니었

코레르니쿠스의 폴란드 모교인 크라쿠프 대학

고, 취미 수준의 천문학 '덕후'라 불릴 만했다.

이런 경력으로 볼 때 코페르니쿠스는 사실 프로 천문학자가 아니었다. 대학에서 의학과 함께 잠시 천문학을 공부한 적은 있지만, 본업은 어디까지나 교회의 행정 직원이었고, 부업은 의사였다. 그래도 천문학에 대한 열정은 대단해서 성당 옥상에 천체관측 시설까지 갖추어놓고 별을 관측했다.

만물의 중심에는 태양이 있다

프톨레마이오스의 기하학적 우주론에 큰 관심을 가지고 연구하던 코페르니쿠스였지만, 평소 그의 천동설 우주론에 커다란 불만을 갖고 있었다. 밤하늘을 관찰하니 별들이 천동설대로 움직이지 않는 것이다. 화성은 왜 가끔 진행 방향을 바꾸는 것이며, 왜 수성과 금성은 항상 태양 가까이 있는 것인가. 프톨레마이오스에 따르면 복잡하고 설명할 수 없는 일들이 많았다. 그 이론대로 정말 지구가 우주의 중심에 자리 잡고 있다면 행성은 절대로 역행해서는 안 된다고 생각했다. 또한 금성과 수성이 실제로 지구 둘레를 돈다면 가끔씩 태양으로부터 멀어질 때가 있어야 하는데, 그러한 현상이 전혀 관측되지 않았던 것이다.

다른 의문도 있었다. 천동설에서는 행성들이 작은 주전원을 돈다고 하는데, 어떻게 행성이 아무것도 없는 허공을 중심으로 돌 수 있으며, 속도가 느려졌다 빨라졌다 할 수 있는가? 이는 분명 상식적이지 않다. 이러한 비상식은 지구 중심의 천동설로 인해 빚어지는 모순이 틀림없다고 그는 생각했다.

아리스토텔레스의 동심원과 프톨레마이오스의 이심원만으로도 별들의 운동을 완전히 설명할 수 없다고 생각한 코페르니쿠스는 "세상만사에 면밀하기 짝이 없는 철학자들이 만물의 창조주가 인간을 위해 창조한 우주의 작동 방식에 적합한 이론이 없다는 사실에 구역질이 났다"(《천구의 회전에 관하여》 서문)고 밝히고는 과감하게도 땅과 하늘의 자리를 바꿔치기해버렸다. 바로 '코페르니쿠스 혁명'으로 지구중심설이다. 이렇게 지구를 움직이게 하면 모든 천체 현상이 신의 섭리에 맞게 너무나도 간단하게 설명이 되는 것이었다!

코페르니쿠스는 1,700년 전 그리스의 아리스타르코스가 처음 제안했던 태양중심설을 다시 검토해보았다. 우주의 중심을 지구에서 태양으로 가져가자 이제껏 복잡하게만 보였던 행성들의 운동이 한눈에 들어오는 게 아닌가! 화성의 역행운동도 지구가 태양 둘레를 도는 과정에서 때때로 다른 행성보다 빠른 속도로 돌아서 화성을 따라잡기 때문일 것이다.

코페르니쿠스는 나름대로 관측 데이터를 수집하여 하늘에 80개 이상의 주전원이 주렁주렁 매달린 복잡한 우주구조는 조화로운 신의 섭리에 맞지 않다고 생각했다. 그는 주전원이나 이심원과 같은 부가적인 장치들을 전혀 사용하지 않으면서 행성들의 등속운동을 가능하게 하는 우주구조가 무엇인지를 숙고한 끝에 "모든 행성들은 태양을 중심으로 공전하며, 따라서 태양이 우주의 중심이다"라는 결론을 이끌어냈다.

그는 태양 위에 올라서서 멀리 공전하는 행성들의 운행을 상상해보았다. 그러자 프톨레마이오스 체계가 지닌 복잡성들이 눈 녹듯 사라지고 단순한 우주체계가 뚜렷이 떠올랐다. 또한 각 행성들 간의 거리도 쉽게 계산이 되었다. 그야말로 '코페르니쿠스적 전환'이 일어났던 것이다.

코페르니쿠스는 오랜 탐구 끝에 마침내 수많은 원들을 필요로 하는 프톨레마이오스의 천동설을 버리고 아리스타르코스의 지동설로 되돌아갔다. 그가 이러한 결론에 이른 것은 아리스타르코스처럼 태양의 거대한 크기를 생각한 때문이 아니고, 태양을 중심으로 모든 행성들이 돈다고 생각하면 행성의 움직임을 예측하는 수학이 더욱 아름답고 간단해지며, 행성의 역행운동도 아주 쉽게 설명할 수 있었기 때문이다.

코페르니쿠스는 금성과 수성의 위치를 정확하게 확정한 최초의 천문학자였다. 그는 놀랄 만한 정확성을 가지고 당시까지 알려진 수성, 금성, 화성, 목성, 토성의 순서와 거리를 밝혀냈으며, 그중 두 행성(수성·금성)이 태양에 더 가깝다는 것을 알았고, 그것들이 지구보다 안쪽 궤도에서 더 빠른 속도로 태양 둘레를 돈다는 사실도 확인했다. 코페르니쿠스의 행성 배열에 따르면, 행성들은 주기가 길면 길수록 더욱 큰 궤도를 가진다. 이런 관계는 나중에 아이작 뉴턴이 만유인력의 수학적 원리를 발견하는 데 결정적인 증거가 되었다.

지구중심설에서 태양 안쪽에 있는 행성, 즉 내행성들이 태양으로부터 일정한 각도 이상 떨어지지 않는 문제를 제대로 설명하지 못했지만, 코페르니쿠스는 최대 이각離角 개념으로 잘 해석해주었으며, 또한 행성의 역행운동을 주전원을 사용하지 않고 훨씬 간단하게 설명해주었지만, 그럼에도 불구하고 코페르니쿠스의 우주체계는 여전히 행성들의 원운동을 강력하게 고수하며, 우주가 천체들이 붙어 있는 투명한 수정 천구로 겹겹이 둘러싸여 있다는 점을 의심하지 않았다. 게다가 그는 여전히 주전원과 이심원의 조합을 사용했고, 아리스토텔레스의 물리학도 적용하고 있었다.

1514년, 코페르니쿠스는 이러한 태양 중심 우주론을 담은 자신의 첫 저서 《짧은 해설서》Commentariolus를 완성했다. 40쪽짜리인 이 책은 정식으로 출판되지는 않고 필사본으로 주변 사람들에게만 읽혀졌지만 삽시간에 입소문을 타고 번져나갔다. 이 책을 출판하지 않은 것은 교직자 신분으로서 교회 권력과 마찰을 빚고 싶지 않았기 때문이다. 원고 형태의 이 요약본은 현재 비엔나에 있는 오스트리아 국립 도서관에 단 3권만이 남아 보관되어 있다.

그런데 원래의 원고에서 코페르니쿠스는 아리스타르코스를 언급했다가 무슨 이유에선지 나중에 선을 그어 지워버렸다. 업적을 공유하고 싶지 않았거나, 아니면 종교적으로 문제가 될지 모른다고 생각해서 그런 건지는 그 자신만이 알 것이다.

어쨌든 40쪽짜리의 이 필사본은 1,400년을 버티어온 철옹성인 《알마게스트》를 여지없이 뒤흔들어놓았다. 천문학 역사에서 가장 급진적인 내용을 담고 있는 이 소책자에서 코페르니쿠스는 우주와 지구는 모두 구형이며, 천체가 원운동을 하는 것처럼 지구도 원운동을 할 수 있다고 주장했다. 또한 행성을 하나하나 따로 생각한 것이 아니라, 태양을 중심으로 한 행성 체계로 보아 행성 간의 관계를 부여함으로써 프톨레마이오스의 모델과 큰 차이점을 두었다. 그리고 우주를 구성하는 기초라고 생각하는 7가지 원칙을 내걸었다.

1. 모든 천구들은 공통의 한 중심점을 가지고 있지 않다.
2. 지구는 우주의 중심이 아니다. 지구는 무게가 향하는 중심, 달 천구의 중심일 뿐이다.
3. 모든 천구들은 태양을 둘러싸고 있다. 그러므로 우주의 중심은 태양의 근처에 있다.
4. 태양에서 지구까지의 거리는 대천구(항성천구)의 높이와 비교하면 매우 작아 감지할 수 없을 정도이다.
5. 대천구의 겉보기 운동은 실제 운동이 아니라, 지구의 운동에 의해 생긴 결과이다. 지구는 고정된 극을 회전축으로 삼아 자전하며, 하늘 가장 높은 곳에 있는 항성들의 대천구는 움직이지 않고 가만히 있다.
6. 태양의 겉보기 운동은 실제 태양의 운동이 아니다. 지구와 지구의 궤도 껍질의 운동으로부터 나온 것이다. 즉, 지구는 다른 행성들과 마찬가지로 태양을 중심으로 회전하고 있다. 그러므로 지구는 적어도 2가지 운동을 하고 있다.
7. 행성의 역행운동은 실제 운동이 아니다. 그것은 지구의 운동 때문에 그렇게 보이는 것이다.

《짧은 해설서》에 따르면, 코페르니쿠스는 행성들이 투명하고 단단한 천구의 껍질에 박혀 있다고 믿었다. 또 천체구조가 역학적으로 합리적인 모습을 갖추려면 모든 껍질이 자신의 정확한 중심에 대해 일정한 속력으로 움직여야 한다고 주장했다.

이처럼 코페르니쿠스는 지구를 하나의 행성으로 만들어 '태양 중심 체계'를 만들었다. 하나의 일관성 있는 체계로 통합되지 못하던 프톨레마이오스의 체계와는 달리 코페르니쿠스의 이론은 일관성 있는 하나의 체계였다. 그러나 행성들의 실제 운동은 일정한 속력의 원운동이 아니기 때문에 27개의 주전원을 더 만들어 행성들의 관측 결과와 일치하도록 만들어야 했다. 코페르니쿠스는 20년 세월 동안 27개의 주전원의 중심 위치, 반지름의 길이, 회전 속력 등 100개가 넘는 값을 정확하게 구하기 위해 노력했으며 결국 자신의 모델을 완성했다.

코페르니쿠스가 주장한 태양중심설은 현재의 태양계의 구조와는 차이가 있다. 프톨레마이오스의 구조와 거의 비슷하고, 단지 우주의 중심에 있던 지구와 달의 위치를 태양과 바꾸어서 태양이 우주의 중심에 오게 했을 뿐이다. 또한 원형 궤도와 주전원, 이심 등의 기존의 지구 중심적 구조는 그대로 차용했다. 이러한 코페르니쿠스의 체계화된 태양계 구조를 '코페르니쿠스 체계'라고 한다.

따라서 코페르니쿠스의 변혁이 완벽한 것은 아니었다. 아리스토텔레스와 프톨레마이오스 우주관의 전체 골격은 그대로 두고 세부만 바꾼 변혁이었기 때문에 기본적으로 천구는 그대로 존재했고, 행성과 지구는 여전히 이 천구들에 고정되어 돌도록 되어 있었다. 무엇보다도 원운동을 중요시하는 경향을 그대로 고수했다. 코페르니쿠스는 천체의 가장 자연스러운 운동은 등속 원운동이라고 생각하여 그에 부합하지 않는 관측 데이터에 맞추기 위해 주전원, 이심 등을 그대로 도입했다.

1,000년 동안 서양 지식인 머리를 옥죈 성경 구절

그런데 어째서 아리스타르코스로부터 1,700년이나 지나서야 지동설이 다시 나온 것일까? 인류의 지성이란 게 무색해지는 장면이라 하지 않을 수 없다. 그렇다. 그 뒤에 무소불위의 절대권력, 교회가 버티고 있었기 때문이다. 그동안 내로라하는 천재들이 왜 없었겠느냐만, 그러나 아무리 천재라 하더라도 시대의 대세를 거스르기란 쉽지 않은 법이다.

그런 면에서 지동설을 세상에 내민 코페르니쿠스는 진정 영웅이었다. 하지만 무척 조심스런 영웅이었다. 《짧은 해설서》가 정식 출판되지 않은 채 30년을 지하 간행물처럼 돌아다니며 곳곳에서 토론회가 벌어졌지만, 정작 코페르니쿠스 자신은 한 번도 그런 모임에 참석한 적이 없었다. 태양중심설을 담은 코페르니쿠스 우주 체계는 성서의 내용을 정면으로 거스르는 것이었다. 성서에는 분명 태양이 움직인다는 구절이 있다. 《구약성서》 중 여호수아 10장 12~13절에 이런 내용이 나온다.

> "여호와께서 아모리 사람을 이스라엘 자손에게 붙이시던 날에 여호수아가 여호와께 고하되 이스라엘 목전에서 가로되 태양아 너는 기브온 위에 머무르라 달아 너도 아얄론 골짜기에 그리할지어다 하매, 태양이 머물고 달이 그치기를 백성이 그 대적에게 원수를 갚도록 하였느니라. 야살의 책에 기록되기를 태양이 중천에 머물러서 거의 종일토록 속히 내려가지 아니하였다 하지 아니하였느냐."

만약 태양이 움직이지 않고 정지해 있는 것이라면 어떻게 여호수아가 태양에게 멈추라고 명령할 수 있겠는가. 이 성경 구절은 두고두고 말썽이 되어 1,000년 이상 서양 지식인들의 머리를 옥죄었으며, 수많은 사람들이 이 구절로 인해 엄청난 고통을 받아야 했다.

결국 지동설은 성서에 대한 해석과 진리 문제로 귀결되었다. 브루노가 로마 광장에서 화형을 당하고, 갈릴레오가 피렌체 자택에 종신연금을 당한 것도 이 짧은 문장 때문이라고 해도 과언이 아닐 것이다. "성서는 천국으로 가는 방법을 말해주는 것이지, 하늘의 운행을 말해주는 것은 아니다"란 갈릴레오의 항변도 이 성경 구절 하나로 무력화되었다.

그의 책은 30년 세월이 지난 다음, 코페르니쿠스의 이론에 심취한 한 젊은 학자의 힘으로 1543년에야 《천구의 회전에 관하여》란 제목을 달고 정식으로 출판되었다. 책에 대한 즉각적인 반응은 매우 미약했다. 400부의 초

NICOLAI CO
PERNICI TORINENSIS
DE REVOLVTIONIBVS ORBI-
um cœlestium, Libri VI.

Habes in hoc opere iam recens nato, & ædito, studiose lector, Motus stellarum, tam fixarum, quàm erraticarum, cum ex ueteribus, tum etiam ex recentibus obseruationibus restitutos: & nouis insuper ac admirabilibus hypothesibus ornatos. Habes etiam Tabulas expeditissimas, ex quibus eosdem ad quoduis tempus quàm facillime calculare poteris. Igitur eme, lege, fruere.

Ἀγεωμέτρητος οὐδεὶς εἰσίτω.

Norimbergæ apud Ioh. Petreium,
Anno M. D. XLIII.

《천구의 회전에 관하여》(1543년, 뉘른베르크판 원본)
© Wikipedia

판이 발행되었는데 당시에는 별로 주목을 받지 않아 수요가 적었으며, 400부의 초판은 다 팔리지도 못했다. 책의 내용이 전문적이었기에 능력 있는 천문학자가 아닌 이상 이해하지 못했다.

그러나 시간이 흐를수록 책의 내용이 널리 퍼져나갔다. 1616년 교황청의 금서 목록에 추가되었다가 1758년 금서에서 풀려나는 등 시련을 겪었지만, 후대에 이르러 천문학과 물리학이 발전할 수 있는 토대를 마련해줌으로써 혁명적 씨앗으로서의 역할을 다했다. 코페르니쿠스의 체계는 관측 결과와 완전히 부합한 것은 아니어서 이후 많은 과학자들, 특히 케플러, 갈릴레이, 뉴턴 등에 의해 수정되고 보완되어 오늘에 이르고 있다.

그 책에는 다음과 같은 코페르니쿠스의 유명한 문장이 있다.

"만물의 중심에는 태양이 있다. 온 우주를 동시에 밝혀주는 휘황찬란한 신전이 자리 잡기에 그보다 더 좋은 자리가 또 어디 있겠는가. 어떤 이는 그것을 빛이라 불렀고, 또 어떤 이는 영혼이라 불렀고, 다른 이는 세상의 길라잡이라 불렀으니, 그 얼마나 적절한 표현인가. 태양은 왕좌에서 자기 주위를 선회하는 별들의 무리를 가족처럼 거느리고 있다. 지구는 태양에 의해 잉태되고, 그에 의해 해마다 열매를 맺는 것이다. 그리하여 감탄할 만한 우주의 조화와, 다른 방법으로는 찾아볼 수 없는 운동속도와 공전 궤도 반지름 사이의 조화 관계를 우리는 이 태양계 외에서는 발견할 수가 없는 것이다."

많은 역사가들은 코페르니쿠스의 《천구의 회전에 관하여》가 출판된 1543년을 과학 혁명이 시작된 해로 생각하며, 코페르니쿠스는 과학 혁명의 중간적 존재로서, 프톨레마이오스와 아리스토텔레스의 이론에 사로잡혀 있던 2,000년의 오류를 바로잡은 것으로 평가한다.

코페르니쿠스는 사망하기 며칠 전 병상에서 이 책을 받아 보았다. 전하는 말에 의하면, 그해 코페르니쿠스는 뇌출혈을 겪은 후 우반신이 마비되었다. 혼수 상태에 빠진 채 병상에 누워 있던 그에게 책의 인쇄본을 쥐어주자 잠깐 눈을 떴다가 이내 감고는 영영 다시 뜨지 않았다고 한다. 향년 70세. 평생을 독신으로 살았다.

코페르니쿠스 원리, '우리'는 특별하지 않다

위대한 코페르니쿠스에게도 한계는 있었다. 코페르니쿠스가 최초의 근대 천문학자이면서 프톨레마이오스의 한계를 완전히 벗어나지 못했다고 평가받는 데는 몇 가지 이유가 있다.

첫째는 천문 계산에서 프톨레마이오스의 체계에서 완전히 벗어나지 못했다는 점이다. 그는 천체들이 투명한 수정 천구에 붙어 궤도에 따라 운동한다고 믿었다. 둘째는 프톨레마이오스 체계에 따라 행성의 불규칙한 운동을 여러 원들의 결합을 통해 설명하려 했다는 점이다. 그러나 태양을 중심으로 한 행성 체계를 설정함으로써 '행성들의 관계'를 밝혀냈다는 점에서 현대 우주론으로 한 걸음을 내디딘 것으로 평가받고 있다.

그런데 우주의 중심을 지구에서 태양으로 옮김에 따라 피할 수 없는 중력 문제가 발생한다. 곧, 무슨 힘이 지구상의 물체를 지표에 붙들어두고 있는가 하는 의문이다. 이에 대해 코페르니쿠스는 각각의 천체들은 제각기 고유한 무게를 갖고 있으며, 이 무거운 천체들은 자체의 중심으로 향하는 속성을 지니고 있다고 주장했다. 이 생각이 궁극적으로는 만유인력에 이르게 되지만, 당시의 코페르니쿠스는 이러한 문제에 답할 만한 물리학을 갖고 있지 못했다. 그 답은 뉴턴이 출현하기까지 200년 이상을 더 기다리지 않으면 안 되었다.

그러나 코페르니쿠스의 지동설은 이윽고 우주에 대한 인류의 인식을 근본적으로 바꾸어놓았으며, 근대 과학의 출발을 알리는 신호탄이 되었다. 괴테의 다음과 같은 말이 코페르니쿠스에 헌정된 가장 감동적인 찬가일 것이다.

"모든 발견과 견해 중에서 코페르니쿠스의 지동설만큼 인간 정신에 큰 영향력을 끼친 것은 없을 것이다. 그것은 인간이 우주의 중심에 위치한다는 엄청난 특권을 포기하게 만들었다. 인류에게 이보다 더 큰 변혁을 가져온 것은 결코 없었다. 왜냐하면, 이 사실을 인정함으로써 이제껏 인류가 애지중지하던 많은 것들이 연기처럼 허공 속으로 사라져버렸기 때문이다. 믿음과 경건, 낙원은 어디로 가버렸는가! 그의 동시대인들이 새로운 우주관을 받아들이는 것은 사상 유례가 없는 사고의 자유와 감성의 위대함을 일깨워야 하는 일이다."

또한 코페르니쿠스는 태양을 중심으로 한 행성 체계를 설정함으로써 '행성들의 관계'를 부여했다. 후에 이런 코페르니쿠스의 우주 모델은 케플러가 행성 운행에 대한 3가지 법칙을 찾아내는 데 바탕이 되었으며 갈릴레이, 뉴턴에까지 영향을 미쳤다. 이런 점에서 평생 성직자로 살았지만 30년이 넘는 세월 동안 천문학에 열정을 바쳤으며, 전통적인 우주관을 넘어 지구가 하나의 행성임을 밝힌 위대한 과학자로 평가된다.

근대 과학은 코페르니쿠스가 우주의 중심에서 지구를 치워버린 1543년에 시작되었다고 할 수 있다. 코페르니쿠스의 이름을 딴 '코페르니쿠스 원리'Copernican principle는 "지구는 우주의 중심이 아니며 지구는 천체 중에서 특별하지 않다"라고 일깨운다. 인간은 어떤 의미에서도 우주의 중심이 아니라는 사고가 하나의 원리로 확립되었다.

여담이지만, 1807년 나폴레옹이 정복군을 이끌고 폴란드에 들어가 코페르니쿠스 생가를 방문했을 때, 위대한 과학자를 기념하는 동상 하나 세워져 있지 않은 것을 보고는 깜짝 놀랐다고 한다. 동상은커녕 무덤조차 밝혀지지 않았다. 성당 지하묘지에 묻힌 것은 알지만, 어느 것이 코페르니쿠스의 무덤인지도 알려져 있지 않았다. 인류의 과학 영웅에 대한 놀라운 푸대접이었다.

그런데 지난 2005년, 수세기 동안 고고학자들이 찾으려 노력했던 코페르니쿠스 유해가 사후 5세기 만에 발견되었다. 그가 재직한 폴란드의 프롬보르크 대성당 지하묘지에서 발견됐는데, 부러진 코와 왼쪽 눈 위 흉터, 이빨 그리고 그가 사용한 책에서 나온 머리카락 두 올의 DNA 검사를 통해 그의 유해임이 확인되었다.

코페르니쿠스의 유해는 묘비도 없이 묻혔다가, 사망한 지 5세기 만에 최고의 예우가 갖춰진 가운데 '국민 영웅'으로 재안장되었다. 대성당 측은 코페르니쿠스의 사망 467주기 다음 날 치러진 장례에서 코페르니쿠스의 지동설에 대해 가해진 가톨릭 교회의 탄압에 유감을 표했다. 폴란드 국민들은 코페르니쿠스를 국민 영웅으로 칭송하는 추모 행사를 가졌으며, 새로

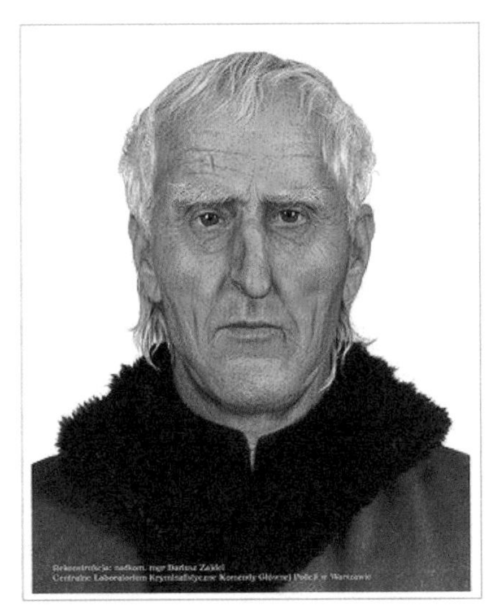
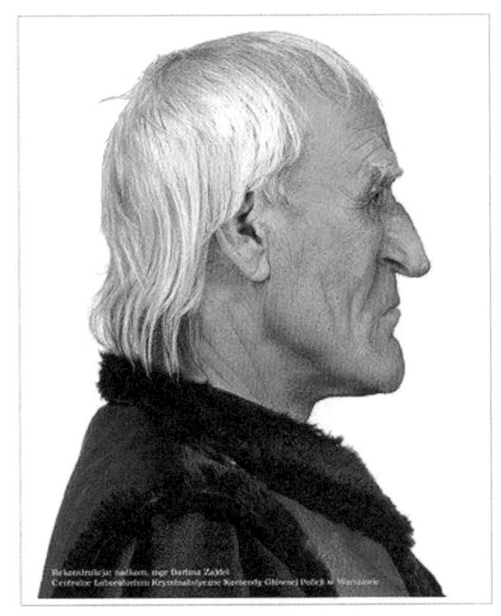

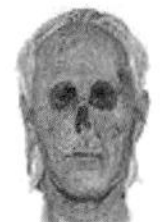

유골을 바탕으로 재현한 말년의 코페르니쿠스.
우주가 만약 무한하다면, 거기에 중심은 없을 것이라고 생각했다. © Wikipedia

세워진 검은 화강암의 묘비에는 지동설을 표시하는 태양계의 도형을 새겨 넣어 500년 전 그의 업적을 기렸다.

과학사가 토머스 쿤은 코페르니쿠스를 다음과 같이 평가했다. "최초의 근대 천문학자이면서 마지막 프톨레마이오스 천문학자였다."

12. 하늘이 내린 최고의 천문 관측가
– 튀코 브라헤(1546~1601)

우주를 이해하려는 노력은 인간의 삶을 광대극보다는 조금 나은 수준으로 높여주고,
다소나마 비극적인 품위를 지니게 해주는 아주 드문 일 중의 하나다.

스티븐 와인버그 (미국 물리학자)

출생부터 죽음까지 특이했던 괴짜 천문학자

코페르니쿠스의 지동설이 발표되자마자 엄청난 반향을 일으켰으리라 생각하기 쉬운데, 사실은 전혀 그렇지 않고 여기저기서 약간의 화제거리가 되었을 뿐이었다. 책이 출판된 지 70여 년이 지나서야 로마 교황청이 금서 목록에 올렸을 정도였다. 만약 코페르니쿠스 사후 한 세대 안에 태어난 2명의 위대한 천문학자가 없었더라면 그의 지동설은 뿌리를 내리지 못한 체 묻혀 버렸을지도 모른다.

천문학의 역사에서 성 대신 늘 이름으로 불리는 과학자가 2명 있는데, 갈릴레오 갈릴레이와 튀코 브라헤가 그들이다.

코페르니쿠스가 죽은 지 3년 뒤, 역사상 최고의 육안 관측 천문학자로 꼽히는 튀코 브라헤가 덴마크의 크누스트루프(현재는 스웨덴)에서 태어났다. 생애에서 그보다 더 많은 에피소드를 가진 천문학자는 드물 것이다.

그는 덴마크 귀족 가문의 장남으로 태어날 때부터 탯줄에 문제를 달고 나왔다. 그의 아버지는 자식이 없는 형에게 자기 장남을 양자로 주기로 선약했던 것이다. 하지만 아이를 키우다 보니 마음이 달라졌다. 도저히 형에게 넘겨주기가 싫었다. 동생의 약속 위반을 괘씸하게 여긴 형은 튀코가 1살 되었을 때 동생이 태어나자 몰래 튀코를 빼돌리고 말았다. 명백한 유아 납치였다. 하지만 나중에는 동생으로부터 양해를 얻어 튀코를 정식 입양해서 정성껏 키웠다.

정부 고관이었던 양아버지는 자기 자리를 튀코에게 물려주기 위해 튀코가 13살이 되자 코펜하겐 대학에서 법학을 전공하도록 했다. 하지만 몇 년 뒤 엉뚱하게도 튀코에게 평생을 걸어가야 할 길이 나타났다. 14살이던 1560년 8월 21일, 개기일식의 그림자가 튀코를 뒤덮었고, 밝은 코펜하겐 거리에 어둠이 깔리기 시작했다. 감수성이 예민한 소년 튀코는 충격을 받았고, 그 놀라운 체험은 그의 영혼에 깊이 각인되었다. 무엇보다 그를 매료시켰던 것은 별들의 움직임을 정확히 예측해서 일식이나 월식을 미리 예측할 수 있다는 사실이었다. 그때부터 튀코는 천문학에 깊이 빠져들었다.

튀코는 즉시 서점으로 달려가 프톨레마이오스의 《알마게스트》 전집과 행성의 위치를 알려주는 천문표들을 구입했다. 당시는 천문학과 점성술의 경계가 불분명해서 천문학자는 점성술사이기도 했다. 튀코는 천문학과 점성술을 연구함으로써 돈과 명예를 거머쥐기로 마음먹었다.

'튀는 코'를 가졌던 튀코

튀코의 천문학을 이야기하기 전에 먼저 그의 유명한 코 사건에 대해 알아보

자. 튀코는 '튀는 코'를 가지고 있었다. 무슨 말인가 하면, 자기 코가 아니라 합금으로 만든 모형 코를 죽을 때까지 접착제로 붙이고 다녔다는 얘기다.

사연인즉슨 대학을 다니던 20살 때, 어느 파티에서 술을 진창 마신 상태에서 한 동료 학생과 "가장 천부적인 재능을 지닌 수학자는 누구인가?"라는 문제로 언쟁을 하게 되었다. 결국 두 사람은 결투를 통해 이 문제를 해결하기로 하고 칼로 결투를 벌이다가 상대의 칼날에 의해 튀코의 콧등이 뭉텅 잘려나갔다. 조금만 칼끝이 깊이 들어갔더라면 그는 살아남지 못했을 것이다. 그날 사건을 목격했던 모임 참석자의 후손이자 튀코의 첫 번째 전기 작가의 진술은 다음과 같다.

"튀코는 갑자기 테이블에 앉아 있던 여러 동료들 중 파르스베르크와 언쟁을 시작했는데, 얼마 지나지 않아 두 사람은 흥분한 채 덴마크 말로 싸우기 시작했다. 그러다가 결국 서로 결투를 신청하게 되었고, 곧장 일어나 밖으로 나갔다. 두 사람이 교회 마당으로 나올 때까지도 다른 사람들은 시끌벅적한 파티를 이어갔는데, 결국 튀코는 파르스베르크의 칼끝에 코가 베이는 일격을 당하고 말았다."

나중에 화해하기는 했지만, 튀코는 죽을 때까지 합금으로 된 '튀는 코' 보형물을 접착제로 붙이고 다녀야 했다. 사실 '튀코'는 라틴어로 '복 있는 아이'란 뜻인데도 말이다. 그의 얼굴을 그린 초상화에서 코 보형물을 뚜렷하게 알아볼 수 있다. 2010년 그의 묘가 발굴되어 덴마크와 체코의 연구원들이 그의 코뼈 일부를 분석한 결과, 그가 착용했던 보형물은 피부색과 비슷한 놋쇠였다고 한다. 약학과 연금술에 밝았던 튀코의 용의주도한 선택이었을 것이다. 현재 튀코의 시신은 프라하에 있는 교회 무덤에 안치되어 있다.

불세출의 안시 천체관측가

1608년 망원경이 발명되기 전까지 천체관측은 당연히 맨눈으로 이루어졌다. 천문학자의 가장 중요한 천체관측 도구는 육안이었다. 따라서 좋은 눈이야말로 천문학자의 필수품이었다. 튀코의 코는 비록 평생 골칫거리였지만 그의 눈은 최고의 정밀도를 자랑하는 천체관측 장비였다. 인간 눈의 일반적인 해상도는 약 2'이지만, 튀코는 1'의 정확도로 육안 관찰을 할 수 있었다.

튀코는 비교적 일찍 자신이 가야 할 길을 발견한 편이었다. 1563년 17살 때 독일의 라이프치히 대학에서 법학을 공부하는 학생이었지만, 법학보다는 천문학에 관심이 깊어 매일 밤 별을 관측하며 지냈는데 그 밤하늘에서 그의 인생에서 중요한 사건이 벌어졌다.

그해 8월 17일, 목성과 토성이 서로 겹치는 희귀한 엄폐 현상을 목격하게 되었다. 튀코는 즉시 별과 행성들의 위치를 기록한 표를 찾아보았는데, 13세기의 《알폰소 목록》을 토대로 예측한 날짜와 한 달이나 차이가 나고, 코페르니쿠스의 지동설에 기초한 행성표마저도 이틀이나 오차가 생긴다는 사실을 발견했다. 모든 행성표들이 엉터리였다.

여기서 튀코는 체계적이고 정확한 천체관측이 반드시 필요하며, 관측의 정확성은 관측 기기를 개량하고 관측 기술을 발전시켜야만 가능한 것인데 그 일을 자신이 해야겠다고 결심했다. 그는 직접 지름 12m짜리 육분의*를 제작하고 별들의 위치를 정밀히 관측하기 시작했다.

불과 10대의 나이에, 그리고 높은 귀족의 신분으로 그렇게 천체 연구에 빠져들었다는 것은 놀라운 일이었다. 기껏 잘 풀려봐야 대학교수가 고작일 텐데, 당시 귀족에게 교수 직업은 천직이었다. 그러나 이 같은 그의 꿈은 비

* 육분의(六分儀) : 360도인 원의 6분의 1 정도인 원호 모양의 프레임을 가진 광학기계. 두 점 사이의 각도를 정밀하게 재는 데에 쓰인다.

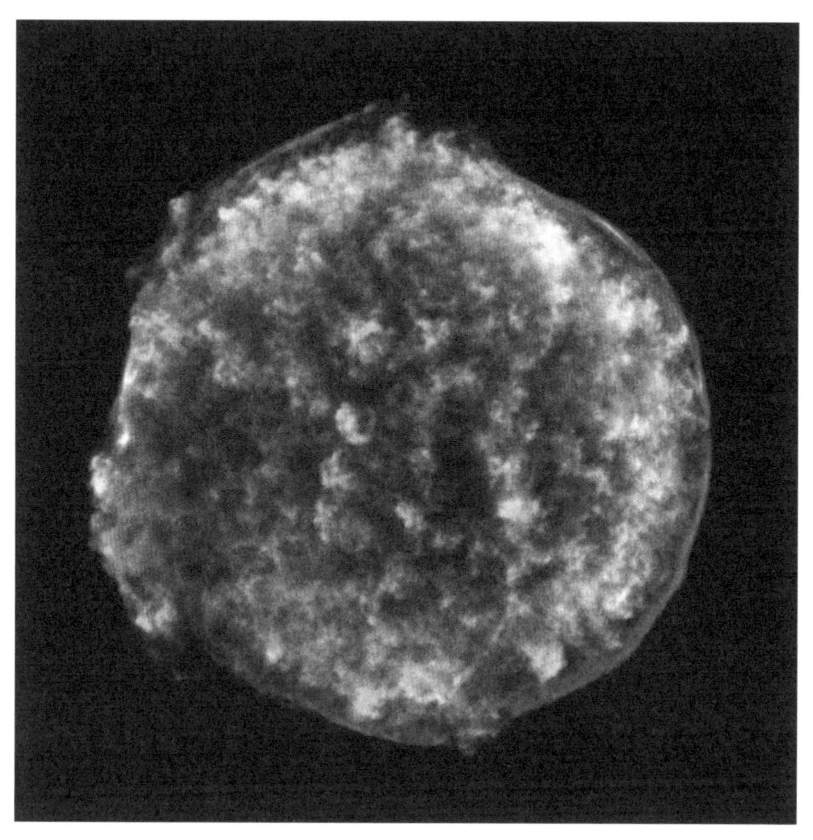

1572년 카시오페이아자리에 출현한 초신성으로 튀코가 발견했다. 이 발견으로 항성은 변하지 않는다는 당시의 관념에 큰 충격을 주었고, 튀코는 일약 유명한 천문학자가 되었다. © Wikipedia

록 본인이 직접 마무리짓지는 못했지만 뒷날 제자인 요하네스 케플러에 의해 마침내 활짝 개화하기에 이른다.

튀코를 최고의 천문가 반열에 올려놓은 진정한 인생의 전환점은 그가 26살이던 1572년에 찾아왔다. 11월 11일 밤, 관측소에서 나와 집으로 돌아가던 튀코는 느닷없이 천상의 한 '사건'에 빠져들었다. 카시오페이아 자리에서 무언가 이상하고 놀라운 일이 벌어지고 있었던 것이다. 전에 못 보던 새로운 별 하나가 돌연 나타나더니 엄청난 밝기로 빛나기 시작했다. 그 별은 W자를 이루는 다섯 별보다 더 밝았다(현재 그 별은 SN 1572로 불린다).

튀코는 엄청난 충격에 빠졌다. 왜냐하면 아리스토텔레스의 우주관에 의하면 천상의 세계는 완전하고 영원불변하며, 별들은 수정 천구에 붙어 있는 것이라고 생각해왔기 때문이다. 따라서 신성 같은 것이 나타나는 이변이 일어나서는 안 되는 것이었다.

후에 '튀코의 신성'으로 불리게 된 이 별의 발견은 엄청난 행운이었다. 왜냐하면 우리은하에서 20세기까지 1,000년간 맨눈으로 볼 수 있는 신성은 단 3번밖에 나타나지 않았기 때문이다. 따라서 튀코의 신성 발견은 우주적인 행운이라 할 만한 사건이었다.

그 별은 18개월 동안 시야에서 사라지지 않고 움직임도 보이지 않았으나 시간이 갈수록 점점 희미해져갔다. 그러나 새로운 별에 대한 이야기가 점점 사람들 사이에 퍼져 입에 오르내리기 시작했다. 아리스토텔레스의 우주관에 젖어 있던 당시 사람들에게 새로운 별의 등장과 소멸은 큰 충격이었다.

튀코는 2년 동안 육분의를 이용하여 집요하게 그 별을 관측하며 새로운 별의 연주시차를 측정하려고 했으나, 행성들에 비해 그 운동이 상대적으로 너무나 작아서 행성이 아니라는 결론을 내렸다. 그리고 이 관측을 토대로 1573년에 《새로운 별》De Nova Stella을 출판했다. 이때 그가 만들어낸 '노바'nova라는 말은 지금까지도 '신성'新星을 가리키는 말로 천문학에서 쓰이고 있다.

튀코는 이 책의 서문에서 경험적인 증거를 무시하고 전통적인 천문학 체계를 고집하는 자들을 강하게 비판했다. "오, 머리가 아둔한 자들이여. 오, 하늘을 관찰하는 눈먼 자들이여"라고 강하게 꾸짖고는, '새로운 별'은 혜성이나 소행성이 아니라 고정된 별들의 천구에 속해 있다는 점을 분명히 밝혔다.

우주 최대의 드라마, 초신성 폭발

그럼 튀코가 발견한 그 별은 무엇이었을까? 바로 초신성이라 불리는 별로, 별이 없던 곳에서 갑자기 밝은 별이 하나 나타나 온 하늘의 별들을 압도할 정도로 눈부시게 반짝인다. 예로부터 이런 별을 가리켜 초신성이라 했지만, 사실 '신성'은 아니다. 망원경이 없던 시대에 새로운 별처럼 보여서 그런 이름을 붙였을 뿐이고, 정확하게 말하자면 늙은 별의 죽음이다.

거대한 덩치의 별이 생애의 마지막에 이르러 남은 연료를 다 태우고 나면 더 이상 에너지를 생산할 수 없게 된다. 그러면 무슨 일이 일어나는가? 내부의 압력과 중력의 균형이 무너짐으로써 급격한 중력 붕괴를 일으켜 대폭발을 일으키는 것이다. 이때 별이 내뿜는 빛은 온 은하가 내는 빛보다 더 밝다. 그야말로 우주 최대의 드라마라 할 만한 대폭발인 것이다.

1572년의 초신성은 튀코가 발견하고 관측해서 튀코 초신성이라고 불리는데, 그로부터 30년 뒤인 1604년에도 초신성이 나타나 요하네스 케플러에 의해 관측되어 케플러 초신성이라는 이름을 얻었다. 이것이 우리은하에서 가장 최근에 관측된 마지막 초신성이다. 대략 1개 은하당 100년에 1개꼴로 초신성이 폭발하는데, 그후 400년이 지나도록 우리은하에서 초신성 폭발은 관측되지 않았다. 그래서 사람들은 "초신성 폭발은 위대한 천문학자가 활동하는 시기에만 나타난다"는 우스갯소리를 하기도 한다.

1572년과 1604년에 관측된 초신성들은 유럽에서 천문학 발전에 큰 역할을 했다. 아리스토텔레스는 이 세계를 달을 경계로 하여 천상과 지상으로 나누고, 천상의 세계는 영원불변하며, 지상의 세계는 덧없고 변화무상한 것이라고 규정했다. 그러나 튀코는 초신성이 그 '천상의 세계'에서 일어난 사건임을 밝힘으로써 아리스토텔레스의 분류법은 덧없이 사라지고 말았다.

벤 섬의 독재자

튀코의 초신성 발견은 꽤 유명한 업적이어서 그의 명성은 전 유럽에 알려졌고, 천문학자로서의 위상도 높아졌다. 1576년, 유명한 천문학자 튀코를 계속 잡아두기 위해 덴마크의 프레데릭 2세 왕은 코펜하겐과 엘시노어 사이의 해협에 있는 작은 섬 벤을 튀코에게 주고, 그곳에 천체관측소를 지을 수 있도록 재정 지원도 해주었다. '하늘의 성'이란 뜻을 가진 우라니보르그 천문대는 이렇게 해서 탄생했다.

30살의 나이에 벤 섬의 영주가 된 튀코는 여의도 면적 3배쯤 되는 7.5km^{2}의 땅을 자신만의 스타일이 묻어나는 기념비적인 장소로 탈바꿈시키고 싶었다. 일단 자신이 거주할 매우 큰 집을 중심으로 천문대, 연금술 실험실, 조수 작업실, 옥수수 제분소, 물고기가 사는 연못 60개, 꽃밭, 식물원, 자신의 책을 인쇄하고 묶어낼 제지소 및 인쇄소, 물을 퍼올릴 풍차 등을 지었다. 뿐만 아니라 시계, 해시계, 지구의 등 세상을 놀라게 할 여러 관측 장비와 기구 등을 제작했다.

그런데 튀코의 등장이 섬의 주민들에게는 하나의 재앙이었다. 섬의 영주가 되면서 튀코의 안하무인격인 성격이 더욱 두드러졌다. 당시 섬에는 약 40가구가 살고 있었는데, 튀코는 이 모든 공사에 영주의 권한으로 주민들을 동원하여 무급노동을 시켰던 것이다. 뿐만 아니라 소작농에 대해 무리한 요구를 하기 일쑤였고, 거부하면 감옥에 가두었다. 심지어 농부의 아내를 납치해 첩이 될 것을 강요하기도 했다. 금속 가짜 코를 얼굴에 달고 다니는 튀코는 그들에게 독재자나 다름없었다. 그리하여 심한 강제 노역을 견디지 못하고 섬을 탈출하는 사람들이 속출했다.

수년간의 공사 끝에 완성된 첨단 관측 단지인 우라니보르그는 일종의 연구소 같은 것으로, 여기에는 기구를 제작하는 장인들과 관측 기록을 맡은 천문학자, 하인 등 공동체를 운영하는 데 필요한 많은 인력이 상주했다. 유럽 최대의 규모로, 비싸고 정밀한 천문 관측 장비들을 구비하고 약 100명의 학생과 장인들이 1576년부터 1597년까지 그곳에서 일했다. 그 20년 동안 브라헤는 이 천문대에서 조직적이고 과학적인 관측의 개척자로서 자신의 입지를 분명히 했다.

튀코는 이 천문대에서 자신이 만든 사분의와 혼천의를 사용하여 별자리들을 중심으로 태양, 화성, 목성, 토성 등의 궤도를 관측하고, 최고 수준의 정밀도를 자랑하는 방대한 관측 기록을 남겼다. 그가 행한 관측의 정밀도는 당시로서는 가장 훌륭한 것이었다. 사람들은 튀코에게는 코가 없기 때문에 그처럼 별을 잘 관측할 수 있었을 거라는 우스갯소리를 하기도 했다.

전통의 우주관에서 수정 천구를 치워버리다

튀코의 관측 인생에서 빠뜨릴 수 없는 것이 1577년에 발견한 혜성이다. 그리고 그의 제자 케플러가 6살에 언덕에서 어머니의 손을 잡고 바라본 그 혜성이기도 하다. 혜성에 대한 기존의 관념은 아리스토텔레스가 말한 대로 "지구와 같은 성분의 물질로 이루어졌으며, 대기 중에 일어나는 한 현상"이라는 것이었다. 그래서 당시 천문학자들은 혜성을 관측하면서도 높이를 전혀 측정하지 않았다. 또한 혜성은 전쟁이나 역병 등 불길한 일이 일어날 조짐으로 여겼다.

튀코는 멀리 떨어진 두 도시에서 혜성을 관측한 기록을 구해 혜성의 시차를 구하는 한편, 혜성의 움직임을 면밀히 관측하고 분석했다. 만약 혜성이 지구 대기에 속한 현상이라면 두 도시에서 관측된 혜성의 위치는 멀리 있는 별에 대해 다른 위치를 보일 것이다. 그러나 혜성과 별들의 상대적 위치에 차이점이 전혀 발견되지 않았다. 이는 곧 혜성이 상당히 멀리 있는 존재라는 뜻이다. 그리하여 튀코는 혜성의 출현은 달과 지구 사이 대기에서 일어나는 현상이 아니라, 먼 곳에서부터 날아오는 천체임을 증명해냈다. 즉, 혜성은 '유령'이 아니라 행성들 사이, 행성들의 궤도를 가로질러 여행하는 천체라는 결론을 도출해냄으로써 당시 사람들의 생각을 바꾸어놓는 데 성공했다.

이로 인해 1572년의 초신성 관측처럼 수정 천구라는 개념에 문제점이 생기게 되었다. 혜성이 투명한 수정 천구가 존재할 것이라는 위치들을 통과하여 운행되었기 때문이다.

튀코가 내린 최종적인 결론은 수정 천구란 존재하지 않으며, 별들은 허공에 떠 있는 존재라는 것이었다. 이것은 우주론의 역사에서 튀코가 이루어낸 가장 빛나는 성취였다. 이로써 수천 년 동안 내려오던 수정 천구는 튀코에 의해 말끔히 거두어지게 되었다. 별들은 수정 천구에 붙박여 있는 것이 아니라, 우주 공간에 둥실 떠 있는 존재들이었던 것이다.

"별들이 우주 공간에 떠 있다"는 생각은 코페르니쿠스에서 케플러로 이어지는 우주론의 도약에 디딤돌이 되어준 놀라운 통찰이었다. 이 같은 튀코의 통찰이 없었더라면 중력의 개념도 나올 수 없었을 것이며, 뉴턴의 만유인력 법칙도 발견되기 어려웠을 것이다.

튀코의 절충형 우주구조

튀코는 이러한 관측 업적 외에도 천문학사에 '튀코 체계'라고 불리는 우주 모델을 남겼다. 그의 모델은 지구 중심의 프톨레마이오스와 태양 중심의 쿠페르니쿠스를 접합시켜놓은 것으로, 일종의 절충설이었다.

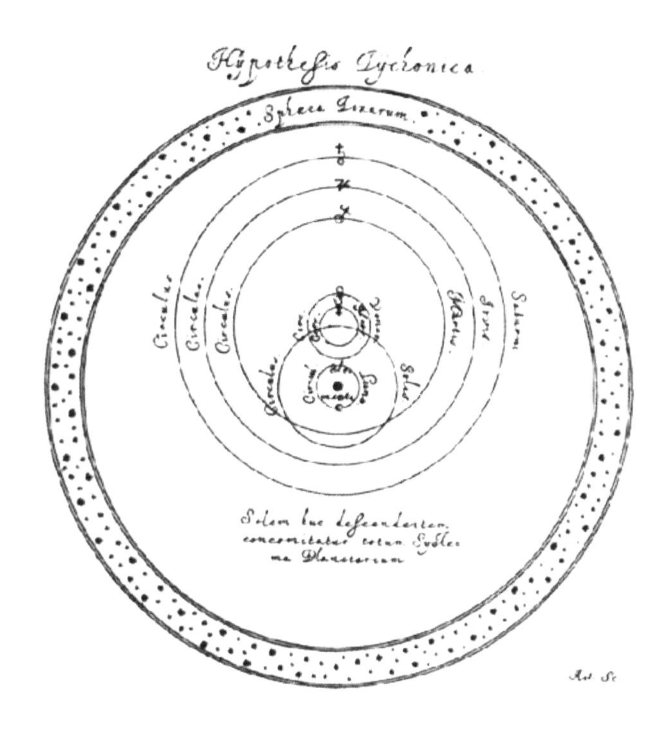

튀코의 우주 모델. 지구중심설과 태양중심설을 절충한 것이다. ©Wikipedia

튀코가 주장한 절충설은 지구가 우주 중심에 고정되어 있으며, 태양과 달, 고정된 별들이 1년을 주기로 지구 주위를 돌고 있다는 것을 기반으로 하는 것이었다. 태양 그 자체는 다섯 행성들의 궤도 중심에 위치하고 있는데, 수성과 금성은 지구를 중심으로 돌고 있는 태양의 궤도 안쪽에서 돌고 있고, 화성·목성·토성은 태양을 중심으로 돌고 있지만 그들의 궤도 안에 태양과 지구가 모두 포함되어 있다.

이 새로운 체계에서는 프톨레마이오스 체계에서 제시되었던 소원[小圓]과 이심[離心]이 제거되어 보다 쉽게 해석할 수 있었지만, 이 우주 모델 역시 연주 시차의 개념을 정확히 설명해낼 수 없었다. 그리하여 튀코의 절충형 우주관은 아쉽게도 지구가 자전하고, 태양이 우주의 중심이라는 사실을 알아내지 못한 채 세상에 나왔다.

튀코가 지동설을 인정할 수 없었던 것은 정밀한 측정으로도 별의 연주시차를 발견할 수 없었다는 점, 모든 물체가 지구 중심으로 떨어지는 이유는 지구가 우주의 중심이 아니면 설명할 수 없다는 점 때문이었다. 또한 그는 코페르니쿠스의 지구 자전운동도 터무니없는 주장이라고 생각했다. 지구는 너무 무겁기 때문에 절대로 돌 수 없다고 주장했다. 만약 지구가 자전한다면 서쪽으로 발사한 포탄이 동쪽으로 발사한 포탄보다 멀리 가야 하는데, 그렇지 않다는 것이었다. 하지만 당시의 기술로는 지구의 크기에 비해 포탄의 사정거리가 너무나 짧아 작은 거리 차이를 측정할 수 없었을 뿐이다.

튀코는 자신의 우주 모델을 정확한 관측으로 증명하고 싶었다. 당시 가장 정확하고 풍부한 행성 관측 자료를 갖고 있었지만, 튀코에게는 그것을 요리할 만한 수학적인 실력이 부족했다. 이 대목에서 케플러라는 수학 천재가 등장하게 된다. 케플러는 시력이 나빠 관측에는 약했지만 강력한 이론적인 무기, 곧 수학을 갖고 있었다. 이런 면에서 본다면 두 사람은 어느 정도 궁합이 맞는 짝이라 할 수 있었다.

최고 관측가와 최고 수학자의 만남

튀코의 초청으로 케플러가 프라하에 도착한 것은 1600년 1월 1일이었다. 스승과 제자로 만난 54살의 튀코와 29살의 케플러, 한 사람은 당대 최고의 기량을 자랑하는 관측의 귀재였고, 다른 한 사람은 당대 제일의 이론가였다.

그러나 두 사람의 톱니바퀴는 그다지 부드럽게 돌아가지 못했다. 튀코의 경계심 때문이었다. 평생 모은 자료를 잠재적인 경쟁자에게 모두 내준다는 것은 어려운 일이었다. 튀코는 데이터를 조금씩 내주며 조심스레 연구를 할당해나갔다. 튀코의 풍부한 자료로 자신의 정다면체 가설을 입증할 것을 기대했던 케플러는 크게 실망했다. 둘은 다툼과 화해를 반복했다. 그러나 그런 상태가 오래 가지는 않았다.

행인지 불행인지, 케플러가 튀코와 함께 일한 지 18개월 만에 튀코가 병으로 급사했다. 어느 날 한 남작의 만찬회에 초대되어 포도주를 과음한 뒤 예법을 지키기 위해 소변을 참다가 방광염에 걸렸고, 그것이 악화되어 며칠 후 숨을 거둔 것이다. 오줌 사건에 대해서 케플러가 튀코 브라헤로부터 직접 들은 이야기는 다음과 같다.

"그는 평소보다 훨씬 더 오랫동안 오줌을 참으며 자리를 지켰다. 비록 그가 너무 지나치게 술을 많이 마셔 방광이 곧 터질 것 같은 압박을 느끼긴 했지만, 자신의 건강 상태가 어떤가에 대한 관심보다 오히려 식사 예절을 어김으로써 발생하게 되는 결례를 어떻게든 피하고자 했다."

튀코는 숨을 거두기 직전 그토록 아끼던 관측 자료를 케플러에게 모두 물려준다고 유언했다. 그리고 마지막 밤은 가벼운 혼수 상태에서 시를 읊듯이 독백을 되풀이했다. "내 삶이 헛되지 않게 하소서. 내가 헛된 삶을 살았다고 하지 않게 하소서!" 그러고는 케플러에게 이렇게 당부했다. "자네가 코페르니쿠스 편에 서 있다는 걸 알지만, 내 가설과 일치하는 증명을 해주기 바라네."

케플러는 이어서 튀코의 임종을 《튀코의 관측일기》 마지막 쪽에 다음과 같이 묘사했다.

프라하에 있는 튀코와 케플러 동상. 사분의를 든 쪽이 튀코,
두루마리 문서를 든 쪽이 케플러. ©Wikipedia

"1601년 10월 24일, 그는 몇 시간 동안 정신착란 속에 빠져들었다. 가족들은 눈물을 흘리고 기도하며 그를 진정시키려 애썼다. 이윽고 그는 흥분 상태에서 벗어나 평화롭게 아주아주 먼 길을 떠났다. 그리고 이제 일생 동안 천문 관측으로 분주했던 그에게 휴식이 찾아왔다. 38년의 세월에 걸친 천문 관측도 그렇게 막을 내렸다."

튀코의 마지막 바람 중 하나는 케플러에 의해 이루어졌다. 평생을 바친 그의 관측 자료는 케플러의 행성운동 3대 법칙을 탄생시키는 데 훌륭하게 사용되었던 것이다. 그러나 다른 하나는 이루어지지 않았다. 천동설에 기초한 튀코의 우주론은 케플러에 의해 폐기되고 지동설이 최종적인 승리를 거두게 된다.

현자처럼 살다가 바보처럼 죽었다

역사적으로 유명한 사건에는 늘 음모론의 꼬리표가 따라붙듯이 튀코의 죽음도 예외가 아니었다. 음모론의 내용은 튀코의 관측 자료를 탐낸 케플러가 수은으로 그를 독살했다는 설이다. 하지만 이 역시 여느 음모론처럼 400년 만에 가짜 뉴스임이 밝혀졌다.

2012년 11월 튀코의 무덤을 발굴해본 결과, 튀코의 시신에서는 수은은 물론이고 다른 어떤 독극물도 발견되지 않았다. 연구팀은 튀코가 살해당했다는 것은 불가능하며, "방광이 터져서 죽은 것으로 보인다"는 결론을 내렸다.

튀코의 시신은 프라하에 있는 교회 무덤에 안치되었는데, 묘비에는 그가 죽기 전 작성한 글이 새겨졌다. "현자처럼 살다가 바보처럼 죽었다."

튀코 브라헤는 사실 갈릴레이나 뉴턴처럼 과학사적으로 가치 있는 법칙을 발견하지는 않았다. 하지만 그가 정확하게 항성과 행성의 위치, 그리고 운동 궤도를 관측한 덕분에 당시에 오류가 가득하던 모든 천문표를 수정할 수 있었다. 덕분에 당대의 농부, 항해사, 시계 제작자들이 보다 자신들의 업무를 정확하게 해낼 수 있었다.

무엇보다 튀코의 자료 덕분에 케플러의 행성운동 법칙이 탄생할 수 있었다. 튀코가 자신이 세운 천문대와 행성운동에 대한 방대한 관측 자료를 전부 케플러에게 유산으로 넘김으로써 그가 천문학에 기여한 가장 중요하면서도 마지막인 작업이 되었다. 또한 그럼으로써 코페르니쿠스에서부터 아이작 뉴턴까지 이어지는 천문학과 물리학 이론들이 연결될 수 있었다.

출생부터 죽음에 이르기까지 더없이 괴짜스러운 삶을 살았던 튀코 브라헤였지만, 그로 인해 근대 천체물리학의 문이 열어젖혀진 것만은 누구도 부인할 수 없는 사실이다.

끝으로 유명한 튀코의 '순정'에 대해 이야기하는 걸로 이 거인의 생애를 마무리하자. 1572년 튀코는 높은 귀족 신분임에도 불구하고 키르스텐이라는 이름을 가진 평민 여자와 사랑에 빠졌다. 그러나 두 사람은 결혼식을 올리지 못했다. 신분의 차이가 너무 커서 결혼을 할 수 없었다.

당시 덴마크 법은 귀족이 평민과 결혼하면 귀족으로서의 모든 특권을 잃게 되지만, 그냥 공개적으로 3년 동안 남편과 아내로서 살면 그들의 결합은 법적 구속력을 갖는 사실혼으로 인정되었다. 즉, 남편은 귀족으로서의 특권을 그대로 유지하되 아내는 여전히 평민의 신분이며, 그들 사이에서 태어난 아이들도 역시 평민으로 아버지의 신분과 가문의 문장, 재산 등을 물려받을 수 없었다.

이 문제로 튀코는 평생을 골머리 썩이며 살았지만 결코 아내를 버리지 않았다. 그가 벤 섬으로 들어간 것도 아이들을 숨겨서 양육하기 좋다는 점을 감안했기 때문이었다. 완고하고 독단적인 성격의 튀코였지만, 아버지로서는 부성애가 깊었으며 사랑에 있어서만은 순정파였다.

13. 우주에 이정표를 세우다
– 요하네스 케플러(1571~1630)

만약 절대적인 엄밀함을 추구하면서
평생 동안 가장 헌신적인 삶을 산 사람에게 주는 상이 있다면,
독일의 천문학자 요하네스 케플러가 그 상을 받았을 것이다.
스티븐 호킹(영국 물리학자)

2,600년 천문학의 역사에서 가장 애틋한 느낌이 드는 천문학자 한 사람을 꼽으라면 단연 요하네스 케플러일 것이다. 출생에서부터 죽음에 이르기까지 60년 생애 동안 늘 불행을 옆구리에 끼고 살았던 케플러는 그럼에도 천문학사에서 가장 빛나는 이정표를 세운 천문학자였다. 그를 가리켜 "마지막 점성술사이자 첫 번째 천체물리학자"라는 후세의 평가가 이를 뒷받침한다.

코페르니쿠스 이후 최고의 천재 천문학자로 꼽히는 케플러이지만 그의 생애는 가난과 질병, 전쟁과 추방으로 점철된 비참하기 이를 데 없는 삶이었다. 그의 생애가 종교개혁 시대와 맞물린 것이 그에게 더욱 고통을 안겨 주었다. 케플러는 그 누구보다 강고한 신교도였던 것이다.

출생에서부터 죽음까지 불행했던 천문학자

요하네스 케플러는 코페르니쿠스의 지동설이 발표된 지 28년 후인 1571년 12월 27일, 독일의 작은 도시 바일에서 태어났다. 칠삭둥이인데다 태어나면서부터 병약했다. 케플러는 자기의 수태 기간을 분 단위까지 계산해서 224일 9시간 53분이라고 적었다. 7달 반이 채 안 되는 기간이다. 게다가 부모 또한 거의 최악의 조합이었다. 케플러의 표현에 따르면, 아버지는 "부도덕하고 거친 싸움꾼"인 용병이었고, 어머니는 여관집 딸로 "성미가 까다롭고 수다스러운" 여자였다. 케플러는 그런 아버지와 어머니 중에서 누구로부터도 그다지 사랑을 받지 못한 듯하다.

그나마 아버지는 케플러가 태어난 지 얼마 지나지 않아 집을 나간 후 돌아오지 않았고, 어머니도 뒤이어 아버지에게로 감으로써 어린 케플러는 할아버지와 함께 살았다. 부모가 없는 가운데 케플러는 4살 때 천연두를 앓았는데 제대로 치료를 받지 못해서 그 후유증으로 근시에 복시複視까지 겹쳐서 평생을 고통받으며 살았다. 그런 눈으로 천문학자가 된 것이 불가사의한 일로 보인다. 그는 내장기관도 좋지 않았고, 손가락도 온전하지 못했다. 커서 무엇이 될는지 견적이 안 나오는 아이였다.

5살 때 마침내 부모가 돌아와서 뷔르템베르크로 이사해서 같이 살게 되었다. 케플러는 뒷날 과학자로서의 자신의 소명을 말하면서 부모와 관련된 2가지 사건을 언급했다. 하나는 6살 때인 1577년, 어머니가 집 부근의 언덕 위로 그를 데리고 가서는 혜성*을 보여주었던 것이다. 훗날 케플러는 이때의 일을 기억하면서 쓴 글《6살에 있었던 일을 회상하며》에서 "나는 1577년의 혜성에 대해 많이 들었고, 어머니는 그것을 보기 위해 나를 데리고 높

* 혜성(彗星) : 1577년의 대혜성(공식 명칭은 C/1577 V1). 1577년 지구 근처를 지나간 혜성으로, 튀코 브라헤를 포함해서 당시 유럽 대륙에 살던 많은 사람들은 이 혜성을 목격했다.

은 장소로 올라가셨다"라고 썼다.

9살 때인 1580년에는 아버지가 밖으로 그를 불러내서는 "약간 붉은 달"을 보았노라고 회고했다. 케플러가 위대한 천문학자가 되기까지 그의 부모가 기여한 것은 그 2가지였다. 이렇게 케플러는 어려서부터 우주의 신비를 알게 되었고, 이것이 어린 그의 가슴속에 씨앗이 되어 평생에 걸쳐 천문학자의 길을 걸어가게 만들었다.

온갖 불행을 타고났던 천문학자 케플러의 초상
© Wikipedia

가족들은 어린 케플러를 목사로 만들기 위해 튀빙겐 대학교 신학부에 넣었다. 어렸을 때부터 경건한 신앙을 지녔던 케플러였지만, 병약하고 내성적인 성격이어서 동급생들에게 인기가 있을 리 없었다. 아이들에게 왕따를 당하거나 매 맞는 적도 드물지 않았다. 그는 또 정서적인 불안정에서 비롯된 우울증을 갖고 있었으며, 자존감 없는 성장기를 보냈다. 한마디로 밑바닥 3류 인생으로 온갖 멸시를 받으며 어린 시절을 보내야 했다.

이처럼 사회 부적응자의 고통스런 삶을 살았던 케플러였지만, 결코 무시할 수 없는 하나의 재능을 갖고 있었다. 바로 명석한 두뇌였다. 그가 가난한 집안 출신으로서 대학까지 갈 수 있었던 것은 오로지 뛰어난 머리 덕분이었다. 빼어난 성적으로 항상 장학금을 받아냈던 것이다. 특히 수학에서 그는 발군의 재능을 보였다.

케플러가 6살 때 본 1577년의 대혜성 © Wikipedia

코스모스의 영광을 찾아서

케플러는 대학에서 신학과 철학을 전공했지만, 틈틈이 수학과 천문학을 공부하며 과학 지식을 쌓아나갔다. 그가 천문학에 관심을 쏟게 된 것 역시 신앙과 무관하지 않았다. 우주 창조에서 신이 했던 역할에 대한 믿음을 굳게 지니고 있었던 케플러는 세상의 종말이 어떠할 것인가가 늘 궁금했으며, 감히 '신의 마음'을 헤아려보고자 했다.

튀빙겐 대학교에서 케플러는 자신의 삶에 큰 영향을 미친 스승이자 평생 학문의 동반자가 될 수학자이자 천문학 교수인 매스틀린을 만났다. 케플러는 매스트린으로부터 프톨레마이오스 천문학의 기초를 탄탄하게 전수받았다. 그러나 사실 매스틀린은 코페르니쿠스 우주론을 강하게 지지하는 극소수의 천문학자 중 하나였다. 당시 유럽의 수학과 천문학 분야에서 매스틀린을 따라올 사람은 없었다. 케플러의 우주관도 당연히 매스틀린의 영향을 받은 것이었다.

케플러는 독실한 기독교 신자였음에도 불구하고 점점 천문학으로 빠져들었다. 그것도 코페르니쿠스의 지동설에 점차 기울어져, 나중에는 가장 열렬한 코페르니쿠스 우주 모형의 옹호자가 되었다. 수학 천재였던 케플러는 프톨레마이오스 체계보다 코페르니쿠스 체계가 수학적으로 더욱 아름답다고 생각했다. 그리고 태양은 모든 변화의 근원이며, 만물의 복잡한 구조 속에 수학적 단순성과 대칭성이 숨어 있으리란 믿음을 키워갔다. 케플러는 이런 믿음 속에서 피타고라스 학파의 수비주의* 전통을 이어받은 길로 나아갔다.

그는 특히 유클리드 기하학을 배우면서 완전한 형상과 코스모스의 영광을 엿보았다는 느낌을 받았다. 그때의 심경을 케플러는 이렇게 표현했다. "기하학은 천지창조 이전부터 있었다. 기하학은 신의 뜻과 함께 영원히 공존한다. 기하학은 천지창조의 본보기였다. 기하학은 신 그 자체이다."

대학을 졸업하고 신학 학위 과정에 들어가려 했던 케플러에게 그라츠 주립학교(그라츠 대학의 전신)에서 수학과 천문학을 가르쳐달라는 제안이 들어왔다. 23살의 그는 주저 없이 목사의 길을 버리고 신학교를 떠났다.

그라츠에서 케플러에게 맡겨진 임무 중의 하나는 예언과 부합하도록 점성력占星曆을 뜯어고치는 일이었다. 당시 이런 일은 관행이었다. 16세기에는 천문학과 점성술은 그 경계가 모호했다. 1595년, 마침내 케플러가 뜯어고친 첫 달력이 나왔을 때 예상치 못한 결과가 나타났다. 그는 터키의 침공과 추운 겨울을 예견했는데, 2가지 예측이 모두 들어맞아 예언자로 명성을 얻

* 수비주의(數秘主義) : 수(數)에 심오한 의미를 부여하고, 사물이나 현상을 수와 연결시키는 경향을 말한다.

게 되었던 것이다. 그는 살면서 힘들 때마다 점성술로 돌아오곤 했지만, 사실 그 자신은 점성술을 믿지 않았다. 점성술에 대한 그의 한탄이 그것을 증명해준다. "점성술은 어머니인 천문학을 먹여살리는 슬픈 창녀일 뿐이다."

신은 기하학자인가?

그라츠에서 학생들을 가르치면서 케플러는 코페르니쿠스 체계를 더욱 깊이 생각하게 되었다. "하나님은 세상의 기초를 질서와 원칙에 따라 만드셨다"고 생각한 케플러가 우주를 창조한 신의 마음을 알기 위한 기나긴 여행을 떠나게 된 것은 하나의 계시 때문이었다. 천문학의 일대 혁신을 가져온 계시의 순간은 어느 화창한 여름날, 그가 학생들에게 기하학을 가르칠 때 찾아왔다.

행성은 왜 6개뿐인가(당시엔 수성·금성·지구·화성·목성·토성만 알려져 있었다)? 행성들은 왜 코페르니쿠스가 알아낸 간격의 궤도만을 따라서 도는가? 행성들의 궤도 반지름과 공전 주기와의 관계에 대한 이 같은 의문은 이전의 어느 천문학자도 제기하지 않았던 문제였다. 더욱이 이 같은 의문들은 모두 그 값을 가지는 정량적인 것이라는 점이 결정적으로 중요한 요소였다. 케플러의 생각은 태양계 구조의 근본에까지 닿았던 것이다.

이 6개의 행성은 기하학적 도형들이 완벽하게 서로 아귀가 딱 맞아떨어지듯이 그렇게 태양 주위에 배열되어 있을 것이다. 왜냐하면 신은 기하학자니까. 케플러의 머릿속에는 아름다운 도형이 떠올랐다. 그 도형은 플라톤의 다면체로 알려진 정다면체였다. 정다각형을 면으로 해서 만들어지는 정다면체는 4, 6, 8, 12, 20면체 5가지밖에 없다. 정다면체는 다른 정다면체 안에 꼭 맞게 들어갈 수 있다.

케플러는 이 정다면체의 가짓수와 행성의 수 사이에 틀림없이 모종의 관

 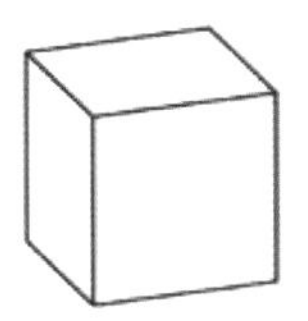 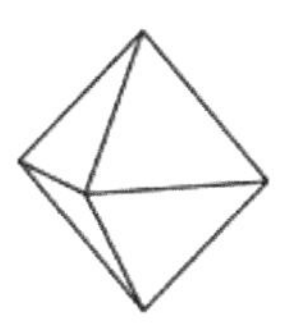 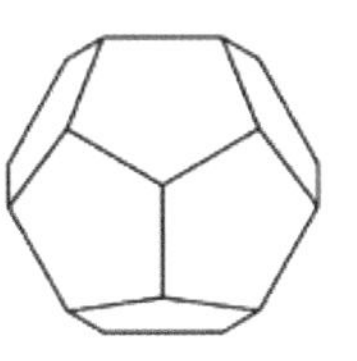 

	정사면체	정육면체	정팔면체	정십이면체	정이십면체
면	4개	6개	8개	12개	20개
꼭짓점	4개	8개	6개	20개	12개
모서리	6개	12개	12개	30개	30개

플라톤의 다면체(Platonic solid). 정다면체라고도 한다. 플라톤의 다면체는 볼록 다면체 중에서 모든 면이 합동인 정다각형으로 이루어져 있으며, 각 꼭짓점에서 만나는 면의 개수가 같은 도형을 말한다. 무수히 많이 존재할 수 있는 정다각형과는 다르게 정다면체는 4, 6, 8, 12, 20면체 5가지밖에 없다.

계가 숨어 있다고 생각했다. 그리고 행성이 6개밖에 없는 까닭은 정다면체가 5가지밖에 없기 때문이라는 결론에 도달했다. 그리고 그것은 행성들의 궤도 거리에 정확히 맞아떨어진다는 것이다.

그는 이 발견을 하나님께서 우주를 기하학적 원리에 맞게 창조하셨다는 증거로 결론지었다. 나아가 행성의 6개 구들을 유지해주는 하나의 투명 구조물을 플라톤의 입체에서 찾아냈다고 확신했다. 그는 이것을 '우주구조의 신비'라 불렀다.

케플러는 우주를 창조한 신은 기하학자라고 믿었으며, 기하학에 대해 다음과 같은 말을 남기기도 했다. "기하학에는 2개의 보물이 있다. 하나는 피타고라스 정리이고, 다른 하나는 선분의 중외비*이다. 첫 번째를 황금에 비유하고 두 번째를 보석이라고 이름 붙인다."

케플러는 자신의 가설을 입증할 수학적 증명과 과학적 관측을 얻기 위해 기나긴 여정에 들어섰다. 이후 케플러의 고난에 찬 삶은 구도자의 고행과

* 중외비(中外比) : 어떤 양(量)이 대소(大小)로 2분되어 그 작은 부분과 큰 부분과의 비율이 큰 부분과 전체와의 비율과 같을 때 그 양쪽 부분의 비율. 황금비(黃金比)라고도 한다. 숫자로 나타내면 1 : 1.618.

다를 바 없었으며, 그의 여생은 이 '신의 기하학'을 푸는 데 오롯이 바쳐졌다. 케플러는 수학과 천문학으로 '신의 뜻'을 알아낼 결심을 하고 평생 동안 그 길을 따라갔다.

그는 태양계의 비밀을 푸는 기하학적 열쇠를 손에 쥐었다고 확신했지만, 여전히 다른 의문들이 남아 있었다. "왜 바깥쪽 행성은 안쪽 행성보다 느리게 태양 둘레를 도는가?" 이 의문은 케플러 이전의 어떤 천문학자도 제기하지 않았던 문제였다. 케플러는 이에 대해 태양으로부터 나오는 빛과 같은 어떤 보이지 않는 힘이 행성들을 조종한다고 결론 내렸다. 중력의 개념은 케플러에서 비롯되었다고 할 수 있다.

튀코와의 만남

케플러는 25살 때 자신의 이런 이론을 담아 《우주 구조의 신비》(1596)라는 제목으로 책을 출간했다. 시력이 나빠 결코 뛰어난 관측자가 될 수 없었던 케플러가 순전히 수학적 지식에 바탕한 이성과 상상력만으로 우주의 본성을 설명해내려고 시도했던 결과물이 바로 이 책이었다.

그는 자신의 책을 여러 곳에 보냈다. 유럽에서 명성 높은 과학자였던 갈릴레오도 이 책을 받은 사람 중의 하나였지만, 서문만 읽어보고는 내용은 끝내 읽지 않았다. 반면 덴마크 황실 수학자이자 우라니보르크 천문대장인 튀코 브라헤는 케플러의 이론에 감명받았을 뿐 아니라, 그의 '천재'를 알아보았다.

결론적으로 말해, 케플러의 정다면체 가설은 과녁을 벗어난 것이었다. 지금 우리는 행성의 수가 6개가 아니라 8개임을 알고 있다. 그러나 《우주 구조의 신비》의 전제가 잘못된 것이기는 하지만, 지구가 태양 둘레를 돈다는 코페르니쿠스 체계가 더 합리적이라는 점이 증명되었다. 또한 행성 간 거리에 수학적 비밀이 숨어 있음을 예측한 이 가설은 나중에 비록 다른 얼굴로 나타났지만, 근대과학의 길을 닦는 과정에 필수적인 주춧돌이 되었던 것이다.

《우주 구조의 신비》는 높은 평판을 받고 성공을 거두었으며, 케플러의 삶을 바꾸어놓았다. 시골 학교의 수학 선생에 지나지 않았던 무명의 케플러는 이 책으로 인해 유럽 천문학계에 이름이 알려졌고, 이윽고 당대 최고의 관측가였던 튀코의 초청을 받아 그의 제자로 같이 일하게 되었다.

튀코와의 만남은 케플러 인생에서 중요한 전환점이 되었다. 우라니보르크 천문대를 세워 20년간 천체를 관측해서 가장 정확한 관측 자료를 소유한 튀코는 덴마크 왕의 지원 중단으로 천문대가 폐쇄되는 바람에 신성로마제국의 황제가 머물던 프라하에서 황실 수학자로 가 있었다.

《우주 구조의 신비》를 출간한 이듬해인 1597년 26살 때, 케플러는 7살 딸이 딸린 23살의 미망인 바르바라 뮐러라는 제분소집 맏딸과 결혼했다. 그러나 결혼 생활은 행복하지 못했다. 일찍 얻은 두 아이는 어린 나이에 병으로 죽었고, 케플러는 극심한 정신적 고통을 겪었다. 그는 고통을 잊기 위해 저작에 몰두했다.

그러나 무지했던 그의 아내는 남편의 일을 전혀 이해하지 못했다. 더욱이 부잣집 딸이었던 바르바라는 남편의 가난한 직업을 경멸하기까지 했다. 케플러는 일기에서 아내를 "뚱뚱하고 혼란스럽고 어리석다"라고 묘사하고, "아내를 나무라기보다 내 손가락을 깨무는 편이 낫다"고 한탄했다. 이들의 결혼은 바르바라가 티푸스로 세상을 떠나기까지 14년 동안 계속되었다.

케플러가 그라츠를 떠나 프라하의 튀코에게로 간 것은 거의 운명적이었다. 그라츠에 신교 박해 바람이 불어 추방이냐 개종이냐의 갈림길에 처했기 때문이다. 기꺼이 추방의 길을 택한 케플러는 "나는 위선을 행하라고 배운 적이 없다. 나의 신앙은 진지한 것이다. 나의 신앙이 농락의 대상이 될 수는 없다"는 말을 남기고, 거의 모든 재산을 포기한 후 의붓딸과 병든 아내를 데리고 프라하로 향하는 고난의 길에 올랐다.

그런데 놀랍게도 프라하에서 케플러는 자신이 원하는 일들이 한꺼번에 이루어지는 기적을 보았다. 믿음을 지킨 결과 새로운 길이 열렸고, 그후 12년간 프라하에서 보낸 시간은 천문학자 케플러에게 가장 풍성한 결실을 가져다주었다.

1600년 케플러는 튀코와의 만남에 대해 이렇게 일기장에 써놓았다. "신은 바꿀 수 없는 운명으로 튀코와 나를 묶어놓았고, 가장 고통스러운 역경을 통해 내가 그를 떠날 수 없도록 만들었다."

케플러의 '화성 전쟁'

튀코가 죽은 후 케플러는 그 뒤를 이어 황실 수학자로 임명되었고, 튀코가 남긴 자료 분석에 밤낮없이 매달렸다. 얼마나 손에 넣기를 갈망했던 자료였던가! 20년에 걸친 케플러의 행성 연구는 이렇게 시작되었다.

케플러가 시간과 정열을 가장 쏟아부었던 과제는 화성 궤도 계산이었다. 지구와 화성이 실제로 태양 주위를 어떤 방식으로 운동하기에 화성이 우리 눈에 마치 공중제비를 돌듯이 역행운동을 하는 것일까? 이 화성의 역행운동은 예로부터 수많은 천문학자들로 하여금 머리를 싸매게 한 불가사의한 현상이었다.

기원전 6세기의 피타고라스로부터 플라톤, 프톨레마이오스 등 모든 천문학자들은 행성들의 궤도는 원이라고 믿어 의심치 않았다. 원이야말로 가장 완벽한 기하학적 도형이므로, 완벽한 존재들인 천상의 천체들도 마땅히 원운동을 해야 하는 것이다. 갈릴레오, 튀코, 코페르니쿠스도 행성 궤도가 원이라는 데에 티끌만 한 의심도 없었다.

케플러 역시 화성이 태양 주위를 원궤도에 따라 돈다고 간주하고, 튀코의 관측 자료로 궤도 계산에 매달렸다. 쉽게 끝날 것 같았던 계산은 8년간이나 계속되었다. 그는 복잡하고 지루한 계산을 무려 70차례나 되풀이했다. 이른바 케플러의 '화성 전쟁'이라 일컬어지는 길고 어려운 작업이었다.

이 오랜 작업 끝에 나온 결론은 원궤도의 포기였다. 아무리 계산하고 끼워맞춰도 원궤도는 튀코의 자료와 메워질 수 없는 오차를 보였다. 8분(1도는 60분)의 오차가 그것이었다. 어쩌면 무시할 수도 있는 수치였다. 그러나 튀코에 대한 케플러의 믿음은 굳건했다. 이때의 일을 훗날 케플러는 이렇게 회상했다. "거룩한 분의 섭리로 우리는 튀코 브라헤라는 성실한 관측자를 가질 수 있었다. 내가 8분의 오차를 무시했다면 나는 내 가설을 땜질하는 식으로 적당히 고쳤을 수도 있었을 것이다. 그러나 그것은 무시될 수 없는 성질의 오차였다. 바로 이 8분이 천문학의 완전 개혁으로 이끄는 새로운 길을 내게 열어주었던 것이다."

케플러는 타원 공식을 사용해서 다시 자료를 분석했다. 그 공식은 고대 그리스 수학자 아폴로니우스(BC 262~BC 190)가 처음 만들어낸 식이었다. 결과는 튀코의 관측값과 완전 일치했다! "오, 전능하신 하나님, 제가 당신 다음으로 당신이 했던 생각을 해냈습니다!" 하고 케플러는 탄성과 탄식을 함께 토해냈다. "자연의 진리가 나의 거부로 쫓겨났었지만, 인정을 받고자 겉모습을 바꾸고 슬그머니 뒷문으로 들어왔으니… 아, 나야말로 정말 멍청이였구나!" 케플러의 제1법칙은 이렇게 탄생되었다. 6년의 세월이 여기에 들어갔다.

화성이 타원 궤도를 돈다는 것은 이렇게 오랜 노력 끝에 얻어진 것이었다. 다른 행성들도 타원 궤도를 돌지만 화성보다는 훨씬 원에 가깝다. 행성의 공전 속도는 태양에 가까울수록 빨라지고 멀어질수록 느려진다. 이런 운동 때문에 행성은 태양을 향해 계속 떨어지지만, 결코 태양에 곤두박질하지는 않는다. 최초로 태양계의 모습을 정확히 짚어낸 케플러는 코페르니쿠스의 오류를 다음과 같이 정리했다.

1. 행성들은 정확한 원이 아닌 타원 궤도를 따라 돈다.
2. 행성들은 계속해서 운동 속도를 바꾼다.
3. 태양은 이들 궤도의 정확한 중심에 있지 않다.

코페르니쿠스의 지동설이 근대 과학의 출발점이 된 것은 부정할 수 없는 사실이지만, 그 지동설에도 허점은 있었다. 천동설 개념보다 단순하긴 했으나, 실제 천체의 위치를 예측하는 데는 오히려 천동설보다 정밀하지 못했다. 게다가 코페르니쿠스는 여전히 천체들이 완전한 원운동을 하며, 천체들이 수정 천구에 붙어 있다고 생각했다.

이런 코페르니쿠스에서 한 걸음 더 나아가 천상의 비밀을 보다 명징하게 세상에 내보인 사람이 바로 요하네스 케플러였다. 행성운동에 대한 최초의 과학적인 이론인 '케플러 법칙'은 문자 그대로 우주로 향한 인류의 위대하고 거룩한 발걸음이었다.

그러나 케플러는 왜 행성이 타원 궤도를 도는지, 그 이유를 밝히지는 못했다. 그 문제를 풀기 위해서는 또 다른 수학 천재, 뉴턴의 탄생을 기다려야 했다.

우주에 이정표를 세우다

행성운동을 규정한 타원의 법칙과 동일 면적의 법칙은 1609년에 그의 책 《새 천문학》에 발표했다. 이 책에서 케플러는 행성의 공전운동이 태양의 자전에 원인이 있다고 보았다. 태양의 자전에 의해 생기는 소용돌이 운동이 행성의 공전운동을 일으킨다고 생각했던 것이다. 케플러는 자신이 발견한 제1법칙과 제2법칙을 1618년에서 1621년에 걸쳐 목성의 갈릴레이 4대 위성에 적용해본 결과 멋들어지게 성립하는 것을 확인했다.

케플러의 법칙 중 제3법칙인 '조화의 법칙'은 기적처럼 이루어진 것이었다. 그야말로 사막에서 바늘 찾기였다. 이 하나를 찾기 위해 그는 다시 10년의 시간을 더 쏟아부어야 했다. "행성의 공전주기 제곱은 태양까지의 거리 세제곱에 비례한다." 이 법칙의 발견은 일찍이 "세계는 수로 이루어져 있다"는 피타고라스의 선언을 실증한 셈이었다. 케플러 이전에도 자연계를 지배하는 어떤 법칙이 있을 거라고 짐작되기는 했지만, 이처럼 아름다운 수학적인 법칙이 있으리라고는 누구도 생각지 못했다. 케플러가 우주는 수학적인 아름다운 질서와 법칙이 지배하는 세계라는 것을 보여주었던 것이다.

1619년, 케플러는 《세계의 조화》라는 책을 통해 자신의 제3법칙, 조화의 법칙을 발표함으로써 마침내 케플러의 3대 법칙은 완결되었다. 1602년부터 연구를 시작했으므로 모두 17년의 세월이 걸린 셈이다. 케플러의 3대 법칙을 문장으로 요약하면 다음과 같다.

1. 모든 행성의 궤도는 태양을 하나의 초점에 두는 타원 궤도이다.
   - 타원 궤도의 법칙
2. 태양과 행성을 잇는 직선은 항상 일정한 넓이를 쓸고 지나간다.
   - 면적 속도 일정의 법칙

3. 행성의 공전 주기의 제곱은 행성과 태양 사이 평균 거리의 세제곱에 비례한다.
- 조화의 법칙

생각해보면, 조화의 법칙이라고 불리는 케플러 제3법칙은 신이 우주를 수학적으로 창조했을 것이라는 강한 믿음이 없었더라면 결코 발견되기 어려웠을 것이다. 그렇다면 당시 세상에는 케플러 외에는 행성운동의 법칙을 발견해낼 사람은 거의 없었을 거라는 추론도 가능하다. 케플러가 아니었다면 인류의 우주에 대한 이해는 더욱 늦추어졌을 것이다.

행성운동의 법칙을 최초로 과학적으로 규명한 케플러 법칙은 튀코의 정밀한 관측 자료가 없었더라면 결코 세상에 태어나지 못했을 것이다. 특히 이 법칙들은 행성운동의 거리와 시간 관계를 밝힘으로써 60년 후 뉴턴의 중력 방정식을 발견하는 데 핵심적인 수학적 기초를 제공해주었다.

케플러는 놀랍게도 태양과 행성 사이에는 보이지 않는 어떤 힘이 작용하며, 행성운동의 근본 원인이 우주의 중심인 태양에서 비롯되는 자기력과 유사한 성격의 것이라고 제안함으로써 중력 또는 만유인력을 예견했던 것이다. 이런 의미에서 진정한 태양중심설은 코페르니쿠스가 아니라 케플러에 의해 시작되었다고 할 수 있으며, 천체물리학의 출발점 역시 케플러라고 할 수 있다.

유성우가 내리던 밤에 떠나다

연구가 수행되는 중에도 케플러의 신변에는 고통이 떠나지 않았다. 1611년에는 중부 유럽에서 벌어진 30년전쟁의 군인들이 옮긴 전염병 탓에 그의 아내와 가장 사랑하던 아들이 세상을 떠났다. 엎친 데 덮친 격으로 그의 후

견인이던 루돌프 황제가 폐위됨에 따라 케플러는 갑자기 일자리를 잃고 프라하를 떠나 린츠로 돌아갔다. 그곳에서 수잔나 로스팅어라는 고아 출신의 24살 처녀와 재혼하여 둘 사이에 7명의 자녀를 두었지만, 성인으로 장성한 자녀는 둘밖에 되지 않고 나머지는 어린 나이에 죽었다.

인류를 위한 거대한 발걸음을 내디딘 케플러였지만, 그의 만년은 겨울 흐린 날처럼 스산했다. 30년전쟁이 유럽을 휩쓰는 가운데 케플러는 모든 후원자들을 잃고 가난에 내몰려 궁핍과 고난으로 얼룩졌다. 그는 어느 차가운 늦가을, 밀린 급료를 받기 위해 늙은 몸을 끌고 먼 길을 나섰다가 독일 레겐스부르크에서 병을 얻어 며칠 고열에 시달리다가 마침내 고단한 삶을 내려놓았다. 1630년 11월 15일이었다. 향년 59세. 그날 밤 하늘에서 유성우가 내렸다고 한다.

출생에서부터 임종에 이르기까지 불우하기만 했던 이 거인의 유해는 도시의 성벽 밖 성 베드로 개신교 공동묘지에 쓸쓸히 묻혔다. 비석에는 그가 죽기 몇 달 전에 지은 2행시가 새겨졌다.

"어제는 하늘을 재더니, 오늘 나는 땅의 그림자를 재어야 하네. 내 영혼은 하늘로부터 왔으나, 내 몸은 땅 위에 눕네."

그러나 그의 무덤도 30년전쟁의 와중에 군대에 의해 훼손되어 완전히 사라지고 말았다. 이 세상에서 그가 쉴 만한 곳은 살아서도 죽어서도 없었음을 처절히 보여준 셈이다.

케플러가 평생을 바쳐 고난과 싸우며 이룩해낸 그의 업적은 후세 과학사학자들에 의해 '과학혁명의 열쇠'라는 평가와 함께 케플러를 그 혁명의 중심 인물로 올려놓았다. 과학사학자 제임스 R. 빌켈은 케플러의 업적이 갈릴레오의 업적보다 천문학적으로 더욱 중요하다고 평가했다.

유엔은 갈릴레오가 최초로 망원경으로 천체관측을 시도하고 케플러가 자신의 저서 《새 천문학》을 발간한 지 400주년 되는 2009년을 '세계 천문의 해'로 정해 두 사람을 기렸다. 그러나 다른 무엇보다도 케플러에 대한 최상의 찬사는 후배 천문학자이자 《코스모스》의 저자인 칼 세이건이 남긴 다음의 말이 될 것이다.

"우주 탐사선이 광대한 우주를 가로질러 외계로 달려갈 때, 사람이고 기계고 가릴 것 없이 확고부동한 이정표가 하나 있다. 그것은 케플러가 밝혀낸 행성운동에 관한 3가지 법칙이다. 평생에 걸친 수고로 그는 발견의 환희를 맛보았고, 우리는 우주의 이정표를 얻었다."

14. 천상세계의 문을 열어젖히다
– 갈릴레오 갈릴레이(1564~1642)

우주라는 이 거대한 책은 수학이라는 언어로 쓰여 있으며,
수학을 표현하는 문자는 삼각형이나 원을 비롯한 여러 기하학적 도형들이다.

갈릴레오 갈릴레이 (이탈리아 천문학자)

코페르니쿠스의 지동설은 그의 죽음과 함께 거의 100년 동안 잊혀진 이론이 되었다. 감각을 맹신하는 세상 사람들에게는 이 거대한 땅덩어리가 허공을 날아다닌다는 주장은 그야말로 황당한 소리에 지나지 않았다. 요컨대 논리와 추론의 산물이었던 지동설은 심증도 물증도 없었던 것이다. 그러다가 17세기에 접어들어 최초로 지동설 물증을 강력히 들이댄 사람이 나타났다. 그가 바로 근대 물리학의 아버지로 불리는 갈릴레오 갈릴레이다.

'갈릴레오 갈릴레이'라는 이름에 접하면 아마도 왜 성과 이름이 흡사한지 늘 의문을 느끼는 사람들이 있을 것이다. 까닭은 이렇다. 갈릴레오의 조상인 갈릴레오 보나우티가 저명한 내과의사이자 행정장관으로 이름을 떨친 바람에 가문에서 그의 명예를 기리기 위해 아예 성을 갈릴레이로 바꾸었고, 그 조상의 세례명인 갈릴레오를 받아 갈릴레오 갈릴레이가 되었던 것이다.

르네상스적 팔방 천재 갈릴레오

갈릴레오는 1564년 2월에 이탈리아의 중부 도시 피사에서 태어났다. 그가 태어난 달에 미켈란젤로가 죽었고, 그해에 셰익스피어가 태어났다.

갈릴레오는 어려서부터 영민함을 보였다. 그의 아버지 빈센초 갈릴레이는 일곱 아이 중 장남인 갈릴레오에게 큰 기대를 걸었다. 집안은 몰락한 귀족 가문으로 넉넉한 형편은 아니었다. 10대 초 갈릴레오 가족은 피렌체로 이사했다. 아버지 빈센초는 메디치 가문의 궁정 음악가가 되었다. 늘 가족의 부양에 버거워했던 빈센초는 아들을 피사 대학의 의학부에 넣었다. 갈릴레오는 수학자가 되고 싶었지만, 당시 수학자의 연봉은 의사의 30분의 1밖에 안 되는 박봉이어서 어쩔 수 없는 선택이었다. 갈릴레오가 평생 돈에 집착을 보였던 것은 이런 가난의 경험이 의식 속에 깊이 자리 잡고 있었기 때문이다.

의학부에 다니던 1583년, 갈릴레오는 피사의 사탑 교회에서 천장에 매단 램프가 흔들리는 것을 우연히 보고 있다가 문득 어떤 생각이 번개같이 스쳤다. 그는 램프가 흔들리는 시간을 자신의 맥박을 이용해 측정해보았다. 그 결과 램프의 진폭에 관계없이 흔들리는 시간이 일정하다는 것을 확인했다. 추의 무게나 진폭의 크기에 관계없이 추가 한 번 왕복하는 데 걸리는 시간은 항상 같다는 '진자의 등시성'을 발견했던 것이다. 그는 이 원리를 이용해 맥박계를 발명했다. 갈릴레오가 의학에 기여한 것은 이것이 전부였다.

이후 갈릴레오는 의학보다는 수학과 자연철학에 깊은 관심을 갖고 유클리드와 아르키메데스의 저서를 탐닉했다. 그러면서 오만하고 공격적이던 성격대로 아리스토텔레스의 오류를 신랄히 비판했고, 아르키메데스의 업적을 찬양했다.

결국 갈릴레오는 4학년 때 의대를 중퇴하고 피렌체의 집으로 돌아왔다. 과학계 최고의 천재였던 그는 독학으로 수학을 연구하면서도 수준 높은 수학 소논문을 몇 편 썼다. 그것이 몇몇 학자들로부터 높은 평가를 받기 시작했고, 르네상스 시대 피렌체를 지배한 메디치 가문의 눈에 띄어 25세에 피사 대학의 수학교수 자리를 얻어 모교로 돌아갔다. 학위도 없이 떠난 모교에 교수가 되어 돌아오기는 했지만, 보수는 의대 교수의 10분의 1에 불과해서 갈릴레오는 여전히 가난에 시달려야 했다.

갈릴레오는 만능 인간이었다. 뛰어난 이론가이자 정교한 실험가였고, 날카로운 관찰자이자 솜씨 좋은 발명가이기도 했다. 더욱이 손재주까지 뛰어나 무엇이든 필요한 도구는 최고의 품질로 생산해내는 실력을 지니고 있었다. 당대 최고 수준의 망원경도 그의 손에서 나왔다. 그는 또 음악가이자 연주자여서 곡을 쓰거나 류트 연주를 하기도 했으며, 그림 실력도 프로급으로 전문 화가들이 인정할 정도였다. 그 실력은 후에 그의 책에 실린 실감나는 천체 스케치에서 발휘되었다. 그야말로 르네상스적인 팔방 천재였다.

하지만 신은 공평해서 그에게 좋은 성품을 내려주지는 않았던 모양인지, '싸움닭'이란 별명을 달고 살 만큼 독선적이고 자기중심적인 성격으로 많은 적들을 만들었다. 자업자득이라 해야 할까, 이것이 결국 만년의 그를 고통의 나락으로 떨어뜨리는 데 일조했다.

"갈릴레오가 옳았습니다!"

갈릴레오에게 늘 따라다니는 유명한 일화가 피사의 사탑에서 했다는 낙체 실험이다. 결론적으로 말하자면, 갈릴레오가 낙하운동이 어떻게 이루어지는지 처음으로 정확하게 밝힌 사람이라는 점은 맞지만, 피사 사탑에서의 낙체실험은 근거가 모호하다는 것이 대체적인 시각이다.

파도바 대학에서 가장 유명한 것이 기울어진 피사 사탑인데, 갈릴레오가 그 사탑에서 무거운 물체와 가벼운 물체를 떨어뜨려 두 물체가 동시에 떨어진다는 것을 증명했다는 얘기는 제자인 비비아니가 쓴 갈릴레오 전기에나 나오지, 전혀 증거가 없는 것으로 보아 창작일 확률이 높다는 얘기다. 스승인 갈릴레오를 미화하는 데 피사 사탑보다 나은 소품은 없었을 것이다.

그때까지 낙하하는 물체는 그 무게가 무거울수록 빨리 떨어진다는 아리스토텔레스의 설명이 정설로 자리 잡고 있었다. 아리스토텔레스의 실수는 아무런 실험도 해보지 않은 채 그냥 직관으로 그렇게 단정해버린 데서 비롯된 것이었다. 경험으로 볼 때 무거운 물체는 가벼운 물체보다 빨리 떨어지지 않은가. 망치와 깃털을 떨어뜨릴 때 망치가 더 빨리 떨어진다. 그러나 그것은 단순히 공기의 저항 때문임을 지금 우리는 알고 있다.

날카로운 관찰력의 소유자였던 갈릴레오는 실례를 들어 아리스토텔레스의 주장이 잘못된 것임을 보였는데, 우박을 예로 들었다. 우박이 떨어질 때 보면 크고 작은 우박들이 거의 동시에 지표를 때린다. 만약 무게에 따라 속도가 다르다면 잔 우박들이 떨어진 후에 큰 우박들이 떨어져야 할 것이 아닌가 하는 것이 갈릴레오의 논거였다.

갈릴레오는 탁월한 발상으로 물체의 낙하실험을 했는데, 그것은 피사 사탑에서 한 게 아니라 집에서 나무로 경사로를 만들어놓고 그 위에 무게가 다른 청동 공들을 굴린 것이었다. 이것은 물체의 낙하속도를 크게 줄여 낙하의 성격을 자세히 파악하기 위한 교묘한 실험장치였다. 그는 청동 공을 수없이 굴려본 결과 무거운 공이든 가벼운 공이든 등가속 운동을 하며 같은 속도로 굴러떨어진다는 사실을 확인했다.

중력은 공평하게도 먼지든 바위든 간에 모든 물체에 같은 크기로 작용한다. 다만 공기 저항이라는 요소만 제거한다면 우리는 눈으로도 그것을 확인할 수도 있다. 현대에 와서 우리는 그 실험을 직접 눈으로 볼 수 있었다. 공기가 없는 달에서 낙체실험이 이루어졌던 것이다.

1971년 아폴로 15호의 우주인이었던 데이비드 스콧은 우주선에 실어갔던 망치와 깃털을 달 표면 위에서 떨어뜨리는 실험을 했다. 전 세계 시청자들이 TV로 지켜보는 가운데 그는 어깨 높이에서 망치와 깃털을 떨어뜨렸고, 두 물체는 동시에 달 표면에 떨어졌다. 그러자 스콧이 지구인들을 향해 외쳤다. "갈릴레오가 옳았습니다!"

우주의 문을 열어젖히다

이 천재의 진정한 역사는 지금으로부터 400년 전인 1609년 어느 가을날 밤에 막을 열었다. 갈릴레오가 직접 만든 망원경을 밤하늘의 달로 겨누었을 때 우주가 비로소 인류 앞에 그 문을 활짝 열어젖혔던 것이다.

우선 막 발명된 망원경에 대한 얘기부터 해보기로 하자. 경통에 볼록렌즈 2개를 적절히 배치하면 망원경이 되는데, 물체가 거꾸로 보이는 이른바 도립상倒立像을 보게 된다. 그러나 접안렌즈 쪽에 오목렌즈를 끼우면 정립상正立像을 볼 수 있다. 1608년 이 원리를 네덜란드의 안경업자 리퍼세이가 발견하고 최초로 망원경을 만들었다. 그후 세상을 바꾸어놓은 망원경은 이렇게 해서 탄생했다.

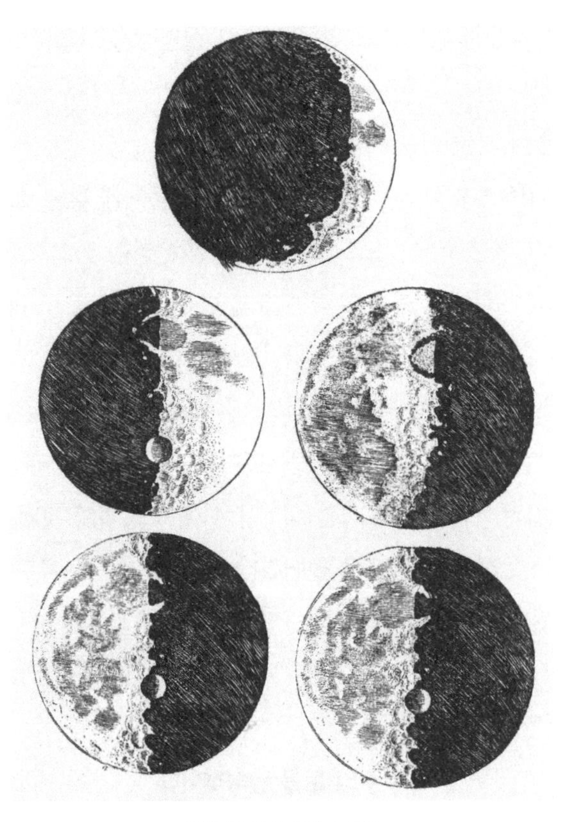

갈릴레오의 달 표면 스케치

먼 물체를 가깝게 볼 수 있다는 망원경을 만들었다는 소식을 듣자마자 갈릴레오는 즉시 제작에 나서 9배짜리 굴절망원경을 만들었다. 지금 보면 쌍안경급의 빈약하기 짝이 없는 물건이지만 세상을 바꾸어놓기에는 부족함이 없었다.

1609년 가을 어느 날 밤, 45살의 갈릴레오는 망원경을 통해 달의 모습을 본 순간 경악했다. 그때까지 완전무결한 구[球]로 알고 있었던 달이 실제는 수많은 크고 작은 구덩이로 파여 있을 뿐만 아니라, 지구와 같이 산과 계곡을 가진 천체였던 것이다. 분화구들이 산재해 있고, 바다처럼 보이는 매끈한 부분도 있었다. 갈릴레오는 그러한 지역을 '바다'Mare라고 불렀는데, 지금도 그 용어를 그대로 쓰고 있다.

달이 천상의 물질이 아니라 지구와 다름없이 산과 계곡을 가진 천체라는 사실을 발견한 것은 과학사에 일대 혁신을 가져왔다. 이것은 이 세계는 하늘과 땅으로 나뉜다는 아리스토텔레스의 이분법적 우주관에 결정적인 타격이 되었다.

앞에서도 잠시 언급했듯이 중세인들의 자연관을 지배한 것은 두 사람의 견해, 곧 아리스토텔레스와 프톨레마이오스 체계였다. 아리스토텔레스는 세계를 이분법으로 나누었다. 천상세계와 지상세계가 그것이다. 이 두 세계의 경계에 있는 것이 바로 달이었다. 천상세계는 신성하고 완전하며, 완전한 운동은 시작과 끝이 없이 계속 반복되는 원운동이라고 생각했다. 따라서 별들은 모두 원운동을 한다고 결론지었다.

갈릴레오가 망원경으로 달을 본 순간은 아리스토텔레스의 우주론이 치명적인 결함을 드러낸 순간이었다. 천체들이 지구와 다른 별개의 존재가 아니며, 지상의 명백한 성질들을 우주도 지녔음을 보여주기 시작한 순간이기도 했다. 천상세계가 완전하지 않다는 사실은 나중에 갈릴레오가 망원경으로 태양을 관찰하고 흑점을 발견한 데서도 드러났다.

토성의 고리를 최초로 발견한 사람도 갈릴레오였다. 그러나 망원경의 성능이 낮은 탓으로 그것이 고리인 줄 모르고 토성에 귀 같은 것이 달려 있는 것으로 생각했다. 갈릴레오는 또 자신의 망원경을 통해 은하수가 실제로는 항성들의 거대한 모임이라는 사실도 알아냈다. 별들이 인간을 위해 존재한다는 천동설의 오랜 믿음은 이로써 폐기되었다.

망원경은 갈릴레오의 경제도 크게 바꾸어놓았다. 갈릴레오는 망원경 소

베네치아 총독에게 자신이 만든 망원경을 보여주고 있는 갈릴레오.
이탈리아 화가 주세페 베르티니가 그렸다.

식을 듣자마자 군사 부분 등 다른 용도가 많을 것으로 생각하고 특유의 기민함을 보였다. 최고의 손재주를 가진 만능 인간답게 그는 하루도 걸리지 않아 망원경을 제작했고, 베네치아 원로원 의원들을 초청해서 망원경 시연회를 열었다. 비록 9배율의 조그만 망원경이지만 육안으로 보기 힘든 먼 바다의 배를 똑똑히 보여주는 망원경의 위력에 의원들은 감탄했다.

갈릴레오는 수완 좋게도 이 망원경을 총독에게 기증했다. 돌아온 대가는 갈릴레오에게 파도바 대학의 종신교수 자리를 보장하는 것과 몇 배로 껑충 뛴 연봉이었다. 이로써 갈릴레오는 비로소 경제적 궁핍으로부터 한숨을 돌리게 되었다.

천동설의 관에 마지막 대못을 박다

망원경은 천동설을 잠재우는 데도 결정적인 역할을 했다. 이듬해 있었던 목성과 금성의 관측에서 갈릴레오는 지동설의 확고한 증거들을 잡아냈던 것이다.

1610년 1월 7일은 갈릴레오의 생애에서 가장 위대한 날이자 천문학의 역사에서 가장 기념비적인 날이다. 갈릴레오는 목성 근처에서 3개의 별들을 발견했다. 이어진 며칠 동안의 관측에서 이들 별이 상대적인 위치를 바꾸는 것을 보았고, 이윽고 며칠 뒤에는 또 다른 네 번째 별을 찾았다. 이 4개의 별들은 목성을 모성으로 하여 도는 위성들이었다. 이것은 엄청난 발견이었다. 왜냐하면 그때까지 천동설은 모든 천체는 오로지 지구 주위만을 공전한다고 주장했기 때문이다.

갈릴레오가 발견한 목성의 네 위성은 말하자면 '작은 태양계' 모형으로, 이론적으로만 알려져 있던 지동설의 모형이 실제로 하늘에 존재하고 있었던 것이다. 네 위성은 70개가 넘는 목성의 위성 중 4대 위성으로, 후대의 천문학자들은 갈릴레오의 업적을 기려 4대 위성을 갈릴레이 위성이라 하고 제각각 '이오', '유로파', '가니메데', '칼리스토'라는 이름을 붙여주었다.

그러나 4대 위성만으로 천동설이 완전히 타파된 것은 아니었다. 반론을 펴는 학자들의 논리는 대략 이랬다. "설령 목성의 위성이 존재한다 하더라도 그것들은 비물질적인 하늘의 재료로 만들어져 있으며, 그것들이 서로의 주위를 돌든지 말든지 무슨 상관인가? 단단한 고체 물질로 이루어진 지구 주위를 도는 것은 마찬가지 아닌가."

그러나 갈릴레오가 또 다른 증거를 들이밀자 이러한 반론들은 잠잠해져 갔다. 그 증거란 바로 금성의 위상 변화였다. 햇빛을 반사하여 빛을 내므로, 만약 태양과 금성이 모두 지구 둘레를 돈다는 천동설이 맞다면 금성은 언제나 초승달 모양으로 보여야 할 것이다. 만약 금성과 지구가 태양 주위를 돈다면, 금성은 달처럼 다양한 위상 변화를 보여야 한다.

그해 연말 갈릴레오는 금성 관측에 집중했는데, 망원경으로 본 금성은 놀랍게도 예상했던 원반 모습이 아니라 보름달 모양과 초승달 모양을 오가며 변화했다. 금성 역시 달처럼 모든 종류의 위상 변화를 보이는 것이다. 갈릴레오는 마침내 이 현상은 프톨레마이오스의 천동설로는 설명이 불가능하다는 것을 깨달았다. 이것은 행성이 태양 주위를 공전한다는 지동설의 명백한 증거였다. 이로써 천동설의 관에 마지막 대못이 박혔고, 태양 중심의 새로운 체계가 등장하게 되었다.

태양 흑점을 둘러싼 증오와 복수

태양 흑점은 갈릴레오가 1611년에 최초로 발견한 것이다. 태양은 너무나 밝은 천체이므로 망원경으로 바로 볼 수는 없다. 자칫 영구 실명의 위험도 있다. 갈릴레오가 망원경으로 태양을 관측한 방법은 망원경으로 태양을 겨누고 접안부에 흰 종이를 갖다대어 종이에 투영된 태양의 모습을 보는 것이었다. 이것은 가장 안전한 태양 관측법의 하나로 오늘날에도 애용되는 태양 투영법이다.

망원경으로 관측한 태양은 광구 곳곳에 '검버섯'이 피어 있었다. 태양 흑점이다. 흑점은 사실 약 4,000~5,000K라는 고온에서 매우 밝은 빛을 내지만, 주변의 6,000K 정도의 온도에 비해서는 낮기 때문에 상대적으로 어두운 점으로 보인다. 흑점이 생기는 영역은 강한 자기 활동이 일어나는 곳으로 대류가 이루어지지 않기 때문에 상대적으로 낮은 표면 온도를 지니는 것이다.

그러나 갈릴레오의 흑점 발견은 뒷날 문제를 일으켰다. 1612년 봄 갈릴레오는 한 통의 두툼한 편지를 받았다. 그 편지는 과학에 관심이 많은 독일의 한 수도사가 보냈는데, 동봉한 책에 대한 갈릴레오의 논평을 바란다는 내용이었다. 책에는 망원경을 사용해 태양에서 검은 점들을 발견했다는 연구 결과가 담겨 있었다. 책의 저자는 바로 독일 예수회의 신부이자 천문학자인 크리스토퍼 샤이너였다. 그는 책에서 그 검은 점들이 태양의 표면에 있는 것이 아닐 거라는 주장을 펼쳤다.

갈릴레오는 이미 태양의 흑점을 관측한 적이 있었지만 깊이 파고들지는 않았다. 그 책을 읽은 갈릴레오는 문득 흑점에 대한 호기심이 발동해 꾸준히 관찰하기 시작했다. 그후 갈릴레오는 흑점에 대한 정보를 많이 모은 다음 샤이너에게 보낸 답장에서 흑점과 가장 비슷한 것이 지구의 구름 같다고 말하며, 그 밖에 자신이 흑점에 대해 관찰한 내용을 상세히 적었다.

1613년 갈릴레오는 그 편지들의 내용을 정리해서 《태양의 흑점과 그 현상들에 대한 역사의 증명》이란 책을 출판했는데, 이것이 바로 '흑점에 대한 편지'로 불리는 저서이다. 여기서 갈릴레오는 흑점의 최초 발견자는 자신이라고 주장함으로써 두 사람이 흑점 발견을 놓고 최초를 다투는 국면에 돌입했다.

갈릴레오의 성격에 가장 부족한 것은 관용과 양보였다. 샤이너가 책을 내어 흑점의 존재를 대중에 먼저 알린 것은 사실이었고, 갈릴레오는 그 점을 인정해 흑점 발견의 업적을 샤이너와 공유할 수 있었음에도 불구하고 한 치의 양보도 하지 않았다. 뿐더러 그는 논쟁 상대에 대해 모욕적이고 냉소적인 대응을 함으로써 깊은 원한을 샀다.

이 같은 원한은 20년 후 갈릴레오에게 통렬한 복수로 되돌아왔다. 1633년 6월, 갈릴레오가 70살의 나이에 로마의 종교재판정에서 흰 옷을 입고

재판관들 앞에서 무릎을 꿇은 채 종교재판을 받아야 했던 데는 샤이너의 원한이 작용했다. 그는 갈릴레오를 종교재판에 회부하는 데 앞장섰을 뿐만 아니라, 교회 입장에서 그를 공격하는 이론의 제공자 역할을 했다.

그런데 이들의 흑점 발견 원조 다툼은 지금 우리가 볼 때는 별로 의미가 없다. 태양 흑점의 최초 발견자는 중국인일 가능성이 아주 높은 것이다. 지금으로부터 2,000년 전쯤 사막에서 날아온 모래먼지가 하늘을 뒤덮어 태양을 직접 볼 수 있을 때, 중국인들이 흑점을 관측했다는 기록이 남아 있다. 중국 한나라 성제 때의 《오행지》五行志 기록에 의하면, 기원전 28년 3월 태양 가운데서 동전 모양의 검은 기운을 보았다고 적고 있다. 그후 10세기에 이르기까지 중국의 흑점 기록은 약 70회 정도 나타난다. 그래서 중국인들은 태양에 다리가 셋 달린 까마귀, 곧 삼족오三足烏가 살고 있다고 상상했다. 태양 흑점의 최초 발견자는 갈릴레오도 샤이너도 아니라는 뜻이다.

중세 천문학의 베스트셀러 《별에서 온 메신저》

1610년 갈릴레오는 《별에서 온 메신저》Sidereus Nuncius라는 제목의 작은 책을 펴냈다. 여기에는 초기 망원경을 이용한 천문학적 관측 결과 목성의 위성들과 달의 산과 골짜기, 그리고 은하수가 무수한 별들의 집합이라는 사실 등의 내용이 실려 있었다. 갈릴레오는 책의 신뢰도를 높이기 위해 케플러에게 여러 차례 자문을 구했으며, 그때마다 케플러는 '별들의 사자와의 대화'라고 불리는 편지로 아낌없는 조언을 해주었다.

갈릴레오는 1579년 케플러로부터 《우주 구조의 신비》라는 책을 증정받은 적이 있다. 그리하여 감사의 답장을 케플러에게 보내면서 "책의 서문만 읽어보았으며 내용 전체는 나중에 연구해보겠다"라고 썼지만 끝내 읽어보지 않았다. 이런 인연으로 케플러는 갈릴레오와 편지를 교환하는 사이가 되었다. 당시 갈릴레오는 파도바 대학에서 기하학과 천문학을 가르치고 있었다.

라틴어가 아닌 쉬운 이탈리아어로 씌어진 《별에서 온 메신저》는 나오자마자 돌풍을 일으켰다. 세상은 이 책에 감탄과 찬사를 보냈으며, 베스트셀러가 되어 최종적으로 550쇄까지 출간되었다. 책이 출간된 지 5년 만인 1615년에는 중국에도 소개되었을 정도였으니까 얼마나 선풍적인 인기를 누렸는가 짐작할 수 있다. 갈릴레오는 유럽에서 일약 최고의 과학자, 유명 인사가 되었다.

그러나 《별에서 온 메신저》는 출간 후 곧바로 격렬한 논쟁을 불러일으켰다. 프톨레마이오스 체계를 크게 뒤흔드는 내용이었기 때문이다. 케플러는 반대파에 맞서서 "그 누가 이 메시지 앞에서 감히 침묵할 수 있겠는가? 바로 여기, 신의 명백하고도 풍부한 사랑이 넘쳐흐르노니, 이를 느끼지 못할 자 누구겠는가"라고 하며 갈릴레오를 적극 옹호했다.

갈릴레오는 케플러의 지원으로 이런 비판들을 모두 잠재울 수 있었지만, 그러나 케플러에게 고맙다는 말 한마디 하지 않았다. 그럼에도 케플러는 갈릴레오의 무례에 한 번도 불만을 표시하지 않았다. 갈릴레오는 지동설을 취하면서도 천문학 이론의 개혁을 이룬 케플러의 업적에 아무런 관심도 표하지 않았으며, 끝까지 케플러의 법칙을 무시하고 원운동을 고수했다. 아인슈타인도 "이 부분이 나를 내내 괴롭히는 대목이다"라고 실토한 적이 있을 정도였다.

뿐만 아니라 나중에 지동설의 강력한 물증들을 확보한 후에도 갈릴레오는 이 사실을 곧바로 발표하지 않았다. 왜냐하면 드러내놓고 지동설을 주장하는 것이 얼마나 위험한 일인가 잘 알고 있었기 때문이다. 10년 전 코페르니쿠스의 지동설을 열렬히 지지하다가 종교재판 끝에 화형을 당한 브루노의 사례를 잘 아는 갈릴레오로서는 어쩌면 당연한 처신이었다.

로마의 캄포 데 피오리 광장에 세워진 브루노 동상. 죽음 앞에서도 신념을 지킨 그는 지식의 순교자로 추앙받고 있다. © Wikipedia

그대가 불태워졌으므로

이탈리아의 도미니코회 수사이자 수학자, 시인이었던 자유주의 사상가 조르다노 브루노(1548~1600)는 자연 자체가 신이라고 주장하며, "우주는 무한하게 펴져 있고 태양은 그중 하나의 항성에 불과하며, 밤하늘에 떠오르는 별들도 모두 태양과 같은 종류의 항성이다"라는 무한 우주론을 주장했다.

그는 이 주장을 끝내 철회하지 않아 1600년 2월 17일, 망토를 입은 '자비와 연민단'이라는 무리가 이끄는 수레에 실린 채 구경거리가 되어 로마 거리를 돌아다닌 후 로마 캄포 데 피오리 광장에서 끌려내려졌다. 사슬에 묶인 채 맨발로 형장으로 걸어가는 브루노에게 수도승과 교황청 관리들이 참회를 종용했으나 그는 눈썹 하나 까딱하지 않았다. 이윽고 브루노는 광장을 둘러싼 수많은 사람들이 지켜보는 가운데 예수회 사제들에게 발가벗겨진 뒤 불에 타죽었다.

그로부터 299년이 흐른 후인 1899년, 《레 미제라블》을 쓴 프랑스 작가 빅토르 위고, 《인형의 집》을 쓴 노르웨이 극작가 헨리크 입센, 러시아의 아나키스트 혁명가이자 철학자인 바쿠닌 등의 지식인들이 사상의 자유를 위해 순교한 브루노를 기리며 그가 화형당한 로마의 캄포 데 피오리 광장에 동상을 건립했다. 그 브루노의 동상에는 이런 글귀가 새겨졌다.

> 브루노에게.
> 그대가 불에 태워짐으로써
> 그 시대가 성스러워졌노라.

동상이 광장 한켠에 세워지자 이에 분개한 교황 레오 13세는 늙은 몸을 이끌고 성 베드로 광장에서 항의의 금식기도를 했다고 한다.

교황을 격노케 한 《두 우주 체계에 관한 대화》

갈릴레오가 《두 우주 체계에 관한 대화》(원제는 '프톨레마이오스와 코페르니쿠스의 두 우주 체계에 대한 대화')를 집필하고 있을 무렵, 브루노가 화형당한 지 한 세대가 지났지만 교회는 여전히 '정신의 지배자'로 기세가 등등했다. 시대 상황이 대체로 이러했으므로 소심한 갈릴레오로서는 몸조심을 할 수밖에 없었다.

더욱이 갈릴레오는 이단으로 고소를 당해 스스로를 방어하기 위해 로마로 갔던 적도 있었다. 1616년 2월 26일, 갈릴레오에 대한 종교재판이 열렸다. 재판장인 추기경 벨라르미노는 브루노에게 사형을 언도했던 사람으로, "태양이 우주에 고정되어 있다고 주장하는 것은 어리석고 철학적인 망상이며, 사악한 학설에 불과하다. 왜냐하면 그것은 성경을 위배하고 있기 때문이다"라고 판결하고, 갈릴레오에게 "코페르니쿠스 천문학을 옹호하지도 가르치지도 말 것"을 명령했다.

그러나 학자가 자기 업적에 끝까지 입을 다문다는 것은 기자가 특종을 포기하는 것보다 힘든 법이다. 기회를 엿보며 고향 피렌체에서 지내던 1623년, 갈릴레오와 대학 동창으로 친분이 두터웠던 마페오 바르베리니 추기경이 교황으로 선출되어 우르바노 8세로 즉위했다. 이듬해, 갈릴레오는 다시 로마를 방문하여 교황의 환대를 받았고, 교황과의 변함없는 우정을 확인한 그는 자신의 이론을 추론 수준에서라면 발표해도 될 것이라고 판단했다.

그리하여 그는 1630년 《두 우주 체계에 관한 대화》의 출간 허가를 받기 위해 다시 로마를 방문했고, 책은 우여곡절을 겪은 끝에 1632년 피렌체에서 출간되었다. 케플러의 격려에도 끝내 응하지 않았던 갈릴레오는 《두 우주 체계에 관한 대화》 속에서 비로소 코페르니쿠스를 지지하는 자기 생각을 밝혔다. 그것도 라틴어가 아닌 이탈리아어로 출판하여 대중이 읽을 수 있도록 했다. 《두 우주 체계에 관한 대화》는 각각 지동설과 천동설의 대변자, 그리고 심판격인 세 인물이 4일 동안 논쟁을 하는 내용이다.

유명한 갈릴레오의 상대성 원리는 2일차 대화에서 나온다. 잔잔한 바다에서 등속력으로 달리는 배의 선창을 모두 가리면 그 배가 달리는지 서 있는지 판별한 방법은 없다는 것이다. 배 안의 모든 낙체는 수직으로 자유낙하하며, 수도꼭지의 물방울도 수직으로 떨어진다. 천동설을 주장하는 사람들이 지동설을 공격할 때 지구가 공전한다면 수직으로 던져진 물건이 저 앞쪽에 떨어져야 하지만, 그렇지 않은 것은 지동설이 엉터리이기 때문이라고 주장했다.

하지만 우리가 지구의 공전과 자전을 느끼지 못하는 까닭은 우리 역시 지구와 함께 움직이기 때문이다. 즉, 물리법칙은 모든 관성계에서 동일하게 성립한다. 관성의 개념이 전혀 밝혀지지 않았던 시대에 이 빼어난 통찰은 근대적 관성에 대한 설득력 있는 논리로서, 지동설의 취약했던 역학 부분을 훌륭하게 보완해주었다. 이 갈릴레오의 상대성 원리는 나중에 아인슈타인의 상대성 이론으로 진화한다.

그래도 지구는 돈다

어쨌든 《두 우주 체계에 관한 대화》는 큰 성공을 거두었으나 갈릴레오의 여생은 그렇지 못했다. 책이 출간된 후 곧바로 갈릴레오는 반대 세력의 격렬한 항의에 직면했다. 교황 우르바노 8세마저 이 책의 발간을 자신에 대한 배신으로 간주했다.

우르바노 8세는 책이 출판되기 전까지만 하더라도 스스로 갈릴레오와 절친한 친구 사이라고 말하곤 했다. 두 사람은 고향이 피렌체로 같을 뿐만 아니라 파도바 대학 동창이었다. 갈릴레오는 대학에서 의학을 공부했고, 4살 아래인 우르바노는 법학을 전공했다. 바르베리니 추기경이었다가 1623년 55세의 나이로 교황에 선출된 우르바노는 로마를 찾은 갈릴레오를 여섯 차례나 찾아가 만났을 정도로 그를 극진히 대하며 존경한다는 말까지 했다. 그리고 교황 앞에 무릎을 꿇지 않아도 된다는 특권을 부여했다. 당대 유럽의 최고 지성이며 최고의 자연철학자에 대한 대우였다.

무엇이 이 두 사람의 사이를 갈라놓았는지 정확히 알 수는 없지만, 《두 우주 체계에 관한 대화》의 넷째 날에 나오는 어리석은 천동설 주장자인 '심플리치오'가 교황을 풍자한 것이라는 소문이 우르바노 8세를 격분케 했다고 한다. 이 소문은 말할 것도 없이 그동안 갈릴레오에게 원한을 품었던 반대파에서 퍼뜨린 것이었다.

우르바노 8세는 이 책의 배포를 금지하고, 지동설을 지지하지 않겠다는 교회와의 약속을 어긴 갈릴레오를 종교재판소에 회부했다. 그리하여 갈릴레오는 로마의 종교재판소에 소환되어 10명의 근엄한 추기경 앞에 섰다.

그해 10월 갈릴레오가 종교재판소에 들어선 이후의 일은 널리 알려진 그대로이다. 브루노와 같이 강직한 성품을 타고나지 못한 70세의 갈릴레오가 두려움에 떨었을 것은 당연하다. "성경은 하늘에 어떻게 가는지를 말해줄 뿐, 하늘이 어떻게 움직이는지를 말해주지는 않는다"는 갈릴레오의 주장은 아무런 도움도 되지 않았다.

그는 고문의 위협을 앞세운 심문관 앞에 꿇어앉아 "철학적으로 우매하고 신학적으로 이단적인 지동설"을 스스로 철회할 것이며, 이후 그러한 주장을 하지도 않고 가르치지도 않겠다고 선서하고는 종신형을 언도받았다. 그러나 고령인 점이 고려되어 투옥되지는 않고 대신 자택에 종신 연금되었다. 또 출간된 지 반년도 못 된 《두 우주 체계에 관한 대화》는 물론, 그의 모든 저서는 금서 목록에 올랐다.

전하는 말에 따르면 갈릴레오가 법정을 나서면서 "그래도 지구는 돈다"라고 중얼거렸다고 하는데, 이는 사실이 아닌 듯하다. 불구덩이에서 막 벗어난 그에게 그럴 배짱이 어디 있었겠나. 하지만 '전설'은 언제나 그렇듯이 대중의 '바람'을 담고 있는 법이다.

《두 우주 체계에 관한 대화》가 세상에 끼친 영향은 코페르니쿠스에서 시작된 지동설의 뿌리를 깊이 내림으로써 우주의 중심에 있던 인간을 끌어내렸다는 것이다. 그리하여 우주에서의 인간의 위치에 대한 새로운 자의식의 단초를 열었다. 이제 인간은 그를 위해 창조되지 않은 세계에 살게 되었다.

1634년부터 갈릴레오는 피렌체 근교의 아르체트리에 있는 자신의 별장에 연금 상태로 머물렀다. 그러나 갈릴레오는 그 시간을 허투루 보내지 않았다. 그는 연금 상태에서 마지막 대작 《두 새로운 과학에 관한 수학적 증명》을 헌신적인 딸 비르기니아의 도움을 받아가며 쓰기 시작했다.

낙체의 가속운동 법칙을 수립한 이 역작은 근대 물리학의 초석을 놓은 것으로, 뉴턴이 나타나기 전까지 역학 교과서가 되었다. 그만큼 이 책이 물리학에 기여한 공적은 너무도 커서 뉴턴의 운동법칙을 미리 예견한 것이라고 주장하는 학자들까지 있다. 그럼에도 불구하고 이 책은 이탈리아에서 출판되지 않고 비교적 자유스러운 네덜란드에서 1638년에 출간되었다.

딸과 같이 묻힌 갈릴레오

갈릴레오가 연금당한 이듬해 맏딸 비르기니아가 병으로 죽었다. 그녀는 어렸을 때 아버지에게 버림받은 적이 있었다. 동거녀와 헤어지면서 맡게 된 두 딸을 키우다 육아에 진저리를 낸 나머지 둘 다 수녀원에 넣어버린 것이다. 젊어서 죽은 둘째 딸은 끝까지 아버지를 용서하지 않았지만, 맏딸 비르기니아는 죽기 직전까지 늙은 아버지를 헌신적으로 돌봤다. 이 딸의 죽음은 노경의 갈릴레오를 거의 황폐화시켰다. 그녀의 세례명 마리아 셀레스테Seleste(천체, 하늘빛)는 아버지가 지어준 것으로, 현재 금성의 한 지명으로 남아 있다.

딸을 잃은 갈릴레오는 얼마 후 눈까지 멀고 말았다. 한쪽 눈을 먼저 실명하고 몇 달 뒤에는 다른 쪽 눈마저 실명했다. 망원경으로 태양을 오래 관측한 때문이라는 말이 있지만, 투영법으로 관측했기 때문에 그다지 설득력이 없어 보인다. 그보다는 백내장으로 실명했을 가능성이 더욱 높다. 옛날에는 고령에 실명하는 주원인이 백내장이었기 때문이다.

그리하여 갈릴레오의 생에서 모든 빛은 사라지고, 그의 물리적 우주는 자신의 손과 손가락으로 만질 수 있는 영역 안으로 축소되었다. 그래도 그에게 하나의 위안은 남아 있었다. 어렸을 때 아버지에게 배운 류트를 연주

갈릴레오의 큰딸 비르기니아. 그녀의 이른 죽음은 갈릴레오의 만년을 황폐화시켰다.

하는 것이었다. 1642년 8월 눈을 감을 때까지 그는 류트를 손에서 놓지 않았다. 향년 78세.

평생을 바쳐 진실을 추구했던 그의 육신은 죽은 이후에도 편안히 쉴 수가 없었다. 그의 오랜 후원자였던 토스카나 대공이 공식적인 장례를 치르고 기념비를 세우려 했지만, 우르바노 교황이 가로막고 나섰다. 그러한 행위를 한다면 자신에 대한 직접적인 모독으로 간주할 것이라고 경고한 것이다. 끝까지 갈릴레오를 용서치 않았던 우르바노도 그로부터 2년 뒤 죽었다.

교황의 서슬 퍼런 경고로, 당대 최고의 과학자였던 사람의 유해가 사후 100년 동안이나 교회 종탑 지하실에 대충 묻힌 채 방치되었다. 갈릴레오의 제자 비비아니가 스승의 묘를 이장하려고 갖은 애를 썼지만 살아생전에 그 꿈을 이루지는 못했다. 갈릴레오의 유해는 죽은 지 95년 만인 1737년에야 산타크로체 대성당 입구의 커다란 기념비 아래 묻혔다.

이장을 위해 갈릴레오의 묘를 파냈을 때 놀라운 일이 일어났다. 관이 2개가 나왔던 것이다. 두 유골 중 하나는 노인이었고, 다른 하나는 젊은 여자였다. 스승을 위해 아무것도 해줄 수 없었던 비비아니가 스승의 딸 마리아 셀레스테를 함께 묻어주는 것으로 고인의 명복을 빌었던 것이다.

아인슈타인은 갈릴레오에 대해 이렇게 평했다. "순전히 논리적인 측면에서 도달한 명제는 실제적인 측면에서는 전혀 공허하다. 갈릴레오는 그것을

산타크로체 대성당에 있는 갈릴레오의 무덤

잘 알았기 때문에 특히 그 점을 과학계에 귀가 아프도록 알려주었다. 그는 근대 물리학의 아버지며 실제로 근대과학의 창시자인 것이다."

마지막으로 생이 얼마 남지 않았을 때 중얼거렸다는 갈릴레오의 탄식을 옮기는 것으로 이 불행했던 거인에 관한 글을 접기로 하자.

"슬프다. 앞선 모든 시대의 학자들이 보편적으로 받아들였던 한계를 내가 탁월한 관찰과 명석한 논증으로 100배, 아니 1,000배나 넘게 확장시켜 놓은 이 하늘, 이 지구, 이 우주가 이제는 나의 육체적 감각으로 채워지는 좁은 영역 안으로 움츠러들고 말았구나!"

15. 우주의 작동 원리를 찾다
– 아이작 뉴턴(1642~1727)

우리에게 영감을 주는 별들을 바라보라. 절대자의 생각이 느껴지는가?
모든 것들은 뉴턴의 수학을 따라 그들의 길을 말없이 가고 있구나.

아인슈타인 (독일 출신의 물리학자)

과학사에 드문 희한한 우연

인류의 과학사가 꽤 오래된 것 같지만 사실 6,300년밖에 안 된다. 그 과학사 첫 줄은 이집트가 차지했는데, 기원전 4241년에 "1년을 365일로 한 태양력을 사용했다"는 것이다.

과학사에서 과학자의 생몰 연대에 관해 희한한 우연이 2개 있는데, 하나는 갈릴레오가 사망한 1642년에 뉴턴이 태어났다는 사실이다. 갈릴레오가 근대 역학의 기초를 닦아 뉴턴의 운동 법칙의 토대가 되는 가속도와 관성의 개념을 확립했고, 뉴턴이 마침내 그 바통을 이어받아 뉴턴의 운동의 3가지 법칙을 확립함으로써 고전 역학을 완성했다는 점에서 두 사람의 얽힘은 자못 흥미로운 과학사의 일부다.

다른 하나는 전기와 자기 이론을 통합해 빛의 정체가 전자기파의 일종임을 밝혀낸 제임스 클러크 맥스웰이 죽은 1879년에 아인슈타인이 태어났다는 사실이다. 맥스웰이 밝혀낸 빛의 본질에 대한 문제는 양자물리학으로, 빛의 속도는 아인슈타인의 상대성 이론으로 진화했다. 그래서 아인슈타인은 자기 연구실에 맥스웰의 사진을 걸어두면서 그의 업적을 높이 기렸다.

뉴턴과 아인슈타인은 과학사상 가장 걸출한 영웅으로 꼽힌다. 그러나 누가 인류 최고의 과학 천재인가 하는 지점에서는 의견들이 엇갈린다. 그런데 인도 출신의 미국 물리학자로 백색왜성 연구로 노벨 물리학상을 받은 찬드라세카르가 깔끔하게 정리해주었다. "아인슈타인은 1등 뉴턴에 비해 차이가 많이 나는 2등이다."

'차이가 많이 나는 2등'이라는 평은 좀 지나치지 않은가 하는 평가도 있겠지만, 거기에는 충분히 그럴 만한 이유가 있다. 아인슈타인은 수학에 그다지 고수가 아니었다. 그래서 연구를 하면서도 수학을 잘하는 친구의 도움을 많이 받았다. 그러나 뉴턴은 위에서 말했듯이 미적분을 발견하는 등 당대 수학의 최고봉이었다. 역사상 가장 위대한 수학자 세 사람을 꼽으라면 아르키메데스, 가우스, 뉴턴을 꼽는다. 그러니 한참 앞서는 과학 천재 1위라는 데 토를 달 사람은 없을 것이다.

'기적의 해' 1666년

아이작 뉴턴은 1642년 12월 25일 성탄절에 잉글랜드 동부의 작은 시골 마을 울즈소프에서 부유한 농부의 아들로 태어났으나 유복자였다. 태어날 때 이미 아버지를 여읜 상태였던 것이다. 게다가 칠삭둥이 조산아였던 그는 몸집이 매우 작아 주전자 안에 들어갈 정도였다고 한다.

뉴턴이 3살이었을 때, 어머니가 이웃 동네 목사와 재혼하면서 그의 곁을 떠났고 그는 외가에 맡겨졌다. 한창 어머니의 보살핌이 필요할 때 어머니를 잃어버린 뉴턴은 양아버지에게 심한 적의를 보였고, 나중에는 그 집을 불태워버릴 생각까지 했다. 이런 사실은 뉴턴이 쓴 '19살까지의 죄 목록'에도 적혀 있다.

요컨대 뉴턴의 유년시절은 불행했다. 이러한 유년의 상처는 뉴턴이 평생을 살아오면서 적지 않게 타인에게 적의를 드러낸 원인이 되었던 것으로 보인다. 뉴턴의 어머니는 아이를 3명 더 낳았으나 8년 후, 양아버지가 죽자 다시 뉴턴 옆으로 돌아왔다.

1661년 뉴턴은 그의 재능을 알아본 외삼촌의 권유로 케임브리지 대학교 트리니티 칼리지에 입학했다. 그러나 대학 진학을 반대한 어머니가 학비를 보내주지 않는 바람에 그는 노동과 학비를 맞바꾸는 근로 장학생으로 공부했다. 그 시절 대학에서는 고루한 아리스토텔레스의 자연철학을 주로 가르쳤으나, 뉴턴은 이에 반해 현대 철학자인 르네 데카르트를 비롯해 케플러, 갈릴레오 같은 천문학자의 이론을 독학으로 공부했다.

1666년, 런던은 시가지의 5분의 4가 불타는 대화재를 당했다. 이른바 '런던 대화재' 사건이 그것이다. 게다가 흑사병까지 돌아 런던은 그야말로 죽음의 도시가 되었다. 그러나 뉴턴이 나이 20대에 이룩한 위대한 성취, 예컨대 수학과 물리학과 광학에서 이룩한 업적들은 아이러니하게도 1665~1666년 사이 영국을 뒤덮은 흑사병 팬데믹의 영향이 컸다. 전염병이 창궐하는 동안 대학은 폐쇄되었고, 뉴턴은 2년 동안 고향 울즈소프에 내려가 있었다.

무엇에도 얽매이지 않는 2년간의 시골 생활 동안 뉴턴은 과학과 철학에 대해 많은 사색을 할 수 있었으며, 수학과 역학과 광학에 깊이 몰두할 수 있었는데 그 결과물들은 엄청났다. 뉴턴의 3가지 대발견으로 일컬어지는 만유인력의 법칙 발견, 미분과 적분의 발견, 빛의 스펙트럼 분해로 빛의 기본 성질을 밝혀내는 등 굵직한 업적들을 일궈냈던 것이다.

뉴턴 스스로 '기적의 해'라고 일컫는 이 시기는 그의 나이 24~25살 무렵으로, 본인 스스로도 "발견에 있어서 전성기를 이루었다"고 평가할 정도로 그의 생애에서 가장 창의력이 폭발했던 때였다. 과학사에서 이와 비슷한 예를 찾자면 아인슈타인이 광양자 가설, 브라운 운동, 특수 상대성 이론 등 물리학사에 길이 남을 중요한 이론을 마치 신의 계시를 받은 것처럼 불과 몇 달 사이에 발표한 1905년을 들 수 있을 뿐이다. 이때 그의 나이 26세였다.

사과와 관련된 유명한 일화도 이 시기의 일이다. 어느 날 저녁, 달이 막 하늘에서 빛나려 할 즈음 과수원의 사과나무 아래서 졸고 있던 뉴턴의 머리 위로 사과가 떨어졌는데, 이 일을 계기로 만유인력을 발견했다는 얘기다. 정말 사과가 머리 위에서 떨어졌을까? 뉴턴은 적어도 4번 그렇다고 말했다. 그러니 우리는 '뉴턴의 사과'를 진실이라고 믿고 얘기를 풀어가도록 하자. 그 편이 훨씬 영양가 있는 내용이 풍부하기 때문이다.

사과는 떨어지고 달은 도는 이유

머리에 떨어진 사과 때문에 잠에서 퍼뜩 깨어난 뉴턴은 사과가 왜 아래로 똑바로 떨어지는지 의문을 갖게 되었다. 하늘을 올려다보니 달이 빛나고 있었다. 그 순간 사과는 떨어지는데 달은 왜 떨어지지 않을까 하는 의문이 들었다. 그리고 잇달아 달도 떨어지고 있는 중은 아닐까 하는 생각이 퍼뜩 떠올랐다. 하지만 달은 지구로 떨어지는 동시에 옆으로 진행하고 있으므로, 이 두 운동의 결합이 지구 주위를 도는 궤도로 나타난다는 데까지 생각이 미쳤다. 만약 지구가 달을 끌어당기는 작용을 하지 않는다면 달은 일직선으로 지구를 지나쳐버렸을 것이다.

마침내 그는 사과가 아래로 떨어지는 데는 어떤 힘이 작용하며, 그 힘은 행성을 포함해 우주 만물에 적용된다는 위대한 통찰에 이르렀다. 지구가 태양 둘레를 도는 것 역시 마찬가지라는 생각이 들었다. 지구와 태양은 서로를 잡아당긴다. 말하자면 서로를 향해 끊임없이 떨어지고 있는 것이다. 사과가 땅에 떨어지는 것은 지구에 비해 사과가 너무나 가볍기 때문이다.

사과가 떨어지는 일은 태초부터 있었다. 갈릴레오도 물체의 자유낙하를 실험해본 적이 있었다. 또한 달이 지구 둘레를 돈다는 사실 역시 옛적부터 알려진 것이었다. 그러나 이 2가지 현상이 같은 힘에 의해 일어난다는 위대한 통찰을 인류 최초로 한 사람은 뉴턴이었다. 뉴턴은 지상의 낙하운동과 천상의 행성운동을 통합함으로써 우주의 작동 원리를 찾아내게 되었다. 뉴턴의 중력 법칙을 만유인력의 법칙이라고 하는 까닭이 바로 여기에 있다.

그러나 중력이라는 개념을 창시한 사람은 뉴턴이 아니다. 케플러만 해도 자연의 신비로운 힘이 행성을 운동하게 하는데, 그것은 자기력 비슷한 종류라고 말한 적이 있듯이, "중력은 지구에서만 작용하는 그 무엇"으로 줄곧 가정되어왔다.

뉴턴은 달의 궤도로부터 달이 1초에 얼마만큼 지구를 향해 떨어지는지 계산할 수 있었는데, 그것은 사과보다 훨씬 더 느리게 떨어지고 있었다. 이는 반드시 달이 사과보다 훨씬 더 먼 거리에 있어서 지구 인력이 거리에 비례해 감소하기 때문일 것이라고 뉴턴은 생각했다. 빛의 강도는 거리의 제곱에 반비례한다는 사실이 알려져 있었으므로, 지구의 인력도 그와 같은 방식으로 역제곱 법칙에 따를 것이라 생각하고 달의 낙하 속도를 구했는데, 그것은 참값의 8분의 7이었다.

생각보다 많은 오차를 보인 이 값은 자신의 이론이 정확하지 않음을 말해주는 것이라고 생각한 뉴턴은 실망한 나머지 그 이론을 덮고 말았다. 왜 그런 값이 나왔을까? 당시 뉴턴은 지구의 반지름을 참값보다 작은 값을 채택하여 계산한 결과 상당한 오차를 초래했던 것이다.

미적분 발견을 놓고 라이프니츠와 치열하게 다투다

1667년 학교가 다시 문을 열자 뉴턴은 학교로 돌아와서 석사 학위를 받고 정식 연구원으로 선발되었다. 뉴턴의 가장 빛나는 발명품의 하나인 반사망원경을 만든 것은 이듬해인 1668년이었다.

반사망원경은 2매 이상의 렌즈를 조합한 굴절망원경과는 달리 렌즈 대신에 거울을 이용해서 상을 맺는 광학 망원경이다. 오목거울을 이용하여 물체로부터 오는 빛을 반사시켜 확대시킨 상을 접안렌즈로 보는 구조로, 색수차*가 발생하지 않는다는 장점이 있다. 대구경의 곡면 거울은 렌즈에 비해 상대적으로 쉽게 만들 수 있어서 아마추어 천문가들이 직접 만들어 많이 사용한다. 또한 색수차 없는 상을 보여주므로 현대 천문학에서 사용되는 대형 망원경은 전부 반사망원경이다.

이 공로로 뉴턴은 1672년 왕립학회 회원으로 뽑혔다. 이보다 앞선 1669년, 뉴턴은 일생을 결정지을 만한 행운을 거머쥐었다. 뉴턴의 지도교수였던 아이작 배로의 뒤를 이어 케임브리지 대학교 수학과 루커스 석좌교수가 되었다. 아직까지 존속되고 있는 루커스 석좌교수 직책은 케임브리지 대학교 의회 의원이었던 헨리 루커스가 1663년 설립한 기금으로 만들어졌으며, 최

* 색수차(色收差) : 렌즈에 의하여 물체의 상(像)이 만들어질 때, 빛의 색에 따라 굴절률이 다르기 때문에 색에 따라 상이 생기는 위치와 배율이 바뀌는 현상. 광학기계에서는 2가지 다른 렌즈를 써서 이것을 보정한다.

1672년 뉴턴이 왕립학회에 선물한 반사 망원경의 복제품. 1668년 처음 만든 망원경은 악기 제작자에게 빌려줬지만 이후 어떻게 됐는지에 대한 기록은 남아 있지 않다고 한다. © Wikipedia

근 2009년까지 블랙홀 연구로 유명한 스티븐 호킹이 맡기도 했다.

교수가 되어 생활에 안정을 찾은 뉴턴은 미적분학에 대한 연구를 본격적으로 시작했다. 미적분의 발견은 인류 문명사에서 가장 중요한 업적의 하나로, 연속적이고 지속적으로 변하는 사물의 속도를 측정할 수 있는 방법이다. 곧, 한 점에서 일어나는 물리량의 순간적인 증가분을 알아내 그 변화율로부터 시간에 따른 증가분이나 물체의 움직임을 정확하게 파악할 수 있게 해준다.

우리가 살고 있는 세상은 모든 것이 움직인다. 우리는 가만히 있다고 생각하지만 지구 자전 때문에 사실 초속 400m로 공간이동을 하고 있다. 운동은 우주의 기본 속성이다. 우주 자체도 광속으로 팽창하고 있다. 우주에서는 원자 알갱이 하나도 한자리에 가만히 있는 것은 없다. 자연만 움직이는 것이 아니라 경제, 인구 변화 등 사회도 움직인다. 미분법은 이처럼 자연과 사회현상 중 변화하는 모든 것의 순간적인 움직임을 서술하는 방법으로, 이것으로써 인류는 시간적인 변량을 잴 수 있는 유용한 도구를 손에 넣게 되었다.

그런데 문제가 발생했다. 뉴턴이 스스로 유율법[流率法/fluxion]이라 이름 붙인 미적분을 발견한 것은 1665년이다. 그리고 이를 이용해 케플러의 제2법칙과 제3법칙을 증명하는 과정에서 만유인력의 법칙을 확인했다. 행성의 움직임과 같은 물리 현상 연구에 미적분을 이용한 것이다.

한편 이보다 약간 늦은 1673년과 1676년 사이에 독일의 철학자이자 수학자인 고트프리트 라이프니츠도 미적분을 발견했다. 뉴턴이 운동을 분석하는 과정에서 미적분법을 발견했다면, 라이프니츠는 곡선의 접선 또는 극대와 극소를 찾는 과정에서 미적분을 발견했다. 그리하여 미적분 발견의 우선권을 놓고 두 사람은 치열하게 다투었다.

40대 후반의 뉴턴 초상화

이 다툼은 점차 확대되어 영국과 유럽 대륙의 대결로 나아갔다. 때문에 미적분의 발전에 많은 시간이 지체되긴 했지만, 대략 두 사람이 비슷한 시기에 독립적으로 미적분을 발견한 것으로 정리되었다. 그러나 오늘날 많은 나라의 학교에서 가르치는 미적분학은 라이프니츠의 기하학적 접근 방법으로, 미적분의 기호 역시 쉽고 편리한 라이프니츠의 것이다.

빛에 얽힌 뉴턴 이야기

미적분을 발견한 뉴턴은 1672년에 또 광학에서 획기적인 발견을 했다. 빛의 본질 일부를 밝혀낸 것이다. 뉴턴은 캄캄한 방 안에서 작은 구멍을 통해 비치는 가느다란 빛줄기를 프리즘에 통과시켜본 결과, 빨간색부터 보라색에 이르는 무지개 색과 똑같다는 것을 발견했다. 그는 또 반대로 갈라진 전체 색의 빛을 렌즈에 통과시키니 다시 백색광으로 변하는 것을 확인했다.

뉴턴은 색은 빛의 기본 요소이며, 백색광은 스펙트럼상의 모든 색이 합쳐진 결과라고 결론을 내렸다. 또, 스펙트럼상의 모든 색의 빛은 각각 굴절 정도가 다르며 고유하다는 사실을 다음과 같이 표현했다. "나는 빛이 단일한 것이 아니라 어떤 것은 더 크게, 다른 것은 더 작게 굴절하는 여러 가지 빛으로 이루어져 있다는 것을 발견했다."

색깔에 대한 아리스토텔레스의 해석은 각 물체의 고유한 성질이라는 것이었다. 곧, 사과가 빨갛게 보이는 것은 원래 그 사과가 빨간 색깔을 본질적으로 갖고 있기 때문이라는 것이다. 또한 색은 밝음과 어두움이 혼합되면서 발생한다는 견해도 있었다. 그러나 뉴턴의 광학에 의하면, 여러 색의 빛이 물체에 흡수되고 그중 반사되는 빨간빛에 의해 사과가 빨갛게 보인다고 해석한다. 뉴턴에 의해 이처럼 빛은 독립적인 실체가 되었다. 색은 결코 빛과 시지각이 만들어내는 환영이 아니다. 색은 빛이고, 빛은 에너지다.

여기서 뉴턴에 의해 최초로 빛의 입자설이 등장하게 되는데, 이것이 수백 년 동안 논쟁거리가 될 거라곤 뉴턴도 예상하지 못했을 것이다. 입자설의 반대편은 당연히 빛의 파동설이다. 네덜란드의 크리스티안 하위헌스가 과학계의 지존인 뉴턴에 맞서 파동설을 주장했는데, 두 사람 사이에 한동안 논쟁이 계속되었지만 끝내 승부는 나지 않았다.

그로부터 300년 뒤 이윽고 양자역학이 등장함으로써 이 오랜 논쟁은 종지부를 찍었다. "빛은 입자이자 파동이다!" 무승부. 그런데 또 양자역학의 대가로 노벨 물리학상까지 받은 파인만은 이렇게 말한다. "빛이 파동이라는 건 잊어버려. 빛은 입자야." 역시 노벨상을 받은 리언 레터만은 "뉴턴 선생님, 그 오랜 옛날에 빛이 입자라는 건 대체 어떻게 아셨나요?"라고 하며 뉴턴에게 최고의 경의를 표했다.

'역제곱 법칙'의 발견을 놓고 후크와도 반목하다

케플러가 평생을 바쳐 추구한 목표는 천상세계를 움직이는 우주의 조화를 밝히는 것이었다. 케플러에게 있어서 그것은 신의 마음을 아는 일이기도 했다. 행성의 운동 질서를 정확히 밝힌 케플러의 3대 법칙은 그가 평생을 바친 수고로 얻어진 것이었다. 그러나 그것으로 신의 마음을 모두 알았다고는 할 수 없었다. 그 질서를 받쳐주는 그 무엇, 곧 행성들로 하여금 태양 둘레를 돌게 하는 힘이 무엇인가 하는 것은 제대로 설명하지 못했던 것이다. 그는 다만 행성운동의 근본적인 힘은 자기력과 유사한 성격의 힘이라고 이해했을 뿐이었다.

이 같은 의문에 정확한 답안을 작성한 사람은 케플러 3대 법칙이 완성된 지 70년 후 중력이론을 확립한 아이작 뉴턴이었다.

만유인력의 구상은 뉴턴의 사과와 함께 오래전부터 싹이 터 있었으나, 케플러의 행성운동에 관한 3가지 법칙, 갈릴레오의 지상 물체의 운동 연구, 하위헌스의 진동론 등을 종합하기 위해 뉴턴은 이론적 연구에 많은 시간을 들였다. 뉴턴이 물체 운동과 만유인력의 기초 법칙을 2대 지주로 하는 고전역학을 구축한 것은 그의 저서 《프린키피아》(원제는 《자연철학의 수학적 원리》이지만 줄여서 이렇게도 부른다)에서였다. 착상 이래 20년 만의 일이다.

그동안 중력이론은 잊혀진 채 있다가 20년이나 지난 뒤인 1684년에 다시 뉴턴의 관심사가 되었던 데는 계기가 있었다. 1684년 8월 어느 날, 동료 천문학자인 에드먼드 핼리가 케임브리지의 뉴턴을 찾아왔다. 핼리는 뉴턴에게 "만약 태양의 인력이 거리 제곱에 반비례한다면 태양 주위를 도는 혜성의 궤도는 어떤 모양일까요?" 하고 물었다.

핼리가 뉴턴에게 이런 질문을 하게 된 데에는 사연이 있었다. 사실 얼마 전 건축가이자 천문학자인 크리스토퍼 렌과 세포의 발견자로 유명한 로버트 후크, 그리고 핼리가 한 커피숍에서 토론을 하다가 주제가 천체운동에 이르게 되었다. 큰소리를 잘 치는 후크가 그에 관한 법칙을 곧 증명할 거라고 장담했고, 그의 말이 미심쩍었던 렌은 두 달의 여유를 줄 테니 증거를 가져와보라고 말했다. 하지만 후크는 끝내 어떤 증거도 논문도 만들어내지 못했다. 그에게는 그럴 만한 '수학'이 없었던 것이다. 그러자 핼리는 당대 수학의 최고수인 뉴턴을 찾아와 대뜸 혜성 궤도에 관한 질문을 던졌던 것이다. 뉴턴은 조금도 망설이지 않고 대답했다.

"그야 타원이지요."

"그걸 어떻게 알지요?"

"전에 한번 계산해본 적이 있으니까요. 한 20년 전부터 혜성의 궤적을 망원경으로 관측해왔는데, 혜성 운동에 중력 법칙을 적용하면 타원 궤도가 나오지요."

뉴턴의 말에 핼리는 그야말로 '심쿵' 했다. 그 말이 사실이라면 과학사에서 가장 위대한 업적의 하나가 될 거라고 생각했기 때문이다.

그 계산한 것을 보여달라는 핼리의 요구에 그러나 뉴턴은 응할 수 없었다. 성서 연구와 연금술(당시 그는 납을 금으로 바꾸는 연구에 몰두해 있었다), 수학 등 갖가지 내용이 담긴 종이더미가 산처럼 쌓인 속에서 계산한 메모지를 찾아내기란 불가능했기 때문이다. 그래도 핼리는 크게 고무되었다. 당대 최고의 물리학자이자 수학자인 뉴턴이 근거 없는 말을 할 리가 없다고 생각했던 것이다. 뉴턴 역시 핼리의 말에 고무되어 다시 한번 그 증명을 하고 이번에는 아예 이론으로 완성시켜 보여주겠노라고 다짐을 주었다.

이즈음 뉴턴은 미적분 이론을 완성하여 그 계산에 필요한 수단을 갖고 있었다. 게다가 프랑스의 천문학자 장 피카르가 1671년 새로운 지구 반지름 측정값을 발표했는데, 이것은 뉴턴이 1666년의 계산에 사용했던 것보다 훨씬 정확한 값이었다. 뉴턴은 다시 계산했고, 이번에 나온 결과들은 현상과 이론이 딱 일치하는 것이었다!

뉴턴은 곧 9쪽짜리 논문을 완성해서 핼리에게 보내주었고, 흥분한 핼리는 논문을 왕립학회에 보내 발표하는 것을 허락해달라고 요청했다. 그리고 논문을 반드시 출판해야 한다고 강력히 권유했다. 그러자 뉴턴은 크게 숨을 내쉬었다. 출판을 하려면 이것만으로는 부족하다는 생각이 들었던 것이다. 태양계 역학 이전에 먼저 모든 운동, 즉 역학의 일반 법칙을 세울 필요가 있었다.

그후 18개월 동안 뉴턴은 먹는 것도 잊을 정도로 무서운 집중력을 보이며 연구에 몰입하여 그 결과물로 마침내 1687년 3권의 책을 세상에 내놓았다. 이것이 인류의 가장 위대한 지적 유산이라고 평가받는《자연철학의 수학적 원리》, 흔히《프린키피아》로 불리는 책이다. 자연철학이란 형이상학적 관념이 포함된 자연해석이란 뜻으로, 여기선 자연과학을 가리킨다.

제1권의 원고는 1686년 4월 핼리에게 건네졌다. 그런데 이 책의 출간 후 중력의 역제곱 법칙 발견의 우선권을 놓고 '영국의 다 빈치'로 알려진 로버트 후크와 격렬한 논쟁이 벌어졌다. 후크는 최초로 현미경을 발명하여 세포를 관찰한 학자로 유명하다. 뿐만 아니라 물리학, 천문학, 화학 등에도 많은 업적을 남긴 과학계의 거목이었다. 특히 실험에 아주 뛰어난 재능을 보인 후크는 거의 200년 뒤 패러데이(1791~1867)가 나오기 전까지는 영국에선 그를 따를 만한 실험 과학자가 없었다는 평가를 받았다.

그런 후크가 뉴턴이 6년 전 자기한테서 역제곱 법칙의 아이디어를 훔친 것이라고 주장하고 나섰다. 곧, 중력이나 밝기처럼 어떤 물리적 양이 원천에서의 거리에 제곱으로 역비례한다는 법칙과 만유인력의 개념을 자신이 뉴턴에 앞서 생각해냈다는 그의 주장은 사실이지만, 그것을 수학적으로 완성시킨 것은 엄연히 뉴턴이었다. 불행하게도 후크에게는 자연법칙을 논리적으로 깔끔하게 서술할 만한 '수학'이 부족했다. 반면에 역사상 가장 위대한 수학자들 가운데 하나였던 뉴턴은 그렇게 수학 공식으로 깔끔하게 정리된 이론을 내놓는 데서 후크와는 비교가 되지 않을 만큼 뛰어났다. 그래서 후크는 "많은 것들을 창시했지만 아무것도 완결시키지 못했다"는 평가를 받았고, '역제곱' 싸움에서 뉴턴에게 패배했다.

뉴턴은 당대 최고의 수학으로 역제곱 법칙을 완벽하게 분석함으로써 보편중력의 법칙을 증명했다. 이로써 후크는 역사의 뒤안길로 밀려났고, 고전물리학 체계를 완성한 뉴턴에게 거의 모든 공이 돌아갔다. 후크도 천재였으나 그의 적인 뉴턴은 완전히 급이 다른 천재였다. 그것이 후크의 불운이었다.

관용의 부족은 뉴턴의 성품 중 가장 큰 특징이었다. 후크의 비판에 마음이 상한 뉴턴은《프린키피아》제3권의 집필을 거부했다. 이에 초조해진 핼리가 중간에 나서서 조정하고 달래고 나서야 겨우 뉴턴으로 하여금 다시 펜을 잡게 했다. 뿐만 아니라 왕립학회가 예산 부족으로 출판비를 대지 못하자 핼리는 그것까지 부담했다. 뉴턴은 1687년《프린키피아》제3권을 낼 때 로버트 후크 이름을 모조리 빼버렸다.

뉴턴의 유명한 말, "내가 남보다 더 멀리 보아왔다면, 그것은 거인들의 어깨 위에 서 있었기 때문입니다"라는 문구는 뉴턴이 후크에게 보낸 편지 속에 쓴 것이다. 이를 두고 어떤 이는 왜소하고 구부정한 체격이라 결코 거인이랄 수 없는 후크를 은근히 모욕한 말이라고 풀이하기도 한다.

과학사상 가장 위대한 방정식

인류 최고의 지성이 생산한 과학사상 가장 위대한 책으로 꼽히는《프린키피아》는 전 3권으로 구성돼 있다. 제1권에서는 질량, 관성, 속도 등 물리량에 대한 개념을 명확히 정의한 후 유명한 운동법칙 3가지를 제시했다.

1. 외부에서 힘이 가해지지 않으면 물체는 등속 직선운동을 계속한다(관성의 법칙).
2. 물체의 운동(운동량)의 변화는 외부에서 가한 힘의 크기에 비례하며, 그 방향은 외부에서 작용하는 힘의 방향과 같다(가속도의 법칙).
3. 한 물체가 다른 물체에 힘을 가하면, 힘을 받는 물체는 힘을 가하는 물체에 반대방향으로 똑같은 힘을 미친다(작용-반작용의 법칙).

과학자들은 이 3가지 법칙 중에서도 가장 의미 있는 부분은 '힘=질량×가속도(F=ma)'라고 하는 가속도의 법칙이라고 입을 모은다. 관성의 법칙과 작용-반작용의 법칙은 갈릴레오와 데카르트의 역학 체계를 다룬 내용인 반면, 가속도의 법칙은 뉴턴이 창안해낸 전혀 새로운 개념이라는 것이다. 모든 힘이 작용하는 곳에는 가속도가 존재한다는 이 법칙은 물리학의 새로운 지평을 열었다.

이 가속도의 방정식은 자연의 운동을 기술하는 최초의 방정식이자 기본형으로 뉴턴 역학의 핵심 개념, 곧 현재의 상태를 알면 미래의 상태를 예측할 수 있다는 심오한 철학을 담고 있다. 한순간 물체의 운동 상태가 그 물체의 과거와 미래 운동에 대한 모든 정보를 담고 있음을 이 방정식이 알려준다. 또한 이 방정식은 비행기를 하늘로 띄운 날개의 양력을 설명해낸 '베르누이 정리'의 기초가 됐으며, 지진해일(쓰나미) 현상, 혈액의 흐름, 빅뱅을 설명할 때도 'F=ma'는 가장 유효한 법칙으로 기능한다.

뉴턴은 운동의 3가지 법칙에서 중력의 법칙을 이끌어냈다. 뉴턴은 《프린키피아》에서 만유인력의 법칙을 설명하기에 앞서, "나는 이제 세계의 기본

얼개를 선보이겠다"고 호기롭게 선언했다.

일찍이 케플러가 행성 궤도가 타원임을 밝혔지만, 그 원인은 여전히 풀리지 않는 수수께끼였다. 뉴턴은 케플러의 행성운동에 관한 제3법칙(조화의 법칙)에 자신의 원심력 법칙을 적용하여 역제곱 법칙을 이끌어냈다. 그것은 두 물체 사이의 중력이 두 물체 중심 간 거리의 제곱에 반비례한다는 법칙이다. 곧, 우주의 모든 물질은 질량의 곱에 비례하고 거리에 반비례하는 힘으로 서로를 끌어당긴다는 것이다. 이른바 만유인력의 법칙이다. 그리하여 역사상 가장 유명한 짧은 방정식 하나가 제시되었다.

$$F = G\frac{m_1 m_2}{r^2}$$

(F : 인력　G : 만유인력 상수　m_1 m_2 : 두 물체의 질량　r : 두 물체 사이의 거리)

이 방정식은 두 물체의 질량(m_1, m_2)이 커지면 중력(F)이 커지고, 중력의 크기는 두 물체 사이의 거리 제곱(r^2)에 반비례하며, 두 물체 사이의 거리가 멀어지면 중력은 작아진다는 뜻이다.

이 방정식은 갈릴레오나 케플러가 그토록 알고 싶어하던 천체를 움직이는 원리를 보여주는 것이다. 만물은 서로를 끌어당긴다. 사과가 땅으로 떨어지는 것은 지구가 우주의 중심이라서 그런 게 아니라, 사과와 지구가 다 질량을 가지고 중력으로 서로를 끌어당기기 때문이다. 다만 지구에 비해 사과의 질량이 너무나 작기 때문에 땅으로 떨어지는 것처럼 보일 뿐이다.

태양과 지구도 마찬가지다. 둘 다 질량을 가지고 중력으로 끌어당기는데, 태양의 질량이 지구에 비해 엄청 크기 때문에 지구가 태양 둘레를 도는 것

윌리엄 블레이크가 그린 '신의 기하학자' 뉴턴.

이다. 뉴턴의 중력 방정식을 이용하면 행성들이 타원 궤도를 도는 것을 역학적으로 설명할 수 있다. 행성의 타원 궤도는 반세기 전 케플러가 튀코의 관측 자료를 분석하여 알아낸 것이다. 수십 년간 튀코가 고된 작업으로 모았던 관측 기록들도 이 방정식 하나로 다 알아낼 수 있는 것이었다. 만약 케플러가 살아 있어서 뉴턴의 이 만유인력을 듣는다면 얼마나 기뻐했을까? 아마 뉴턴에게 최고의 경의를 표했을 것이다.

하늘과 땅을 통합하다

여기서 알 수 있겠지만, 뉴턴의 중력 법칙은 우주 어디에서나 성립하는 보편 법칙이다. 뉴턴은 이 법칙 하나로 하늘과 땅을 통합한 것이다. 우주 안의 만물은 이 공식으로 서로 감응한다. '나'라는 존재도 온 우주의 만물과 서로 중력을 미치고 있다. 우리 집 마당에 사과 한 알이 떨어져도 온 우주가 그 사실을 알고 감응한다는 말이다. 만유인력의 법칙은 태양 중심주의를 물리학적으로 완전히 규명해낸 것으로, 이로써 코페르니쿠스 체계가 옳다는 것이 결정적으로 증명되었고, 지동설은 뉴턴에 의해 드디어 짝이 맞는 역학 체계를 갖추게 되었다.

태양과 달, 지구가 같은 물리력의 영향을 받는다는 뉴턴의 주장은 인류의 우주관을 바꿔놓을 만큼 엄청난 것이었다. 뉴턴은 '보편중력'이라는 개념으로 태양과 달, 지구의 인력을 설명했고, 밀물과 썰물의 원리도 찾아냈다. 뉴턴 이전의 사람들은 땅 위에서 일어나는 법칙은 땅에서만 가능할 뿐 하늘(우주)이나 바닷속에서는 다른 법칙이 적용된다고 믿었다.

《프린키피아》에서 뉴턴은 행성의 운동을 비롯하여 조석의 움직임, 진자의 흔들림, 사과의 낙하 같은 다양한 현상들을 단일 원리로 통일하고, 다시 그것을 수학적으로 완벽하게 진술했다. 이 놀라운 솜씨는 마침내 지상의 물리학과 천상의 물리학을 하나로 통합했다. 이것은 갈릴레오가 그토록 이루기를 갈망했으나 끝내 성공하지 못했던 것이었다. 당시 철학자들은 운동의 개념을 물리적·정신적인 것까지 포함한 모든 현상의 기초라고 생각했다. 이 모든 운동의 뒤에 숨어 있는 유일한 원동력, 즉 중력을 뉴턴이 찾아냈던 것이다.

이로써 뉴턴은 코페르니쿠스의 태양중심설을 받아들이되, 원궤도와 주전원은 틀렸음을 선언했고, 케플러의 행성운동 3대 법칙은 만유인력 공식으로 유도되는 부분법칙임을 증명해 보이는 한편, 케플러가 주장했던 조석潮汐이 달로 인해 발생한다는 착상은 옳은 것으로 판정받았다.

또한 갈릴레오의 자유낙하와 투사체 운동에 관한 역학적 설명은 수용했

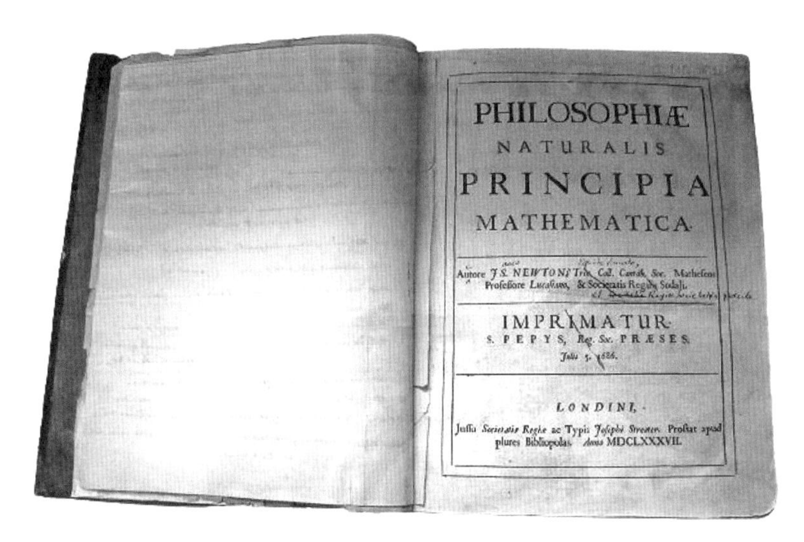
PHILOSOPHIÆ
NATURALIS
PRINCIPIA
MATHEMATICA.

Autore JS. NEWTONI, Trin. Coll. Cantab. Soc. Matheseos
Professore Lucasiano, & Societatis Regalis Sodali.

IMPRIMATUR.
S. PEPYS, Reg. Soc. PRÆSES.
Julii 5. 1686.

LONDINI,

Jussu Societatis Regiæ ac Typis Josephi Streater. Prostat apud
plures Bibliopolas. Anno MDCLXXXVII.

케임브리지 트리니티 칼리지 도서관에 소장되어 있는 뉴턴의 자필 수정본 《프린키피아》 2판.
뉴턴이 직접 쓴 원본이다. © Wikipedia

지만, 관성과 조석이 지구 자전으로 생긴다는 주장은 틀린 것으로 판정했다. 말하자면 뉴턴은 자신의 역학 체계로 이전 시대 과학자들의 업적을 하나하나 판결하는 심판관이 되었다. 그의 판결문에 이의를 제기하는 과학자는 없었다.

뉴턴 물리학은 이 세계 안에서 비물질적인 것이 영향을 미친다는 생각의 여지를 허용하지 않았다. 뉴턴 이전에는 천상의 세계는 비물질적이며 완전하고 불변하는 신의 세계였다. 그러나 뉴턴으로 인해 우주에서 비물질적이고 관념적인 것들을 모두 걷어내고 하나로 통합시켰으며, 인류는 문명사 6,000년 만에 비로소 우주를 이성적으로 사고할 수 있게 된 것이다.

뉴턴 역학이 전하는 복음은 분명했다. 한마디로 이 세계는 우주 역학의 결과이며, 모든 천체들이 고유한 질량과 그것들의 운행에서 나오는 힘들에 의해 움직이고 있다는 것이다. 행성운동은 말할 것도 없고, 우주 안에서 일어나는 모든 현상은 원자들의 상호관계에서 일어나는 역학의 결과이다. 그러므로 이 세계 안에 우연이란 것은 없다.

어느 모로 보나 뉴턴의 《프린키피아》는 천문학 역사상 한 시대의 종결을 고했고, 동시에 새로운 시대의 시작을 알리는 기념비적 저작이었다.

뉴턴에게 날아온 편지

뉴턴의 《프린키피아》가 찬양만을 받은 것은 아니었다. 책이 출간되자마자 많은 논쟁을 불러일으켰는데, 그 논쟁 중의 하나가 바로 '벤틀리의 역설'이다.

천문학의 역사에서 유명한 역설이 2개 있는데, 독일의 천문학자 하인리히 올베르스가 제기한 '올베르스의 역설'과 이 벤틀리의 역설이 바로 그것이다. 벤틀리의 역설 역시 올베르스의 역설과 마찬가지로, 우주가 유한한가 무한한가 하는 문제에서 제기된 것이다.

문제의 발단은 뉴턴의 중력이론이 우주가 유한하든 무한하든 반드시 모순을 일으킨다는 점이다. 이건 보통 문제가 아니었다. 어쩌면 뉴턴이 호언장담한 중력이론 자체를 뒤집어엎을 성질의 큰 모순인 것이다.

이 모순을 처음으로 지적한 사람은 영국의 고전 학자이자 신학자인 리처드 벤틀리(1662~1742)였다. 1692년 그는 뉴턴에게 보낸 편지를 통해 이렇게 질문했다. 우주가 만약 유한하다면 모든 우주 안의 별들은 인력으로 한데 뭉쳐져 처참한 종말을 맞을 것이고, 반대로 우주가 무한하다면 임의의 물체를 모든 방향에서 잡아당기는 힘도 무한할 것이므로 모든 별들이 사방으로 찢겨져 혼돈에 찬 종말을 맞게 될 것이다. 그런데 왜 우주는 멀쩡한가? 이것이 바로 중력이론을 우주에 적용할 때 나타나는 역설적인 결과를 최초로 지적한 '벤틀리의 역설'이다.

뉴턴 역시 중력이론의 모순을 알고 있었다. 심사숙고 끝에 내놓은 뉴턴의 답변은 이런 것이었다. "우주공간에 떠 있는 하나의 별이 무한히 많은 다른 별들에 의해 당겨지고 있다면, 오른쪽으로 끌어당기는 힘과 왼쪽으로 끌어당기는 힘이 서로 상쇄될 것이다. 모든 별들이 이런 식으로 균형을 이루고 있기 때문에 정적인 우주가 유지된다. 그러자면 우주는 무한하며 균일해야 한다."

그러나 이 정적인 균형은 위태롭다. 왜냐하면 수많은 별들 중 하나만 삐끗해도 일시에 균형이 무너져 우주적인 대파국을 맞을 수 있기 때문이다. "별들은 떨어지지 않는다. 우주에는 떨어질 중심점이 없기 때문이다"고 주장하던 뉴턴은 그래도 신의 자비를 구하면서 벤틀리에게 보내는 답장을 이렇게 마무리했다.

"태양과 항성들의 중력에 의해 한 점으로 붕괴되지 않으려면 전지전능한 신의 기적이 계속해서 일어나야 할 것입니다."

지금에서 보면 황당한 얘기처럼 들릴 수도 있는 말이지만, 《프린키피아》 자체를 인간에게 신의 길을 가르치기 위한 노력의 산물로 여긴 뉴턴으로서는 무난한 결론이기도 할 것이다. 오히려 과학이란 단지 물리적 우주를 이해하려는 시도일 뿐이라는 현대의 견해를 뉴턴이 듣는다면 크게 놀랄 것이 틀림없다.

이제 벤틀리의 역설의 정답을 말해보자. 정답은 빅뱅 우주론이 되겠다. 우리가 잘 알다시피 우주는 결코 뉴턴의 생각처럼 정적인 것이 아니며, 인력에 반하는 팽창력이 척력斥力(두 물체가 서로 밀어내는 힘)으로 작용함으로써 지금의 상태를 유지하고 있는 것이다.

중력을 전달하는 '유령'

우주의 작동원리를 설명하는 뉴턴의 중력이론에 또 다른 약점이 나타났다. 만물은 서로를 끌어당긴다고 하는데, 도대체 무엇으로 끌어당긴다는 말인가? 예컨대 지구와 달이 서로 끌어당기는 힘, 즉 중력으로 묶여 있는 것이라면 달과 지구 사이에 '무엇'이 있어서 그런 힘을 전해준다는 말인가?

특히 라이프니츠 같은 대륙의 기계론자들은 뉴턴이 '유령'을 불러내어 기계론적 우주론을 매장해버렸다고 비판했다. 여기서 '유령'이란 중력이 진공 상태에서도 힘을 전한다는 '원격 작용'을 일컫는 것이다. 무릇 힘이란 매개체가 있어야 전해진다. 그렇다면 중력을 전하는 것은 무엇인가?

이 질문에는 천하의 뉴턴도 답안을 작성할 수 없었다. 그는 이에 대한 변명으로 《프린키피아》 서문에 이렇게 썼다. "나는 가설을 세우지 않는다. 내가 뜻하는 바는 이런 힘들에 대한 수학적 관념을 제공하는 것일 뿐이지, 그것들의 원인이나 소재를 밝히는 것은 아니다."

말하자면 뉴턴 역시 만유인력의 본질에 대해서는 알고 있지 못하다는 고백이다. 모르는 상태에서 이런저런 얘기를 하고 싶지 않다는 것이다. 그러므로 뉴턴의 만유인력 법칙은 제품의 원재료는 밝히지 않고 사용설명서만 붙어 있는 꼴이다. 이 중력의 본질 문제는 나중에 아인슈타인에 의해 큰 전환을 맞게 되지만, 지금까지도 그 본질이 명확히 밝혀지지는 않았다.

신의 마음에 가장 가까이 다가간 사람

여기서 뉴턴과 케플러의 관계를 잠시 짚어보고 넘어가기로 하자. 뉴턴이 이처럼 위대한 발견을 한 데에는 케플러의 공이 지대했음은 누구도 부인할 수 없는 사실이다. 뉴턴 역시 핼리에게 보낸 편지에서 "나는 약 20년 전쯤에 행성운동에 관한 케플러의 법칙에서 이 관계를 추론해낼 수 있었습니다"라고 고백한 적이 있다.

그럼에도 불구하고 그는 《프린키피아》에 에드먼드 핼리에게는 감사를 표했지만 케플러에게 바치는 감사의 말은 한 마디도 하지 않았다. 그가 '거인들의 어깨 위'라고 자못 겸손한 듯 말했을 때, 케플러야말로 거인들의 가장 앞줄에 있었을 텐데도 말이다. 원래 케플러가 타고난 팔자가 그랬던 것일까? 그가 그처럼 도움을 준 갈릴레오도 그에게 한 마디도 고마움을 나타낸 적이 없었다.

그렇다고 뉴턴이 인류에게 준 위대한 선물의 값어치가 감소되는 것은 아니다. 뉴턴 역학으로 인해 우리는 우주의 작동원리와 우주에 대해 깊은 이해에 도달할 수 있는 열쇠를 갖게 된 것이다. 지금도 지구 궤도를 돌고 있는 수많은 인공위성들의 궤도 계산이나 로켓 발사, 그리고 우주 탐사선의 우주여행 등이 모두 300여 년 전에 확립된 뉴턴의 이론적 모델에 기초하고 있다는 것만 보더라도 뉴턴의 공적이 얼마나 큰지를 알 수 있다.

우주 삼라만상의 작동원리를 설명하는 이 놀라운 이론이 세상에 알려지자 뉴턴은 영국에서는 말할 것도 없고 유럽에까지 알려진 유명인사가 되었고, '신에게 가장 가까이 다가간 사람'으로 받아들여졌다. 또한 국왕의 만찬에 초대되었으며, 거물 정치가나 존 로크와 같은 대학자와도 교유하게 되었다. 울즈소프 출신 시골뜨기의 찬란한 비상이었다.

1999년 미국의 《타임》지는 밀레니엄을 분석한 기사에서 17세기의 인물로 뉴턴을 선정하면서 다음과 같은 찬사를 바쳤다. "그는 이성적인 우주를 상상하고 증명해냈다. 실제로 인류의 정신을 다시 고안해낸 것이다. 뉴턴은 이전에 누구도 상상하지 못했던 지적 도구뿐만 아니라, 인류에게 전례가 없는 자신감과 희망을 주었다."

바닷가에서 노는 아이

《프린키피아》로 일약 명사의 반열에 오른 뉴턴은 사회적으로 왕립학회 회장, 국회의원, 조폐국 국장(동전의 모서리에 새겨진 톱니는 이때 위조를 방지하기 위한 뉴턴의 아이디어다) 등을 역임하고 기사 작위를 받는 등 줄곧 출세의 길을 걸었지만, 개인적으로 볼 때는 행복한 삶을 살았다고 하기는 어려웠다. 신은 한 사람에게 모든 것을 주지는 않는 모양이다.

불세출의 천재인 뉴턴도 연애에는 서툴렀다. 아마 유년기에 어머니로부터 받은 상처 때문인 것으로 보인다. 뉴턴은 평생 결혼하지 않은 채 독신으로 살았으며, 로맨스라고는 대학 입학 전 하숙집 딸을 잠시 좋아했던 것이 달랑 전부였다. 늙어서는 조카딸 내외의 보살핌을 받았다.

자신이 발견한 것을 남에게 빼앗길까봐 늘 전전긍긍했고, 동료 과학자들과 무섭게 경쟁적이었던 나머지 평생 수많은 적들을 만들고 그들과 싸웠던 뉴턴은 영국 작가 올더스 헉슬리의 말처럼 "우정, 사랑, 부성애 결핍 등 인간적인 면에서는 최악"이었을지도 모른다. 그러나 인류는 그가 만든 역학으로 엄청난 진보의 발걸음을 내딛었던 것이다.

뉴턴은 1727년 3월 20일 새벽녘, 폐렴 발작과 통풍으로 숨을 거두었다. 향년 85세. 장례식은 성대했다. 6명의 고관대작이 멘 뉴턴의 관이 왕족과 명사들이 묻혀 있는 웨스트민스터 교회로 운구될 때 수만 명의 사람들이 그 뒤를 따랐다. 그 속에는 프랑스 철학자 볼테르도 끼어 있었다. 역사상 이처럼 극진한 예우를 받은 과학자는 뉴턴이 유일할 것이다.

뉴턴의 마지막 안식처는 웨스트민스터 사원의 중심부에 마련되었다. 그의 가까이에는 초서, 로버트 브라우닝, 알프레드 테니슨 같은 쟁쟁한 시인들이 누워 있었다. 그리고 가장 가까이에는 위대한 천문학자로, 거대 망원경으로 무한의 밤하늘을 열어주었던 존 허셜, 천왕성 발견자가 있었다. 동

웨스트민스터 사원에 있는 뉴턴의 무덤 기념비 © Wikipedia

시대의 시인 알렉산더 포프의 시가 뉴턴의 묘비명으로 널리 알려져 있지만, 이는 웨스터민스터 묘비문에 쓰이지는 않았다. 포프의 시는 다음과 같다.

자연과 자연의 법칙들이 어둠 속에 숨어 있었다.
신께서 "뉴턴이 있으라" 하시자, 만물이 밝아졌다.

실제로 쓰인 뉴턴의 웨스트민스터 묘비문은 다음과 같다.

"이곳에 아이작 뉴턴 경이 묻혀 있노니, 신과 같은 정신력으로, 그가 발견한 수학적 원리로써 행성의 경로와 그 모습, 혜성의 궤도, 바다의 조석, 빛 광선의 차이, 그리고 어떠한 학자도 생각하지 못했던 빛의 성질을 밝혀냈노라. 또한 자연과 고대와 성서에 관하여 세밀하고 예민히, 그리고 확실히 설명하여, 전능한 신의 존엄함을 철학으로써 증명하였다. 인류 중에 가장 위대한 자가 그대들 중에 존재했다는 것을 기뻐하라. 1642년 12월 25일 출생. 1727년 3월 20일 사망."

그리고 영국 트리니티 대학에 있는 뉴턴 흉상 아래에는 다음과 같은 뜻의 라틴어가 새겨져 있다.

"모든 인류 중 그보다 똑똑한 사람은 존재하지 않았다."

뉴턴 스스로도 죽기 바로 전 자신의 삶을 되돌아보면서 다음과 같은 아름다운 글을 남겼다.

"내가 세상 사람들에게는 어떻게 보였을지 모르지만, 내게는 바닷가에서 노는 아이로 보였을 뿐이다. 인간의 발길이 전혀 닿지 않은 드넓은 진리의 바다, 그 앞에서 이따금씩 여느 것보다 더 매끄러운 조약돌이나 더 예쁜 조가비를 발견하고는 즐거워하는 아이였을 뿐이다."

16. 핼리 혜성을 발견하다
– 에드먼드 핼리(1656~1742)

무엇을 위한 것인지는 모르지만,
우주에는 일관된 계획이 있다.
프레드 호일 (영국 우주론자)

핼리가 밝혀낸 '공포의 대마왕'

아마도 핼리 혜성을 모르는 사람은 없을 것이다. 이 혜성이 영국의 천문학자 에드먼드 핼리에 의해 75년을 주기로 나타나는 태양계의 일원인 천체라는 사실이 최초로 밝혀졌기 때문이다. 그리하여 혜성의 이름도 '핼리'로 붙여져, 그의 이름은 천문학의 역사에 길이 남게 되었다.

칠흑의 밤하늘을 가르며 나는 꼬리별은 오랜 옛날부터 인류의 큰 관심사였다. 영원불변의 천상세계에 돌연히 나타나는 혜성이란 존재에 고대인들이 공포를 느낀 것은 어쩌면 당연한 일이었다. 그리하여 사람들은 혜성 출현을 불길한 징조라고 생각했다. 왕의 죽음이나 망국, 전쟁, 전염병, 대화재 등 재앙을 불러오는 별이라고 믿었던 것이다. 요컨대 고대인에게 혜성은 '공포의 대마왕'이었다. 이것은 동서양이 혜성에 대해 가진 일치된 관념이었다.

태양계의 방랑자, 혜성은 태양이나 큰 질량의 행성에 대해 타원이나 포물선 궤도를 도는 태양계에 속한 작은 천체를 뜻하며, 우리말로는 '살별'이라고 한다. 혜성彗星의 '혜'彗가 '빗자루'라는 뜻에서도 알 수 있듯이, 빛나는 머리와 긴 꼬리를 가지고 밤하늘을 운행하는 혜성은 예로부터 고대인들에 의해 많이 관측되었다.

연대가 확실한 가장 오랜 혜성 관측 기록으로는 기원전 1059년, 중국의 "주나라 때 빗자루별이 동쪽에서 나타났다"는 기록이다. 고대의 기록을 보면 지금까지 모두 29회의 출현기록을 찾아볼 수 있다. 유럽에서는 기원전 467년 그리스 사람들이 혜성에 관한 기록을 남겼다. 그리스어로 혜성을 '코멧'Komet이라고 하는데, 머리털을 뜻한다.

조선의 기록에도 혜성의 출현이 보이는데, 1531년 조선 중종 때 좌의정까지 오른 김안로는 권력을 남용하다가 왕위를 이을 세자를 보호한다는 명분으로 계비인 문정왕후를 폐위하려다 발각되어 사약을 받았다. 《조선왕조실록》은 다음과 같이 기록했다. "혜성이 보이는 조짐의 응보는 큰 것이다. 김안로가 등용되자마자 혜성의 요괴로움이 바로 나타나니, 하늘이 조짐을 보임이 그림자와 메아리보다도 빠른 것이다."

태양 둘레를 타원 궤도로 도는 천체

일찍이 1607년의 혜성을 관측한 케플러는 "무한에서 무한으로 직선으로 움직인다"는 결론을 내리고 있었다. 그러나 혜성까지의 거리를 시차로 조사해 천체의 일종임을 최초로 밝혀낸 사람은 16세기 덴마크의 천문학자 튀코 브라헤였다. 이는 혜성이 지구 대기상에서 나타나는 현상이라는 아리스토텔레스의 주장을 뒤엎은 대단한 발견이었다.

불길한 징조로 여겨지던 혜성의 실체는 18세기에 들어서야 조금씩 밝혀지기 시작했다. 혜성이 태양계의 구성원임을 입증한 사람은 17세기 영국 천문학자 에드먼드 핼리였다. 핼리가 혜성에 관심을 기울이게 된 것은 친구인 아이작 뉴턴이 내놓은 혜성에 관한 새로운 주장 때문이었다. 뉴턴은 1680년 10월과 11월에 관측된 혜성이 태양 뒤로 사라졌다가 12월에 나타나자, 두 혜성이 같은 것이며 태양을 중심으로 타원 궤도를 그린다고 주장했다.

남반구의 천체관측을 끝내고 영국으로 돌아온 지 4년째가 되던 핼리는 1682년 어느 날, 자신의 삶에서 전기가 된 천문학적 사건을 맞게 되었다. 장대한 꼬리를 가진 대혜성이 출현한 것이다! 오늘날 핼리 혜성이라 불리는 것이다.

뉴턴의 친구인 핼리는 누구보다 만유인력을 잘 이해하고 있었다. 우주의 모든 천체는 만유인력의 영향을 받는다. 이는 곧 혜성이 태양을 향해 떨어져가다가 이윽고 태양을 초점으로 유턴하게 됨을 뜻한다. 핼리는 혜성 연구에서 뉴턴 역학을 적용한 결과, 혜성들이 태양 주위를 타원 궤도로 돌고 있고, 혜성들의 궤도는 역제곱 법칙을 성립시킨다는 것을 알아냈다.

평소 과거의 천문 관련 자료를 즐겨 보던 핼리는 혜성을 본 후, 옥스퍼드 대학 도서관에 있던 옛날 혜성 기록을 뒤져본 결과 1456년, 1531년, 1607년에 목격된 혜성들이 자기가 본 것과 비슷하며 모두 같은 것이라고 확신하고, "이 혜성은 불길한 일을 예시하는 별이 아니라, 75~76년을 공전주기로 거대한 타원을 그리며 태양 둘레를 도는 태양계의 일원"이라는 결론을 내렸다. 주기가 좀 차이나는 것은 목성의 인력 때문이라고 생각했다. 그리고 그 혜성은 1758년에 다시 올 것이라고 예언했다. 이는 실로 대담한 예측이

1986년 3월 8일에 찍은 핼리 혜성. 76년 주기로 지구를 찾아온다.
다음 방문 연도는 2061년 여름. © Wikipedia

었다. 역사적으로 수많은 혜성들이 출현했지만, 같은 혜성이 다시 돌아올 거라고는 그 누구도 생각지 못한 것이다.

혜성의 회귀를 예언하고 죽다

핼리의 예측이 맞다면, 1682년 밤 인류에게 엄청난 흥분을 불러일으킨 혜성은 다음에는 1758년 말이나 1759년 초에 돌아올 것으로 예상되었다. 핼리가 그때까지 산다면 102살이 될 터이다. 그래서 핼리는 다음과 같은 글을 남겼다. "만약 우리가 예측한 바가 맞다면, 이 혜성은 1758년경에 다시 돌아와야 한다. 그때 우리의 정직한 후손들은 이 혜성이 영국인에 의해 최초로 발견되었음을 감사히 여길 것이다."

핼리는 86살로 세상을 떠났다. 따라서 자신의 예언이 맞았는지 확인하지 못했다. 그러나 예언은 정말로 성취되었다! 핼리가 죽은 지 16년이 지난 1758년, 천문학계는 혜성에 대한 기대와 흥분으로 가득 차 있었다. 이윽고 혜성은 크리스마스 전날 밤 그 아름다운 모습을 나타내며 지구로 접근해왔다.

하늘에 나타난 '혜성의 귀환'을 맨 먼저 본 사람은 천문학자가 아니라 독일의 농부 별지기인 팔리츠였다. 그는 성탄절 밤 망원경을 들여다보다가 물고기자리 근처에서 빛나는 한 점을 발견했다. 정말 핼리의 예언대로 '그 혜성'이 돌아온 것이다.

이는 뉴턴의 중력 법칙이 옳다는 것을 입증한 사례이기도 하다. 어쨌든 핼리가 하늘에서라도 이 소식을 들었다면 정말 기뻐했을 것이다. 최초로 혜성의 존재를 인류에게 알려준 이 대혜성은 그후 핼리의 이름을 따서 '핼리 혜성'이라 불리게 되었다. 인류가 최초로 혜성 중에 주기적인 것이 있다는 것을 알게 된 것은 순전히 에드먼드 핼리 덕분이다.

우리나라에서는 혜성을 '빗자루별' 또는 '객성'客星이라고 불렀는데, 《조선왕조실록》에 보이는 핼리 혜성에 관한 여러 기록 중 1835년의 기록을 보면 다음과 같다. "혜성이 저녁에 북극성 부근에 나타났는데, 빛은 희고 꼬리의 길이는 2척가량이었으며 북극과의 거리가 32도였다. 또 4경에 혜성이 서쪽으로 사라졌는데, 임금(헌종)은 측후관을 임명하여 윤번으로 숙직하게 했다."

근대에 들어 핼리 혜성은 1910년에 이어 1986년에 다시 지구에 출현했다. 이때 각국은 탐사기를 쏘아올렸는데 소련의 베가 1호, 유럽 우주국의 지오트 탐사기, 일본의 플래닛 탐사기 등의 카메라에 잡힌 핼리는 얼음에 덮인 핵과 긴 꼬리를 가진 장대한 모습이었다.

2007년 오스트레일리아 빅토리아에서 촬영한 맥노트 혜성. 서기 4312년에 다시 돌아온다. © Wikipedia

다음의 방문 연도는 2061년 7월 28일로 예측된다. 지금 지구상에 살고 있는 사람들 중 50%는 이 대혜성이 태양을 향해 장대한 꼬리를 끌며 날아가는 장관을 볼 수 없을 것이다. 혜성은 태양을 돌면서 꾸준히 질량을 잃어버리는데, 핼리 혜성은 앞으로 태양을 약 1,000바퀴 돈 7만 6,000년 후에 수명을 다하게 된다.

부잣집 장남인 행복한 천문학자

핼리는 문자 그대로 혜성처럼 천문학계에 나타나 20대의 젊은 나이에 천문학자로서의 위치를 굳혔던 사람이다. 핼리가 그렇게 된 데는 자신의 꿈을 무한정 지원해주었던 부자 아버지의 덕이 컸다.

핼리는 뉴턴이 태어난 지 14년 뒤인 1656년, 부유한 사업가 집안의 장남으로 태어났다. 그의 아버지는 당시 신제품이던 비누 제조업에 뛰어들어 큰돈을 벌었다. 부자 아버지를 둔 핼리는 그러나 강남 오렌지족 같은 삶과는 거리가 먼 우주로 탐구의 발길을 내딛었다. 어려서부터 우주에 깊은 관심을 가지고 있었던 것이다. 아버지는 천체관측에 필요한 고가의 장비들을 아낌없이 사주었다. 10대 중반에 핼리는 이미 천체관측에 상당한 수준을 보였다.

핼리는 17살이 되기 직전에 옥스퍼드 대학에 입학했다. 20살 때 관측을 하면서 당시 천문표에 나와 있는 항성의 위치에 큰 오차가 있음을 발견하고 이를 그리니치 천문대의 존 플램스티드에게 알린 것이 계기가 되어 그의 조수가 되었다.

천문대에서 개인적인 관측을 마음대로 할 수 있게 되자 그는 다니던 옥스퍼드 대학을 중퇴하고, 남반구 하늘을 관측하기 위해 아버지가 지원한 천체관측 장비들을 꾸려서 1676년 아프리카 서해안의 세인트헬레나 섬으로 가는 배에 올랐다. 전인미답의 남반구 밤하늘을 관측해서 천문학자로서 확실한 입지를 다지기 위해서였다. 그 결과 핼리는 매우 젊은 나이에 자신의 위치를 굳건히 다질 수 있었다.

세인트헬레나에 남반구 최초의 천문대를 세운 핼리는 1677년 11월 7일, 수성이 지구와 태양 사이의 일직선상에 놓이는 태양면 통과* 현상을 관측하고, 금성의 태양면 통과를 이용하면 태양계의 확실한 크기를 결정할 수 있음을 깨달았다. 섬에서 진자 실험을 하기도 했던 핼리는 망원 조종기를 가진 커다란 육분의를 이용하여 341개의 남반구 별들을 관측한 후, 별들을

* 태양면 통과 : 지구에서 보았을 때 내행성이 태양면을 통과하는 현상. '일면통과'라고도 한다. 통과는 3개의 천체가 같은 시선상에 일렬로 늘어서야 발생한다.

목록화하는 작업을 했다.

1678년 22살 때 귀국한 그는《남반구 항성 목록》을 출판하여 천문학계에 신선한 충격을 주었다. 이것은 남반구 하늘의 별들에 대한 최초의 정확한 항성 목록이었고, 또한 망원경을 이용한 최초의 별 측량이었다.

존 플램스티드는 핼리를 '남쪽의 튀코'라고 부르며 높이 평가했다. 학위도 받지 못하고 대학을 떠난 핼리였지만 뒤이어 출판한《행성의 궤도에 대하여》라는 논문으로 대학 졸업 자격을 인정받고, 또 국왕의 권고로 석사 학위까지 받은 데 이어 왕립협회 특별회원으로 선출되었다. 그야말로 혜성과 같이 나타난 청년 핼리는 당당한 천문학자로 자리를 굳힌 셈이었다.

핼리의 최대 업적, '별도 움직인다'

맑은 밤하늘에서 우리가 맨눈으로 볼 수 있는 별의 수는 약 6,000개이다. 우리가 보통 별이라고 하는 것은 태양계에 속해 있는 행성과 위성, 소행성, 혜성 등 천체를 제외하고 밤하늘에서 반짝이는 '항성'恒星을 일컫는다. 항성이란 모두 스스로 빛을 내며, 천구상에서 움직이지 않는 것처럼 보이기 때문에 붙여진 이름이다. 한자의 '恒星'이나 영어의 'fixed star'가 다 그런 뜻이다. 고대인들은 항성들이 붙어 있는 수정천구가 있다고 생각하고, 이를 항성천구라 불렀다.

지동설의 확립으로 이 항성천구라는 개념은 깨어졌지만, 근세에 이르도록 여전히 항성이 불변, 부동의 존재라는 생각에는 변함이 없었다. 그런데 이 항성도 움직인다는 사실을 발견한 사람이 나타났으니 그가 바로 핼리였다. 핼리 혜성의 발견으로 가려진 감이 없지 않지만, 이 항성의 고유운동 발견은 천문학에 미친 그의 최대 공헌으로 높이 평가되고 있다. 이로써 인류의 영역이 태양계 바깥으로까지 확장되었기 때문이다. 천문학사에서 핼리가 유명해진 것은 핼리 혜성 덕분이지만, 사실 그의 최대 업적은 항성의 고유운동 발견이다.

핼리의 이 발견은 순전히 그의 독특한 취미 덕분이었다. 그는 시간 있을 때마다 과거의 천문 기록을 들춰보는 게 취미였다. 그러던 중 1718년 핼리는 마침내 놀라운 사실을 발견했다.

그는 초대 그리니치 천문대장 존 플램스티드의 관측 자료를 고대 그리스인들이 관측한 자료와 비교하다가, 프톨레마이오스의 《알마게스트》의 기록과 플램스티드의 관측 자료가 다른 점을 발견했다. 알데바란(황소자리)과 시리우스(큰개자리), 아르크투르스(목자자리) 등의 위치가 주변 별들에 대하여 움직였던 것이다. 즉, 알데바란(황소자리)은 15분, 시리우스(큰개자리)는 0.5도, 아르크투루스(목자자리)는 1도나 움직인 것이다. 이것은 현재 천문학자들이 항성의 고유운동이라고 부르는 현상이다.

측정 오차를 고려하더라도 플램스티드와 고대 그리스인들의 관측 결과는 많이 달랐다. 아주 밝은 별들의 위치조차도 상당히 다르게 측정되어 있었다.

"문제가 되는 3개의 별은 밤하늘에서 가장 잘 눈에 띄는 별들이기 때문에 지구 가까이에 있는 게 틀림없다. 만약 그들이 스스로 고유의 운동을 하고 100년이나 200년 사이에 눈에 안 띨 정도로 조금씩 움직여 1,800년이란 긴 세월이 지나서야 비로소 그 위치 변화가 나타난 게 아닐까?"

핼리는 이것을 바탕으로 별들이 실제로 움직였다는 결론을 내리게 되었다. 그는 마침내 별들은 오랜 세월에 걸쳐 자체 운행으로 그 위치가 조금씩 달라지며, 별자리의 모양도 변한다고 보았다. 말하자면 별들이 벌떼 속의 별처럼 은하계 안에서 움직인다고 생각했던 것이다. 이는 혁명적인 발상의 전환이었다. 예로부터 항성은 움직이지 않는 붙박이별이라고 생각해왔고, 지동설이 보편화되고서도 항성의 부동설은 흔들리지 않았다. 따라서 행성(고대에는 해와 달도 행성으로 생각했다)의 위치를 구할 때 믿을 수 있는 이정표 구실을 했다.

이것은 수정 천구에 별들이 박혀 있다고 주장했던 천동설에 정반대되는 생각이었다. 이렇게 핼리가 별들이 자체 운행을 한다는 사실을 발견한 것은 항성 연구에 커다란 의미를 갖는 것이었다. "항성도 움직인다"는 핼리의 놀라운 주장은 그러나 잘 받아들여지지 않았다. 무엇보다 그 주장을 뒷받침할 확고한 증거가 없었고, 게다가 겨우 별 3개의 위치 변화를 모든 별에 적용하는 것이 무모한 시도로 보였기 때문이다.

핼리의 위대한 발견이 완전히 입증된 것은 19세기 이탈리아의 피아치(1746~1826)에 의해서였다. 피아치는 개량된 관측기기로 항성의 위치를 정밀하게 관측하여 1813년 7,646개의 항성 목록을 출판함으로써 항성의 고유운동이 결정적으로 입증되었고 이에 대한 연구가 급속히 이루어졌다. 핼리의 발견이 100년 만에 인정받기에 이른 것이다.

항성의 고유운동 발견은 핼리가 천문학에 미친 최대 공헌으로 평가받고 있다. 이를 통해 과학자들은 처음으로 드넓은 태양계 밖으로 눈길을 주게 되었던 것이다.

북극성도 1만 2,000년 후엔 바뀐다

별의 고유운동을 보다 정밀히 측정할 수 있게 된 것은 19세기 이후 사진술의 발명 덕분이었다. 사진은 천문학자의 관측에 엄정한 객관성을 제공함으로써 천문학의 발전에 엄청난 기여를 했다. 오랜 기간을 두고 촬영한 특정 별의 위치 사진들을 비교하면 별의 위치 이동을 정밀하게 잡아낼 수 있게 된 것이다. 하지만 별의 고유운동에 의한 위치 이동은 매우 작게 나타나므로, 보통 10년 이상의 간격을 두고 사진을 찍어야만 잡아낼 수 있다.

20세기 초에 들어서는 고유운동에 관한 더욱 진전된 발견이 이루어졌다. 1904년, 네덜란드의 캅테인(1851~1922)이 여러 별의 고유운동 방향을 분석한 끝에 항성 사이에 2가지 운동의 흐름이 있다는 사실을 발견했다. 이로부터 그는 항성의 고유운동이 태양을 포함한 항성 집단, 즉 은하의 회전 때문이라는 새로운 사실을 밝혀냈다. 그는 또 은하수를 관측하여 근접 별에 대한 실제 거리를 활용하는 방법으로 은하계의 규모를 결정했다. 그의 은하계는 2만 3,000광년의 길이와 6,000광년의 두께를 가진 것으로, 허셜의 모델보다 4~5배는 컸지만 참값인 10만 광년과는 여전히 큰 차이를 보였다.

항성의 위치는 오랜 세월에 걸쳐 조금씩 변한다. 실제로는 초당 수백km씩 움직이지만, 광막한 우주공간에서는 몇천 년 달아나봤자 지구에서 보면 솜털 길이 정도로 인식될 따름이다. 이러한 별의 고유운동에 의해 별자리의 모양도 변하며, 1년 동안 움직인 각도를 적경赤經(적도 좌표에서의 경도)과 적위赤緯(적도 좌표에서의 위도)를 사용하여 초(″) 단위로 나타낸다.

현재 천구의 별들 중 고유운동이 가장 큰 별은 뱀주인자리의 10등성인 바너드 별로, 매년 10.3″나 움직인다. 고유운동이 큰 천체는 태양과 가까이 있다는 의미가 된다. 태양에서 약 6광년 거리에 있는 바너드 별의 실제 이동 속도는 지구 공전 속도의 5배에 가까운 초당 142km나 된다. 그러나 이 별이 100년을 달아나봤자 지구까지 거리의 100분의 1에도 못 미친다.

고대 그리스 시대에 별자리가 정해진 이후 거의 별자리의 모습은 변하지 않았다. 별의 위치는 2,000년 정도의 세월에도 거의 변화가 없었다는 것을 말해준다. 인류가 지상에 나타난 지 20만 년이지만, 앞으로 그만한 세월이 더 흐르면 별들의 고유운동으로 인해 모든 별자리들이 크게 달라지게 될 것이다. 국자 모양의 북두칠성은 더 이상 아무것도 퍼담을 수 없을 정도로 찌그러진 됫박 모양이 될 것이며, 북극성은 서기 1만 4000년, 그러니까 앞으로 1만 2,000년이 더 지나면 거문고자리의 알파별 직녀성(베가)에게 북극성 이름을 물려주게 된다. 만고에 변함없을 것 같은 하늘의 별들도 세월 앞에는 하릴없이 변화의 길을 따르는 것이다.

핼리의 또 다른 예언, 금성의 태양면 통과

핼리 혜성의 귀환 외에도 핼리는 또 다른 예측을 하나 내놓았는데, 1761년과 1769년 금성이 태양 전면을 통과한다는 이른바 '금성 태양면 통과'를 예측한 것이다. 이 천문 현상이 중요한 이유는 태양까지의 거리를 측정하는 하나의 잣대 구실을 할 수 있다는 점이기 때문이다.

행성계의 크기나 별들까지의 거리가 정확한 값으로 결정되기 위해서는 지구에서부터 태양까지의 거리를 정확히 아는 것이 필요했다. 핼리는 세인트헬레나에서 태양을 가로지르는 수성의 태양면 통과를 관측한 적이 있었다. 수성이 태양에 들어갔다가 벗어나는 시간을 기록하고, 다른 위도에서 수행한 관측 결과를 비교하니 수성이 태양 앞에서 간 거리가 구해졌다. 그 뒤 케플러의 제3법칙인 조화의 법칙을 이용하면 지구로부터 태양까지의 거리를 구할 수 있다.

핼리는 곧 금성의 태양면 통과를 관측하면 더욱 정확한 결과를 얻을 수 있음을 알아냈다. 금성은 수성보다 지구에서 2배로 가까운 곳에 있기 때문에 태양면을 통과하는 데 걸리는 시간 측정에서 오차를 크게 줄일 수 있을

금성의 태양면 통과. 금성의 반지름(약 6,000km)은 태양의 반지름(약 70만km)에 비하면 매우 작기 때문에 금성의 모습은 마치 태양 표면의 작은 점처럼 보인다. © Wikipedia

것이라 생각했던 것이다.

금성의 태양면 통과 현상은 매우 드물게 일어나지만 예측은 가능했다. 핼리가 금성의 태양면 통과를 예측한 방법은 삼각측량과 시차 기법이었다. 핼리는 이 2가지 방법을 이용해 태양까지의 거리를 측정하고 이를 통해 금성의 태양면 통과 날짜를 예측할 수 있었다.

핼리가 예측한 금성의 태양면 통과 연도가 1761년과 1769년인데, 그때가 되면 자신은 분명 살아 있지 않을 것이지만 금성의 태양면 통과를 관측하는 방법과 계산 과정을 아주 자세히 설명해서 출판했다. 이 책에서 그는 이 귀중한 기회를 후손들이 부디 허투루 놓치지 말 것을 간곡히 당부했다.

핼리가 죽은 지 19년 후인 1761년, 그가 예언한 대로 금성의 태양면 통과를 총 63개의 관측소에서 관측했으며, 1769년 통과에서도 63개의 관측소에서 관측한 자료가 나왔다. 이를 토대로 태양으로부터 지구까지의 거리는 950만 마일(1억 5,200만km)이라는 값이 구해졌다가 나중에 930만 마일로 고쳐졌다. 이것은 현재의 값인 1억 4,960만km와 비교했을 때 오차 범위가 1% 내인 매우 훌륭한 결과라 할 수 있다.

여담이지만, 핼리를 얘기할 때 빼놓을 수 없는 대목이 하나 있다. 그것은 뉴턴의 《프린키피아》 출간이다. 14년 연상인 뉴턴과 20년 교우관계를 맺었던 그는 성미 고약한 뉴턴이 뭔가에 틀어져 책을 쓰지 않겠다고 심통을 부리는 것을 몇 번이나 달래어 쓰게 했을 뿐만 아니라, 자료 제공에다가 교정을 보아주기, 게다가 출판비까지 부담해주는 등(그는 금수저였다) 협력을 아끼지 않았던 것이다. 인류 지성의 최고 산물이라는 《프린키피아》는 핼리의 이러한 역할이 없었다면 햇빛을 보지 못했을지도 모른다. 이것 하나만으로도 핼리는 과학사에 이름을 올릴 자격이 충분하다고 말하는 과학사가들도 있다. 뉴턴의 업적에 대한 그의 현명한 평가는 인류 문명을 앞당기는 데 중요한 역할을 했다.

핼리는 1704년 모교인 옥스퍼드 대학의 기하학 교수가 되었고, 64살인 1720년에는 플램스티드의 뒤를 이어 2대 그리니치 천문대장에 취임했다.

1742년 1월, 절친이던 뉴턴이 죽은 지 15년 뒤에 핼리는 자신이 평생을 보냈던 그리니치 천문대에서 삶을 마감했다. 향년 86세. 손에는 포도주 한 잔이 쥐어져 있었다. 마침 그해는 뉴턴 탄생 100주년이 되는 해이기도 했다.

17. 지구에서 태양까지의 거리를 잰 남자
– 조반니 카시니(1625~1712)

태양은 아침에 뜨는 별이다.
헨리 데이비드 소로(미국 시인)

기원전 2세기에 그리스의 천문학자 히파르코스는 지구에서 달까지의 거리를 자로 잰 듯이 정확하게 구했는데, 그 방법은 에라토스테네스의 지구 크기 측정과 비슷한 것이었다. 즉, 2개의 다른 위도상 지점에서 달의 높이를 관측한 다음 그 시차로 달이 지구 지름의 30배가량 떨어진 거리에 있다는 것을 계산해냈다. 이 역시 참값인 30.13에 1% 미만의 오차밖에 안 나는 엄청난 정확도였다. 당시의 여건을 고려하면 놀라운 업적이라 하지 않을 수 없다.

그로부터 1,800년이 흐른 후, 태양까지의 절대 거리를 참값에 근사하게 잰 사람이 나타났다. 이탈리아 출신의 천문학자 조반니 도미니크 카시니가 그 주인공이다. 그가 발견한 토성 고리의 카시니 틈으로 해서 우리에게도 낯익은 사람이다.

삼각법으로 알아낸 태양계의 크기

1625년 이탈리아의 페리날도에서 태어나 제네바 등에서 공부한 카시니는 일찍이 천재성을 유감없이 발휘하여 겨우 25살 나이에 볼로냐 대학의 천문학 교수가 되었다. 그는 19년 동안 교수로 있으면서 당시에 유행했던 초점거리가 엄청 긴 굴절망원경으로 많은 관측을 수행했다.

카시니는 특히 행성 관측에 남다른 열정을 쏟아 1665년 목성의 대적점* 변화를 관찰, 목성의 자전주기가 9시간 56분임을 밝혔고, 이듬해에는 비슷한 방법으로 화성의 자전주기가 24시간 40분임을 확인했다. 이는 오늘날 밝혀진 목성의 자전주기와 완전히 일치하며, 화성의 자전주기는 참값보다 3분밖에 길지 않다.

카시니는 또한 갈릴레오 위성의 공전 시간을 시계로 사용하여 갈릴레오가 제안한 방법으로 경도를 성공적으로 측정한 최초의 사람이었다. 1668년 그는 목성의 위성들을 관측하여 역사상 최초로 목성 위성의 '계산표'를 만들었다. 이는 해상에서 목성의 위성을 관측하여 배가 위치한 곳의 위도와 경도를 결정하는 데 매우 유용했다.

당시는 갈릴레오가 망원경으로 천체관측을 시작한 지 반세기가 흘렀을 시점으로, 이제 막 자연과학의 발전에 눈을 뜨기 시작하던 무렵이라 유럽의 군주들은 다투어 과학 아카데미를 설립하고 저명한 과학자들을 초빙했다. 대표적인 것이 영국의 찰스 2세가 세운 왕립학회와 프랑스의 루이 14세가 세운 과학 아카데미였다. 자금 사정은 루이 14세가 더 두둑했기 때문에, 그는 토성 고리 발견으로 유명한 네덜란드의 천문학자 하위헌스(호이겐스)와 카시니 등 당시 유럽 대륙에서 이름을 떨치던 학자들을 두루 초청했다.

* 대적점(大赤點) : 목성 대기 중 남위 22도에 위치한 고기압성 폭풍 지대를 가리키는 말. 대적반(大赤斑)이라고도 한다. 조반니 카시니가 목성 표면의 이 점을 최초로 발견했다.

1669년에 초청된 카시니는 파리로 이주해 정착했다. 그리고 2년 후에는 건설한 지 얼마 안 되는 파리 천문대 초대 대장에 취임하더니, 나중에는 숫제 프랑스에 귀화하여 이름도 장 도미니크 카시니로 바꾸고 이후 4대에 걸쳐 천문학 발전에 헌신한다.

파리 천문대에서 카시니는 1671년, 토성의 위성인 이아페투스를, 이듬해에는 레아를 발견하고, 1684년에는 테티스와 디오네를 잇달아 찾아냈다. 이로써 토성의 위성은 5개로 늘어났다. 최초로 발견된 토성 위성은 1655년 네덜란드의 하위헌스가 발견한 제6 위성인 타이탄이다. 이런 인연으로 1997년에 발사되어 2004년 7월 토성 궤도에 진입한 토성 탐사선에 '카시니-하위헌스'란 이름이 붙었다. 이 카시니-하위헌스호는 원시지구와 비슷한 환경을 가진 토성의 위성 타이탄에 착륙하여 짧은 시간 탐사 데이터를 보낸 후 통신이 끊겼다.

토성 위성을 관측하던 1683년에 카시니는 황도대*의 빛, 황도광**에 대한 정확한 설명을 제시했다. 황도광은 오래전부터 알려져 있었지만 그 정체는 밝혀지지 않았는데, 카시니가 황도면에 밀집해서 분포하는 행성 간 입자들이 태양빛을 산란시켜 황도면***에 나타나는 희미한 빛이라고 정확히 설명했다.

태양은 얼마나 멀리 떨어져 있나?

카시니가 태양까지의 거리를 재겠다는 야심찬 계획에 도전한 것은 파리 천

* 황도대(黃道帶) : 황도의 남북으로 각각 약 8도의 폭을 가지고 있는 천구의 영역. 이것을 12개로 나눈 별자리가 대부분 동물의 이름으로 되어 있으며, 태양·달·행성 등이 이 영역 안에서 운행한다.

** 황도광(黃道光) : 일몰 후의 서쪽 하늘이나 일출 전의 동쪽 하늘의 지평선에서 천구의 황도에 따라 원뿔 모양으로 퍼져 보이는 희미한 빛의 띠. 성간물질(星間物質)에 의한 햇빛의 산란 현상 때문에 생긴다.

*** 황도면(黃道面) : 지구의 공전 궤도면을 천구 위에 투영한 평면.

허블 우주 망원경이 찍은 토성 고리의 카시니 틈. 조반니 카시니가 발견했다.

문대장에 취임, 풍부한 연구 자금을 마음껏 사용할 수 있게 된 최초의 천문학자가 되었을 때였다. 당시 케플러의 제3법칙, "행성과 태양 사이의 거리의 세제곱은 그 공전주기의 제곱에 비례한다"는 공식에 의해 태양과 각 행성들 간의 상대적인 거리는 알려져 있었지만, 실제 거리가 알려진 게 없어 태양까지의 절대 거리를 산정하지 못하고 있는 실정이었다. 따라서 태양계의 실제 규모도 알려지지 않은 상태였다.

카시니는 먼저 화성까지의 거리를 알아내고자 했다. 그러면 자연히 태양까지의 거리를 산출할 수 있으며, 또한 태양계의 크기를 추정할 수 있게 된다. 이때 카시니가 쓴 방법은 시차를 이용한 삼각법이었다. 시차를 알고 두 지점 사이의 거리를 알면 그 거리를 밑변으로 하여 삼각법을 적용해서 물체까지의 거리를 구할 수가 있다. 튀코 브라헤도 이 방법을 써서 혜성의 위치가 지구 대기권 밖임을 증명함으로써 혜성이 대기권 내의 현상이라는 기존의 주장을 잠재웠다.

카시니는 먼저 제1단계로 화성까지의 거리를 구하기로 했다. 마침 화성이 충*을 향해 지구 가까이에 접근하고 있었다. 이는 곧 큰 시차를 얻을 수 있는 기회임을 뜻한다. 1671년, 카시니는 조수 장 리셰르를 남아메리카의 프랑스령 기아나의 카옌으로 보냈다(기아나는 영화 '빠삐용'에 나오는 유명한 유형지인 '악마의 섬'이 있는 곳이다). 파리와 카옌 간의 거리 9,700km를 삼각형의 밑변으로 사용하기 위해서였다.

두 사람은 화성의 정밀한 위치를 구하기 위해 화성 근처에 있는 몇 개의 밝은 별들을 열심히 관측했다. 그리고 그렇게 얻은 시차에 삼각법을 적용하니 놀랄 만한 계산 결과가 나왔다. 화성까지의 거리는 6,400만km라는 답이었다. 이 수치를 케플러의 제3법칙에 대입한 결과, 1천문단위(1AU), 곧 지구에서 태양까지의 거리는 1억 3,800만km로 나왔다. 이것은 실제 값인 1억 5,000만km에 비하면 오차 범위 8% 안에 드는 훌륭한 근사치였다. 화성의 궤도가 지구와는 달리 거의 완전한 원이 아닌 데서 생겨난 오차였다.

어쨌거나 이는 태양과 행성, 그리고 행성 간의 거리를 최초로 밝힌 의미 있는 결과로, 이로써 인류는 역사상 최초로 태양계의 실제 규모를 알게 되었다. 쾌거가 아닐 수 없었다.

아름답지 못한 일은 그후에 벌어졌다. 카시니가 기아나에서 고생스런 관측연구를 수행하고 돌아온 자기 제자 리셰르를 시골로 내쳐버렸던 것이다. 사연인즉슨, 그가 기아나에서 화성을 관측하면서 흔들리는 추를 이용한 진자시계를 사용하던 중 진자가 파리에서보다 느리게 흔들린다는 사실을 발견했다.

* 충(衝) : 지구를 중심으로 하여 외행성이 태양과 정반대의 위치에 오는 시각 또는 그 상태.

많은 사람들이 그 원인을 놓고 고민하던 중에 뉴턴이 자신이 발견한 중력의 법칙으로 그 이유를 명쾌하게 설명해 보였다. 기아나는 파리보다 적도에 가깝다. 따라서 지구가 자전의 영향으로 적도 부분이 불룩해져 있다면 기아나는 파리보다 지구 중심에서 멀리 떨어져 있을 것이고, 그에 따라 중력도 약할 것이다. 이것이 기아나에서 진자가 파리보다 더 느리게 흔들리는 이유다. 실제로 기아나는 파리보다 지구 중심에서 21km 더 떨어져 있다. 얼마 안 되는 차이라고 생각될지 모르지만, 기구를 타고 21km 상공으로 올라간다고 상상하면 상당한 거리임을 알 수 있다.

리셰르의 발견은 지구가 자전한다는 사실에 대해 움직일 수 없는 증거였다. 이것은 태양까지의 거리를 알아낸 것보다 어쩌면 더욱 중요한 과학적 성과였다. 리셰르는 과학자들 사이에서 유명해졌다. 그러자 제자가 유명해지는 것을 보고 있을 수 없었던 카시니는 리셰르를 시골의 군사 요새로 쫓아보내 계산 업무를 맡게 했다. 그리하여 전도유망하던 젊은 과학자는 이윽고 무명인이 되어 잊혀지고 말았다.

최초로 빛의 속도를 잰 올레 뢰머

카시니에게 밉보인 제자는 또 한 사람 더 있었다. 이유도 비슷했다. 카시니는 갈릴레오가 발견한 목성의 4대 위성에 대한 운행표를 제작했는데, 이것은 해상에서 경도를 결정하는 데 중요한 지표가 되었다. 이의 보정을 위해 카시니는 리셰르의 후임으로 온 덴마크의 천문학자 올레 뢰머에게 목성 위성의 관측 임무를 맡겼다.

그는 1675년부터 목성에 의한 위성의 식蝕(천체가 천체에 의해 가려지는 현상)을 관측하여, 식에 걸리는 시간이 지구가 목성과 가까워질 때는 이론치에 비해 짧고, 멀어질 때는 길어진다는 사실을 발견했다. 목성의 제1위성 이오의 식을 관측하던 중 이오가 목성에 가려졌다가 예상보다 22분이나 늦게 나타났던 것이다. 그 순간, 그의 이름을 천문학사에서 불멸의 존재로 만든 한 생각이 번개같이 스쳐 지나갔다. "이것은 빛의 속도 때문이다!"

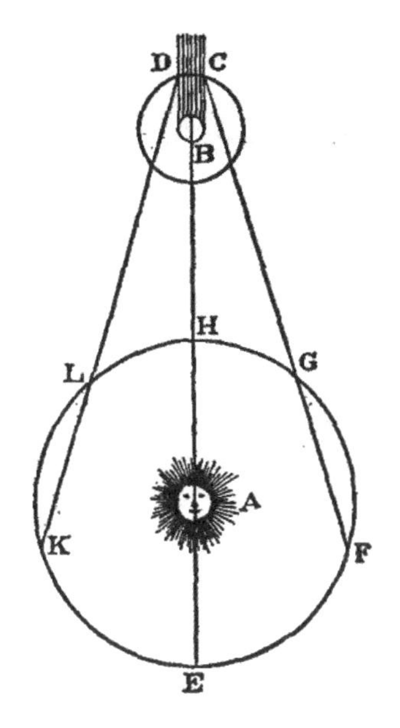

뢰머의 광속 측정. 뢰머는 태양 둘레를 공전하는 지구가 H지점에 있을 때보다 E지점에 있을 때 목성에 가려진 이오(DC)가 나타나는 시간이 22분 더 늦어지는 것은 빛의 속도 때문이라고 깨달았다.

이오가 불규칙한 속도로 운동한다고 볼 수는 없었다. 그것은 분명 지구에서 목성이 더 멀리 떨어져 있을 때, 그 거리만큼 빛이 달려와야 하기 때문에 생긴 시간차였다. 뢰머는 정밀한 관측 결과, 빛이 지구 궤도의 지름을 통과하는 데 22분이 걸린다는 결론을 내렸다. 지구 궤도 반지름은 이미 카시니에 의해 약 1억 4,000만km로 밝혀져 있는 만큼 빛의 속도 계산은 어려울 게 없었다.

당시 알려진 지구의 공전 궤도를 바탕으로 뢰머가 계산해낸 빛의 속도는 초속 21만 2,000km였다. 오늘날 측정치인 29만 9,800km에 비해 약 30%의 오차를 보인 것은 당시 지구 공전 궤도 측정이 정확하지 않은 탓이었다. 하지만 당시로 보면 놀라운 정확도였다. 무엇보다 빛의 속도가 무한하다는 기존의 주장에 반해 유한하다는 사실을 최초로 증명한 것이 커다란 과학적 성과였다. 이는 물리학에서 가장 중요한 초석 하나를 놓는 쾌거였다. 1676년 광속 이론을 논문으로 발표한 뢰머는 30살의 젊은 나이로 하루아침에 과학계의 신성으로 떠올랐다.

카시니와 하위헌스의 업적을 기려서 명명된 토성 탐사선 카시니-하위헌스호.
이 토성 탐사선은 2017년에 미션 종료 후 토성 대기권으로 뛰어들어 최후를 맞았다. © NASA

카시니는 이번에도 가만 있지 않았다. 그는 이오가 늦게 나타나는 것은 그 자체의 궤도가 불규칙하기 때문이라고 주장하며 제자를 깎아내렸다. 그러나 대세는 이미 기울었다. 빛의 입자설을 내세웠던 과학계의 지존 뉴턴과, 그에 맞서 파동설을 내세웠던 하위헌스가 모두 뢰머의 손을 들어주자 카시니는 금방 꼬리를 내렸다. 하지만 카시니의 구박은 멈추어지지 않았고, 한동안 꿋꿋이 버티던 뢰머도 마침내 사표를 던지고 고국으로 돌아갔다. 그리고 이윽고 코펜하겐의 왕립 천문대장이 되고, 나중에는 시장까지 역임하는 등 성공적인 삶을 살았다.

한편 카시니는 행성관측에 매진해서 토성 고리에서 이른바 카시니 틈을 발견하는 등 천문학사에 뚜렷한 발자국을 남겼다. 그러나 보수주의자였던 카시니는 코페르니쿠스의 지동설을 부분적으로 수용했지만, 행성이 타원궤도로 돈다는 케플러의 이론은 끝내 받아들이지 않고 타원에 대응하는 난형卵形(계란형)을 주장했다. 뿐만 아니라, 뉴턴의 만유인력의 법칙도 인정하지 않았다.

만년의 카시니는 실명의 비운을 맞았다. 그것이 평생에 걸친 천체관측의 후유증이라는 말도 있지만, 그것보다는 노령에 따른 백내장일 가능성이 더 큰 것으로 보인다. 그리고 이듬해인 1712년 연말, 카시니는 시력을 잃은 그 눈마저 영원히 감았다. 향년 87세.

그가 죽은 지 15년 뒤인 1727년, 영국의 천문학자 브래들리가 광행차*를 발견하여 빛의 속도가 유한함을 결정적으로 증명함으로써 뢰머의 광속이론은 완전히 입증되었다. 지하의 카시니도 그제서야 제자의 업적을 인정해 줬을까?

하지만 인류는 카시니의 노고 덕분에 최초로 태양계의 크기를 추정할 수 있게 되었다. 이 같은 천문학 발전에 크게 기여한 공을 기려 그의 이름은 1997년에 발사된 토성 탐사선 '카시니-하위헌스호'와 화성의 달의 크레이터 이름으로 남아 있다.

장 카시니의 둘째 아들 자크 카시니(1677~1756)가 제2대 파리 천문대장이 되어 아버지의 유업을 이어받았고, 자크 카시니의 둘째 아들 세자르 카시니, 그리고 손자 장 카시니가 차례로 제3대, 제4대 천문대장이 되는 진기록을 세웠다.

* 광행차(光行差) : 관측자의 속도에 따라 천체의 위치가 달라 보이는 현상. 관측자가 정지해 있을 때와 비교하면 관측자가 움직이는 방향으로 천체의 위치가 기울어져 있는 것처럼 보인다.

18. 음악가에서 천문학자로 변신하다
– 윌리엄 허셜(1738~1822)

예부터 오늘에 이르는 것을 주(宙)라 하고,
사방과 위아래를 우(宇)라 한다.
전한(前漢) 회남왕(淮南王) 유안(劉安)이 편찬한 백과사전, 《회남자(淮南子)》

천왕성 발견으로 하루아침에 벼락출세를 한 윌리엄 허셜은 본업이 음악가였다. 그것도 아주 잘나가는 작곡가 겸 오르간 연주자로 24개의 교향곡, 7개의 바이올린 협주곡을 포함하여 수백 곡을 작곡한 중견 음악가였다.

음악가로 크게 성공한 허셜은 30대 중반에 돌연 진로를 꺾어 맹렬하게 망원경을 자작하면서 밤하늘을 관찰하기 시작하더니, 이윽고 숫제 음악 활동을 접고 천문학으로 전업하기에 이르렀다. 대단한 결단력의 소유자였다. 그리하여 프랑스의 메시에가 한참 자신의 《메시에 목록》을 채우고 있을 때인 1781년, 그보다 8살 아래인 허셜은 영국에서 태양계 제7 행성인 천왕성을 발견했다.

허셜이 작곡한 E장조 교향곡 15번의 원문(1762).

태양계가 갑자기 2배로 확장되었다!

천왕성 발견은 천문학 역사에서 지동설과 빅뱅 우주, 인간의 달 착륙과 함께 몇 안 되는 대사건에 속한다. 그전까지 사람들은 토성 바깥으로 행성이 더 있으리라고는 상상조차 못했다. 그러나 그러한 인간의 고정관념을 비웃기라도 하듯 태양계의 제7행성 천왕성이 마치 자신을 발견해주기를 기다리기라도 하는 듯 토성 궤도의 거의 2배나 되는 아득한 변두리를 천천히 돌고 있었던 것이다.

허셜의 천왕성 발견으로 아담하게만 보이던 태양계의 크기가 갑자기 2배로 확장되었다. 이것은 대사건이었다. 수천 년 동안 맨눈으로 보이는 5개 행성이 전부인 줄 알고 있던 인류에게 허셜은 전혀 새로운 세상을 찾아내 보인 것이다. 그것은 수천 년 내려온 인류의 상식을 여지없이 깨뜨린 유사 이래의 대발견으로, 코페르니쿠스의 지동설을 뛰어넘는 충격파를 세상에 던졌다. 이것으로 허셜은 아마추어 천문가임에도 그 이름이 불멸의 것으로 천문학사에 기록되었다.

전직 오르간 연주자로 무명의 아마추어 천문가였던 윌리엄 허셜은 천왕성 발견 하나로 문자 그대로 팔자를 고쳤다. 하루아침에 세계적인 유명인사가 되었을 뿐 아니라, 왕립학회 회원으로 가입하고, 영국왕 조지 3세의 부름으로 궁정에서 왕을 알현한 후 연봉 200파운드의 왕실 천문관에 임명되었다. 당시 천문학자로 최고 지위였던 그리니치 천문대장의 연봉이 100파운드 정도였다. 이로써 허셜은 음악가라는 직업을 벗어던지고 명실공히 프로 천문학자로서의 길에 들어서게 되었다. 천문학상의 발견으로 이처럼 신분의 수직 상승을 이룬 예는 전무후무한 일이었다.

군악대 악사에서 탈영병으로

수천 년 동안 천문학자들의 눈을 피해 잠행하던 천왕성을 발견함으로써 태양계의 크기를 하루아침에 2배로 확장했던 허셜은 어떤 사람인가? 허셜의 일생은 파란만장할뿐더러 감동적이기도 하다.

영국에서 허셜의 법적 지위는 밀입국 탈영병으로 시작되었다. 그는 독일인으로 본명은 프리드리히 빌헬름 허셜이었다. 1738년 독일 하노버에서 태어났다. 아버지가 하노버 수비대 밴드의 악장이었던 허셜은 아버지의 뒤를 이어 14살에 수비대 밴드의 멤버가 되었다.

당시 하노버는 영국과 군사동맹을 맺고 있었기에 하노버 수비대는 자주 영국을 방문했다. 허셜도 그 무렵 영국으로 파견되어 영어를 독학하고 영국 철학자 존 로크의 《인간 오성론》을 독파했다. 이 책은 당시 '새로운 과학', 즉 근대과학을 포함한 인식의 문제를 다룬 로크의 명저였는데 이를 독학으로 독파했다는 것은 허셜의 놀라운 지식욕을 보여주는 한 사례이다.

1756년, 프러시아와 오스트리아 간의 분쟁으로 유럽 나라들이 두 쪽으로 갈라져 싸운 7년전쟁이 발발해 프랑스가 하노버를 침공했다. 18살의 허셜은 이 전쟁에 참전하기 위해 그의 군대와 함께 하노버로 돌아왔다. 그러나 약골이었던 허셜은 전투에는 맞지 않는 체질이었다. 부대가 전투에 패배하는 바람에 물이 가득 찬 수로 속에서 하룻밤을 보낸 허셜은 탈영을 권하는 아버지의 말을 듣자 마침내 직업과 나라를 바꾸기로 결심하고 영국으로 도망갔다.

그는 영국에서 이름을 프레더릭 윌리엄 허셜로 바꾸고 요크셔 근방에서 음악 교습과 악보 베끼는 일로 생계를 꾸리다가 교회의 오르간 연주자로 취업하여 생활의 안정을 찾았다. 허셜은 본래 오보에 연주자였으나, 오르간 연주에도 빼어난 명연주자였다. 뿐더러 오라토리오의 솔로 테너 파트를 맡기도 한 성악가이기도 했다.

갈릴레오 이후 최고의 망원경 제작자

음악가로서 순탄한 삶을 이어가던 허셜을 별에게로 이끈 것은 바로 음악이었다. 작곡을 위해 그는 당시 음악 교과서 격이었던 《화성악, 음악의 철학》이란 책으로 공부했는데, 이 책의 저자가 천문학자인 스미스였다.

이 책에서 스미스의 수학적인 기술에 매료되었던 허셜은 이어서 스미스의 《광학》을 읽게 되었고, 천문학이 가진 위대함에 빠져들고 말았다. 그리하여 허셜은 독학으로 망원경 제작법을 배우더니 이윽고 갈릴레오 이후 가장 탁월한 망원경 제작자가 되었다. 갈릴레오 못지않게 손재주가 뛰어났던 허셜은 자기 집 뒷마당에서 직접 반사경 유리를 송진가루로 연마하여 만든 반사망원경으로 하늘을 관측하다가 1891년 역사적인 발견을 하기에 이른 것이다.

허셜이 만든 초대형 망원경.

허셜이 이처럼 관측 분야에서 연이은 개가를 올리게 된 것은 무엇보다 장비의 힘이 컸다. 그는 당대 최고의 망원경 제작자였다. 당시 천문학자들이 많이 사용하던 소형 굴절망원경을 멀리하고 대형 반사망원경을 선호했다. 요즘은 망원경 거울이 유리로 되어 있지만, 당시는 구리와 아연 합금이 쓰였다. 만드는 일은 손재주가 있는 동생 알렉산더가 도와주었다.

이들이 만든 망원경은 최고의 성능을 자랑했다. 심지어는 그리니치 천문대의 망원경보다 더 뛰어나다는 평가를 받았다. 당시 왕립 천문대에서 사용하던 망원경의 배율이 270배였던 데 비해, 허셜이 제작한 망원경 중에는 2,010배나 되는 것도 있었다. 천왕성을 발견한 것도 이러한 망원경의 성능에 힘입은 바 컸다. 공간을 꿰뚫는 위력에서 허셜의 망원경이 훨씬 앞섰던 것이다.

허셜이 만든 망원경 중 가장 유명한 것은 1789년에 완성한 구경 122cm, 초점거리 12m로, 거의 4층 집채만 한 대형 망원경이다. 그는 이 대포 같은 망원경으로 관측한 첫날 토성의 두 번째 위성 엔셀라두스를 발견했고, 두 달 뒤에는 토성의 가장 안쪽 궤도를 도는 위성 미마스를 발견했다. 그러나 이 망원경은 다루기가 무척 어려워서 아까운 시간을 관측하는 데보다 망원경을 정렬하는 데 더 잡아먹어서, 몇 년 뒤엔 이 괴물을 버리고 보다 간편하게 조작할 수 있는 구경 475mm, 경통 길이 6m인 중간 크기의 망원경을 주로 사용했다.

천왕성 발견에 얽힌 뒷이야기

천왕성을 발견한 사람은 허셜이지만, 놀랍게도 그가 천왕성을 최초로 본 사람은 아니었다. 최초의 천왕성 관측기록은 1690년 존 플램스티드의 것으로 그는 최소 6번 천왕성을 관측했으며, 자신의 행성표에 '황소자리 34'로 기록했다. 또 프랑스 천문학자 피에르 르모니에는 1750~1769년 사이 천왕성을 최소 12번 관측했다는 기록이 남아 있다. 하지만 그들은 행성 자체가 어두워 평범한 별로 착각하고 그냥 지나침으로써 바로 눈앞의 거대한 행운을 놓쳤던 것이다.

천왕성은 밝기가 다소 변하기는 하지만 대략 6등급으로, 육안 관측 한계인 6.5등급보다 밝기 때문에 맨눈으로 보는 것이 그리 어렵지 않다. 문제는 이 행성이 너무나 멀리 있어서 웬만한 망원경으로는 빛점(크기와 형태가 없이 하나의 점으로 보이는 광원)으로밖에 안 보여 보통 별과 구별하기가 극히 어렵다는 점이다.

승부는 망원경의 성능이 갈랐다. 갈릴레오 이후 가장 뛰어난 망원경 제작자였던 허셜은 2년 전인 1779년부터 당시 최고의 성능을 가진 지름 16cm의 자작 반사망원경으로 8등성 이상의 모든 별들을 계획적으로 관측해오며 쌍성*에 대한 연구를 하고 있었다. 그러던 중 1781년 3월 13일 밤, 지금은 허셜 천문학 박물관이 된 서머싯 소재 배스 타운에 있는 자기 집 정원에서 관측하던 중 쌍둥이자리에서 못 보던 낯선 별 하나가 반짝이는 것을 보게 되었다.

그것은 여느 별과는 달리 또렷한 원판 모양을 보여주고 있었다. 항성은 아무리 크더라도 워낙 멀리 있어 망원경으로 보면 하나의 빛점으로만 보인다. 천체가 원판으로 보인다는 것은 거리가 무척 가깝다는 뜻이다. 더욱이 그 천체는 다른 별처럼 깜빡거리지도 않았다.

그래서 허셜은 처음엔 혜성이라고 생각하고 왕립학회에 보고했다. 사실 혜성 발견이라 해도 천문가에겐 커다란 영예가 아닐 수 없다. 하물며 행성 발견이란 꿈에도 생각지 못한 일이었다. 당시 사람들은 태양계에는 수성에서 토성까지 6개의 행성밖에 없다고 굳게 믿고 있었던 것이다. 수천 년 동안 이런 상식을 깨뜨릴 만한 사건은 일어나지 않았다.

허셜은 이때의 관측을 기록한 자신의 논문에서 천왕성을 "황소자리 제타 근처에 있는 성운 비슷한 별 혹은 혜성"이라고 표현한 데 이어, 며칠 뒤에는 "나는 혜성 혹은 성운 비슷한 별을 찾았으며, 이제 그 별이 위치를 바꿨다는 점에서 혜성임을 알았다"고 서술했다.

그러나 허셜은 며칠 밤 동안 관측을 진행해감에 따라 천천히 움직이고

* 쌍성(雙星) : 공통의 중력 중심 주위를 궤도 운동하는 별들의 쌍. 연성(連星)이라고도 한다. 우리은하에 있는 별들 가운데 절반 정도가 쌍성이거나 더 복잡한 다중성계의 일원이다.

있는 그 천체가 혜성이 아니라는 심증을 점점 굳히게 되었다. 무엇보다 꼬리가 없었다. 그리고 천체의 운동이 원에 가까운 행성의 궤도에 따르고 있는 듯이 보였다. 혜성이라면 길쭉한 타원 궤도를 따라 움직인다. 허셜은 그 물체가 토성 너머의 행성이 틀림없다고 생각하고 그리니치 천문대에 이 사실을 보고했다.

허셜이 천왕성을 발견했을 때 사용한 망원경의 복제품. 윌리엄 허셜 박물관 소장.

보고를 받은 왕실 천문관 네빌 매스켈린은 그것은 혜성이라기보다 행성에 가깝다는 결론을 내렸다. 증명할 수 있는 방법은 1가지뿐이었다. 그것의 궤도를 추적해보는 것이었다. 곧 체계적인 관측이 뒤따랐고, 수학자들은 뉴턴의 역학법칙에 의해 케플러 때보다 훨씬 쉽게 궤도 형태를 알아낼 수 있었다. 러시아의 천문학자 앤더스 렉셀은 이 천체의 궤도를 최초로 계산하고, 거의 원형에 가까운 궤도를 보고 혜성보다는 행성에 가깝다는 결론을 내렸다. 허셜이 발견했던 그 '혜성'은 토성 너머에 있는 태양계의 제7행성이었던 것이다!

허셜은 자신이 발견한 새로운 행성을 영국왕 조지 3세의 이름을 따서 '조지의 별'Georgium sidus로 지었다. 그러나 영국과 앙숙인 프랑스의 천문학자들에게 그 이름은 속이 뒤틀리는 거라서 프랑스에서는 그냥 '허셜'이라고 불렀다. 나중에 결국 새 행성의 이름은 로마 신화에서 주피터의 할아버지이자 새턴(토성)의 아버지인 우라누스Uranus(천왕성)로 낙착되었다. 같은 해에 허셜은 왕립학회가 주는 코플리 메달을 받았고, 학회의 회원으로 선출된 데 이어, 이듬해인 1782년에는 '왕실 천문관'이라는 칭호를 받았다.

천왕성, 누워서 공전하는 행성

천왕성은 태양으로부터 지구보다 약 20배 먼 거리에 있다. 천왕성에서 태양을 본다면 지구에서보다 400배 희미하게 보일 것이다. 그러니까 천왕성은 30억km(약 20AU) 거리에서 태양을 공전하는데, 평균 공전속도가 초속 6.8km밖에 안 된다. 지구의 초당 공전속도 30km의 4분의 1에도 못 미치는 속도로 천천히 움직이는데다 매우 어둡기 때문에 그 존재가 수만 년이 지나도록 인류에게 밝혀지지 않았던 것이다.

천왕성이 태양을 한 바퀴 도는 데는 한 사람의 일생과 맞먹는 84년이 걸린다. 적도 지름은 5만 1,100km로 지구의 4배이며, 질량은 지구의 14.5배이다. 궤도 요소들은 피에르-시몽 라플라스에 의해 1783년 처음으로 계산되었다.

천왕성의 1년은 이처럼 길지만 천왕성의 하루, 곧 자전 주기는 17시간 14분밖에 안 된다. 그런데 천왕성의 자전축은 태양계 평면에 거의 누워 있다시피 하며, 기울기는 98도나 된다. 태양계의 다른 행성들은 기울어진 팽이를 상상하지만 천왕성은 쓰러진 채 구르는 팽이에 더 가깝다.

이렇게 큰 자전축의 기울기는 천왕성에서의 계절을 다른 행성과 완전히 차이나게 한다. 천왕성에서는 극 한쪽 면이 계속 태양을 향하고, 반대쪽 극은 태양을 볼 수 없다. 따라서 한쪽의 극은 42년 동안 태양 빛을 받고, 42년 동안 어둠에 놓이게 된다. 결국 이러한 천왕성의 이상한 자전 때문에, 한쪽 극 부분은 적도 부분보다 더 많은 태양의 에너지를 받게 된다. 이처럼 천왕성이 심하게 기울어진 원인은 지금까지도 미스터리로 남아 있다. 다만 태양계 초기에 지구만 한 원시 행성이 천왕성에 심하게 충돌함으로써 이렇게

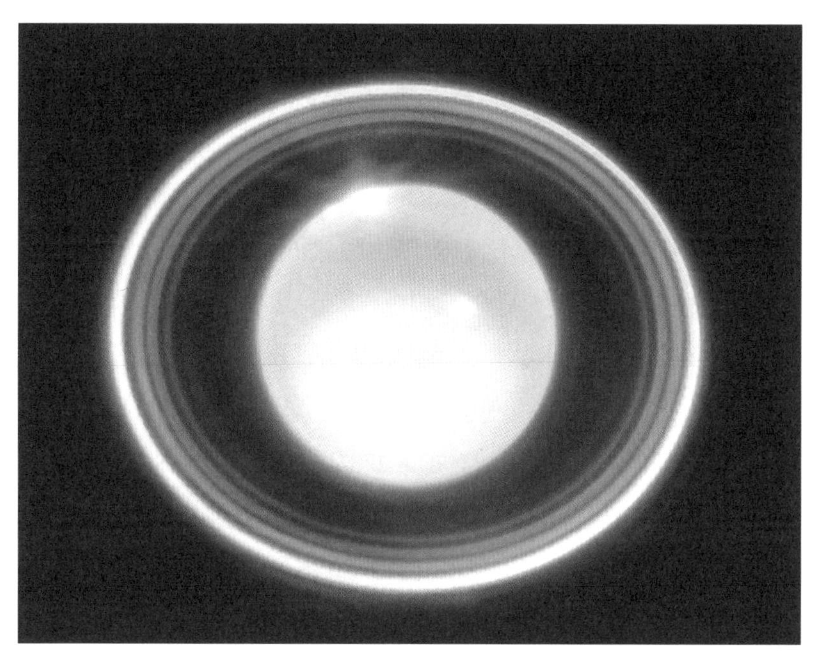

허블 우주 망원경이 2005년에 찍은 천왕성. 고리와 북반구에 밝은 구름이 보인다.

기울어졌을 거라는 가설이 있을 뿐이다.

1977년 발사된 미 항공우주국NASA의 보이저 2호가 1986년 천왕성 부근을 지나갈 즈음에는 천왕성의 남극 쪽은 태양을 거의 정면으로 향하고 있었다. 보이저 2호는 그해 1월 24일 천왕성의 대기 최상단으로부터 8만 1,500km 지점까지 근접하여 천왕성 대기의 구조와 화학적 성분을 분석했고, 10개의 새로운 위성을 발견하는 성과를 올렸다.

야심적인 도전, 우리은하의 모습을 찾아라!

천왕성 발견 외에도 허셜은 많은 업적을 남겼다. 토성의 두 위성을 비롯하여 천왕성의 위성인 티타니아와 오베론을 발견하는 등 중요한 성과들을 잇달아 내놓았다. 또 1784년에는 항성의 연주시차를 검출하기 위해 800여 개의 쌍성을 조직적으로 관측하여 《쌍성 목록》을 작성했으며, 성운-성단* 관측에도 관심을 기울여 《허셜 목록》을 만들기도 했다. 그러나 그의 야심작이었던 연주시차 발견은 끝내 성공하지 못했다. 그것은 다음 세대의 또 다른 천재를 기다리지 않으면 안 되었다.

허셜은 또 우리은하의 실제 모습을 알기 위해 60만 개의 항성을 관측하면서 수백 개 별들의 상대적인 거리를 측정한 결과 놀라운 사실들을 밝혀냈다. 먼저 태양계의 운동을 발견했다. 1783년, 밝은 별 7개의 고유운동에 대한 통계를 내어 발산점을 찾아내고, 그것을 우주공간에서 태양계 운동의 향점向點(한 천체의 공간 운동 방향을 천구 위에 나타낸 점)이라고 해석하고, 지동설(태양중심설)의 우주관에 대해 수정을 가했다. 그에 따르면 태양계는 은하계의 일부분으로, 시간당 7만km의 속도로 헤르쿨레스 자리를 향해 달려가고 있는 중이라고 발표했다.

그는 또 은하의 형태에 대해서도 윤곽을 잡아냈다. 그전에는 별들이 방향과 거리에 관계없이 골고루 분포되어 있으리라 생각했는데, 알고보니 납작한 원반 형태를 이루며 분포하고 있었다. 은하계는 납작한 원반 모양의 별의 집단을 옆에서 본 것에 불과한 것이었다. 그리고 원반의 지름과 두께에 대한 상대적인 비율이 대략 10 : 1이라는 값을 알아냈는데, 이 비율은 실제 우리은하에도 정확히 적용되는 값이다. 그리하여 허셜은 역사상 최초로 은하수의 형태와 구조를 알아냈다.

허셜은 '항성천문학의 아버지'로 불린다. 그가 기록한 성단과 성운은 2,500

* 성운(星雲)-성단(星團) : '성운'은 구름 모양으로 퍼져 보이는 천체로, 기체와 작은 고체 입자로 구성되어 있다. '성단'은 천구 위에 군데군데 몰려 있는 항성의 집단으로, 구상성단과 산개성단 등이 있다.

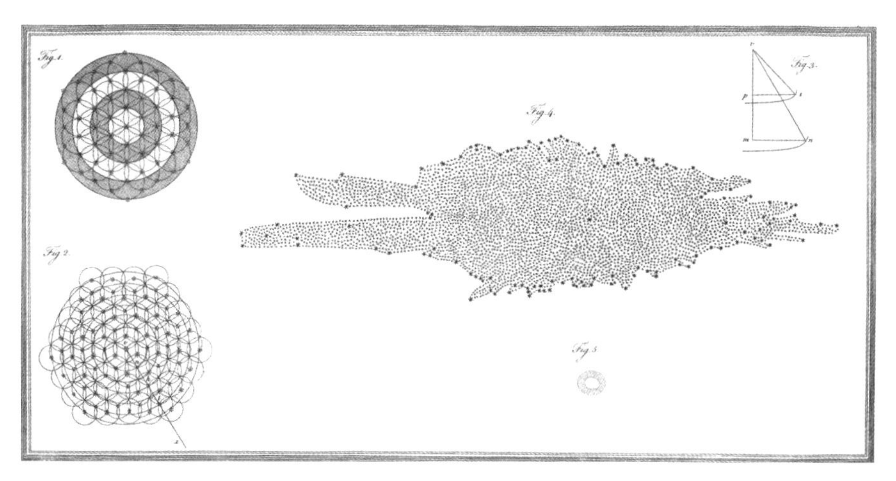

허셜이 수많은 별까지의 거리를 측정하여 추론한 은하계의 구조 © Wikipedia

개가 넘고, 행성상 성운*이라는 새로운 유형의 천체도 발견했다. 1802년 허셜은 16년에 걸친 그의 성운 연구를 끝냈는데, 그 결과 나온 것이 "우주는 성운으로부터 시작되었다"는 항성진화론이었다.

이러한 성과들은 허셜이 우리은하의 구조와 성운들을 연구한 끝에 확인한 기념비적인 결과물들이었다. 허셜의 주장은 우주의 구조에 대한 인류의 생각을 송두리째 바꿔놓은 것으로 태양계, 다시 말해 인류가 우주의 절대 중심이라는 오랜 믿음의 뿌리를 여지없이 뒤흔드는 제2의 코페르니쿠스적인 변혁이었다.

허셜이 우주진화론을 편 지 반세기가 지난 1850년대 이후, 에너지 보존의 법칙이 발견됨으로써 태양 역시 영원히 에너지를 방출할 수 없다는 점이 분명해졌다. 언젠가 태양도 죽는 것이다. 그제야 사람들은 천체도 탄생과 종말의 역사를 가진다는 인식을 받아들이게 되었다. 허셜은 항성천문학

* 행성상 성운(行星狀星雲) : 태양 질량의 10배 이하인 중간 질량 및 작은 질량의 별이 수명을 다했을 때 외피층을 우주로 방출해 고리를 형성하고 그 중심에는 별의 속고갱이 같은 고온의 백색왜성을 남기는 것을 말한다.

의 시조로 자리매김했다.

“그는 하늘의 울타리를 무너뜨렸다”

허셜의 업적 중에는 광학에 관한 것도 빼놓을 수 없다. 1800년 2월, 허셜은 여러 가지 필터로 태양의 흑점들을 관찰하는 실험을 했다. 빨간색 필터를 쓸 때 허셜은 많은 양의 열이 발생하는 것을 볼 수 있었다. 또 햇빛을 프리즘 안에 통과시켜 가시광선의 빨간 부분 바깥에 온도계를 세워두었더니 아무런 빛도 없는 곳이 가시광선보다 더 높은 온도를 보이는 것을 보고 깜짝 놀랐다. 허셜은 가시광선 외에도 어떤 안 보이는 빛이 있다는 결론을 내렸다. 최초로 적외선이 발견된 순간이었다.

그 시대의 어느 누구보다 우주 깊숙이 여행했던 허셜은 우주에 대한 인류의 이해를 크게 끌어올린 공적으로 1816년 작위를 받은 데 이어 왕립천문학회 회장에 선출되었다. 독학으로 천문학을 배운 아마추어로 시작해서, 18세기 유럽에서 가장 위대한 천문학자가 된 허셜은 케플러를 제외하곤 긴 생애를 통해 그만큼 천문학에 공헌한 사람은 없을 것이다.

허셜은 1822년 84세의 나이로 세상을 떠났는데, 공교롭게도 자신이 발견한 천왕성의 공전 주기와 일치하는 나이였다. 그는 인생의 대부분을 보낸 도시인 런던의 서쪽 외곽 슬라우 자택에서 임종한 후 세인트 로렌스 교회의 탑 밑에 묻혔다. 허셜의 묘비에는 이런 문장이 새겨졌다. “그는 하늘의 울타리를 무너뜨렸다.”

19. 종이와 연필로 발견한 해왕성
– 애덤스(1819~1892) & 르베리에(1811~1877)

의식이란 우주를 직접 알고자 하는 열망이며,
우리는 우주가 그 자신을 설명하기 위한 존재다.

고대 수메르인

행성 발견의 방정식, 티티우스-보데의 법칙

태양계 마지막 행성인 해왕성의 발견은 뉴턴 역학의 가장 대표적인 성공사례로 꼽힌다. 왜냐하면 망원경이 아니라 뉴턴의 중력 방정식을 이용해 종이와 연필로 발견한 행성이기 때문이다. 1781년 허셜이 발견한 천왕성이 미세하게 이상한 운동을 보이는 것을 독일의 천문학자 베셀이 발견하고 1840년 천왕성 밖의 행성을 예언한 논문을 발표했다.

1781년 허셜이 천왕성을 발견한 이후 각국의 과학자들은 천왕성의 운행 궤도를 연구하기 시작했다. 그러자 이내 문제점이 불거졌다. 이론상의 궤도와 실제 궤도 사이에 틈이 드러난 것이다. 무엇인가 천왕성의 뒤쪽에서 잡아당기고 있는 힘이 있다고 생각되었다. 천왕성 궤도 바깥에 아직 발견되

행성	티티우스-보데 수열
수성	4 + 0 = 4
금성	4 + 3 = 7
지구	4 + 6 = 10
화성	4 + 12 = 16
(소행성대)	4 + 24 = 28
목성	4 + 48 = 52
토성	4 + 96 = 100
(천왕성)	4 + 192 = 196
(해왕성)	4 + 384 = 388

티티우스-보데의 법칙

지 않고 있는 미지의 행성이 미치는 섭동攝動(천체의 평형 상태가 다른 천체의 인력에 의해서 교란되는 현상)으로 인해 천왕성이 흔들리고 있다는 주장이 제기되었다.

천문학자들은 새삼 서랍 속에 넣어두었던 표를 꺼내 살펴보았다. '티티우스-보데의 법칙'이라고 불리는 표였다. 이것은 태양계 행성들이 태양으로부터 떨어져 있는 거리 사이에 존재하는 규칙성을 공식으로 나타낸 표로서, 비텐베르크 대학의 수학 교수 티티우스가 1766년에 발견한 것이었다. 발견 당시에는 별로 주목을 받지 못하다가 1772년, 베를린 천문대장 보데가 다시 공표하는 바람에 널리 알려져 티티우스-보데의 법칙이라는 이름을 얻었다. 표에서 괄호로 표시한 것은 당시 미발견이었다.

보데가 이 법칙을 발표했을 당시에는 화성과 목성 사이에 있는 소행성대의 세레스, 그리고 천왕성, 해왕성, 명왕성 등의 존재는 알려져 있지 않았다. 그런 상황에서 이론적으로 유도되지 않고 경험적으로 얻어진 이 법칙이 어디까지 들어맞을 것인지 의문시되고 있었다.

보데는 위의 법칙에서 2가지 추측을 이끌어냈다. 첫째는 토성이 태양계의 마지막 행성일까? 그는 그렇지 않을 거라고 생각했다. 아직 발견되지는 않았지만 토성 너머에 행성들이 더 있을 거라고 추측했다. 둘째는 화성과 목성 사이의 거대한 빈 공간에서 행성이 하나도 발견되지 않은 것은 무슨 까닭일까? 보데는 틀림없이 아직 발견하지 못한 무엇이 있을 거라고 믿었다. 이것이 소행성대에 관한 최초의 추측이었는데 나중에 사실로 증명되었다.

천왕성을 발견했을 때 학자들은 재빨리 평균 거리를 알아내 보데의 법칙에 끼워맞춰보았다. 그러자 제6번 행성과 일치한다는 사실이 밝혀졌다. 티티우스-보데의 법칙은 적중했던 것이다.

보데 등 6명의 독일 천문학자들은 당장에 화성-목성 사이 제3번 행성의 수색 조합을 결성했고, 1801년에 팔레르모 천문대장인 피아치가 한 천체를 발견하여 '세레스'Ceres라고 이름을 붙였다. 세레스는 행성의 파편이라고도 볼 수 있는 소행성 제1호로, 제2호 이하가 차례로 조합원들의 손에 의해 발견되어 수를 늘려갔다.

젊은 수학자에게 좌절을 안긴 천문학자

티티우스-보데의 법칙에서 힘을 얻은 천문학자들은 천왕성 바깥을 뒤지기 시작했다. 천왕성의 운행에서 나타나는 이상한 움직임은 천왕성의 바깥쪽에 있는 미발견 행성의 인력 작용에 의한 것이라고 판단한 것은 그리니치 천문대의 존 쿠치 애덤스(1819~1892)와 파리 천문대의 위르뱅 르베리에(1811~1877)였다. 이들은 먼저 보데의 법칙에 따라 그 평균 거리를 추정하고, 이에 대하여 천체역학적인 정밀 계산을 했다.

계산에서는 애덤스가 더 빨랐다. 해왕성의 발견에 뛰어든 존 쿠치 애덤스는 케임브리지 대학 졸업반으로, 23살의 수학 전공 학생이었다. 그는 졸업할 무렵 미지의 행성에 대한 매력에 빠져 천왕성의 이상 운동을 풀어보기로 결심했다. 가난한 농가의 아들이었던 애덤스는 졸업 후 개인교사 일로 생계를 꾸려가면서 틈틈이 천문학 연구를 할 수밖에 없었다. 그는 스승인 제임스 챌리스의 도움으로 그리니치 천문대장 존 에어리 경에게서 천왕성 궤도의 최신 자료를 넘겨받았다.

애덤스는 미지의 행성에 관한 질량과 궤도를 계산한 결과, 연구에 착수한 지 2년 후인 1845년 10월, 드디어 양자리 근처에 제8행성이 있을 거라는 확신을 얻었다. 하지만 이 젊은 수학자 앞에는 믿기지 않는 불운이 기다리고 있었다.

그는 연구 결과를 가지고 여러 차례 에어리 경을 찾아갔지만, 그때마다 에어리는 외출 중이라거나 식사 중이라는 이유로 만나주지 않았다. 애덤스는 마지막 수단으로 연구 결과를 우편으로 보냈지만, 얼마 후 사소한 지적만 늘어놓은 성의 없는 답장을 받았을 뿐이었다. 국립 천문대장이라면 응당 애덤스가 가리키는 곳으로 망원경을 돌렸어야 했다.

계산은 늦었지만 발견은 빨랐던 경쟁자

그 무렵, 바다 건너 대륙에서도 이와 비슷한 연구가 진행되고 있었다. 프랑스의 젊은 수학자 위르뱅 르베리에가 1845년 11월 천왕성 궤도의 불규칙성에 관한 논문을 발표했다. 그리고 이듬해 6월, 두 번째 연구 결과를 발표하면서 그는 새로운 행성의 존재를 예상한 궤도 계수와 질량, 예상 위치 등을 내놓았는데 이것은 애덤스의 연구 결과와 겨우 1도 차이로 일치하는 값이었다.

이 소식은 각국으로 퍼져나갔다. 이때는 에어리 경도 르베리에의 연구 결과를 듣고 애덤스의 경우와는 달리 크게 감탄했다. 이유는 간단했다. 르베리에는 애덤스와는 계급이 다른 사람이었기 때문이다. 그는 프랑스에서 저명한 수학자이자 교수였던 것이다.

에어리는 챌리스와 존 허셜 등이 모인 과학자들의 모임에서 새로운 행성

제임스웹 우주 망원경이 적외선으로 찍은 해왕성 모습 © NASA

의 발견이 임박했다고 발표했다. 그러면서도 그는 애덤스의 얘기는 입에도 올리지 않았다. 뿐만 아니라 이 소식을 애덤스에게 알리지도 않았다. 대신 그는 한 전직 교수에게 현재 프랑스에서 미지의 행성을 찾으려는 노력이 진행 중이라는 얘기를 해주었다. 얘기를 들은 교수는 정작 영국에서는 그러한 노력을 전혀 하지 않고 있다는 데 충격을 받았다.

그제서야 에어리도 이 교수로부터 자극을 받아 부랴부랴 챌리스에게 새 행성 찾아보기를 독촉했다. 그러나 해왕성은 쉽게 눈에 띄는 대상이 아니었다. 천왕성보다 더 작고 어두운 해왕성은 망원경을 들이대고 보아도 다른 별과 구별하기가 쉽지 않다. 여기에는 반드시 정밀한 항성 목록, 곧 성도星圖가 필요한데, 문제는 독일 외에는 그런 성도를 갖고 있는 데가 없다는 점이었다.

어쨌거나 챌리스는 사안의 중대성을 모른 채 망원경을 애덤스가 계산해낸 지역으로 이리저리 돌려보았다. 실제로 그는 해왕성을 여러 차례 보았지만 그냥 지나쳐갔다는 사실이 뒤에 밝혀졌다. 그는 자신이 본 것이 무엇인지 몰랐던 것이다. 훗날 챌리스는 애덤스의 계산이 그렇게 정확하리라고는 생각지 않았다고 변명했다. 그때 그가 조금만 주의력을 기울였다면 해왕성 발견자로 애덤스와 함께 천문학사에 이름이 올랐을 것이다.

이런 식으로 영국이 어영부영 시간을 죽이고 있을 때, 르베리에는 자신의 연구자료를 베를린 대학 천문대의 요한 갈레에게 보냈다. 1846년 9월 23일, 르베리에의 편지를 받은 바로 그날 밤, 갈레는 베를린 천문대 연구생이었던 하인리히 다레스트에게 관측을 지시했다.

다레스트는 지름 23cm의 망원경을 추정 위치로 겨누었다. 미지의 행성을 찾는 데는 한 시간도 채 걸리지 않았다. 그는 구름 한 점 없는 하늘에서 르베리에가 예측한 지점 근처를 그린 최근의 성도와 현재 하늘을 비교해서 붙박이별과 구별되는 행성의 시운동적 특징을 보이는 8등급 별을 발견했다고 갈레에게 보고했다. 르베리에의 계산에서 겨우 1도 떨어진 곳에서 반짝이는 별은 바로 해왕성이었다.

갈레는 이틀에 걸친 관측 결과, 문제의 천체가 행성임이 틀림없다고 판단했다. 9월 25일, 갈레는 천문학자로서 자신의 최대 업적이 된 해왕성 발견을 르베리에에게 알리는 편지를 썼다. "르베리에 씨, 당신이 저희에게 알려준 그 위치에 정말 행성이 있었습니다."

결국 해왕성의 발견은 르베리에와 갈레의 업적으로 세상에 알려졌다. 이 발견은 천체역학 이론이 천체의 운동을 설명할 뿐만 아니라, 미지의 천체를 발견하는 데도 쓸모가 있음을 입증한 획기적인 사건으로 만유인력 법칙의 승리이자 코페르니쿠스의 태양중심설의 결정적 승리로 받아들여졌다. 이 소식을 듣고 애덤스가 느꼈을 낙담이 어떠했을는지는 말할 필요도 없다.

이제껏 애덤스의 말을 귓등으로 듣다가 남의 집 잔치를 멀거니 바라보게 된 영국의 에어리와 챌리스는 이번 발견에 자신들도 지분을 갖고 있음을 주장하고 나섰다. 그러자 프랑스는 자신들의 업적을 영국이 도둑질하려 한다고 발끈했다. 천왕성의 발견을 영국에게 빼앗긴 전력을 생각해보면 당연한 반발이었다. 한편 에어리는 이 와중에도 애덤스를 깎아내리려 했는데, 그가 르베리에에게 보낸 편지에서 이렇게 말했다. "당신이 그 행성 위치를 예측했음은 의심의 여지가 없습니다. 당신은 인정받았습니다."

분쟁을 수습하려고 나선 사람은 천왕성 발견자인 윌리엄 허셜의 아들 존 허셜이었다. 당시 영국 천문학계의 수장이었던 그는 해왕성 발견 논문에서 애덤스가 에어리에게 보낸 편지를 근거 자료로 하여 해왕성 궤도의 첫 계산자가 애덤스임을 밝혔다. 이런 공방이 오간 끝에 결국 해왕성 발견의 최대 공적은 애덤스와 르베리에, 공동의 것으로 정리되었다.

두 나라의 천문계가 나서서 해왕성 발견 공적을 두고 서로 다투었지만, 정작 이 문제에 개의치 않은 사람은 당사자인 애덤스와 르베리에 두 사람뿐이었다. 두 사람은 존 허셜이 주최한 연회에서 처음으로 만나 인사를 나눈 후 금세 친구가 되었고 죽을 때까지 우정을 나누었다.

165년 만에 돌아온 해왕성

태양계의 가장 바깥에 위치한 기체 행성인 해왕성은 지름이 지구의 4배인 약 5만km로, 아름다운 쪽빛을 띠고 있다. 대기 중에 포함된 메탄이 붉은빛을 흡수하고 푸른빛을 산란시키기 때문이다. 해왕성은 14개나 되는 위성을 가진 것으로 알려져 있는데, 그중 트리톤이 가장 큰 위성이고 나머지는 모두 작은 위성들이다. 트리톤의 지름은 2,700km로 달보다 조금 작지만, 그

보이저 2호가 1989년에 찍은 해왕성의 크기를 지구와 비교한 것 © Wikipedia

다음으로 큰 위성인 프로메테우스의 지름은 겨우 420km밖에 되지 않는다.

1989년, 보이저 2호는 12년의 긴 여행 끝에 인류 역사상 최초로 해왕성 북극 상공 4,656km까지 접근, 해왕성 주위에서 5개의 고리를 발견했다. 이 고리는 해왕성 발견자의 이름을 따라 르베리에, 애덤스, 갈레 등으로 명칭이 붙여졌지만, 애덤스의 관측 요청을 끝내 거부한 에어리의 이름은 붙여지지 않았다. 때로 역사는 이렇게 징벌을 내리는 모양이다.

해왕성 발견의 업적을 인정받은 애덤스는 명성을 얻어 모교인 케임브리지 대학의 천문학 교수가 되었고, 41살 때는 챌리스의 뒤를 이어 케임브리지 대학 천문대장을 맡아 많은 업적을 남겼다. 에어리가 은퇴한 후에는 왕립 천문대장직을 제안받았지만 고사했으며, 해왕성 발견 공로로 기사 작위를 내리려 했지만 그것마저도 끝내 받아들이지 않았다.

르베리에 역시 해왕성 발견으로 아카데미 프랑세즈 회원이 되고, 영국 왕립학회 회원으로 선출된 데 이어 1854년에는 파리 천문대장이 되었다. 그는 1877년 프랑스 파리에서 죽었으며 몽파르나스 공동묘지에 묻혔다. 르베리에의 무덤 위에는 커다란 석제 천구의가 놓여 있다. 동시대 물리학자 프랑수아 아라고의 말처럼 르베리에는 '펜 끝으로 행성을 발견한 남자'로 기억되고 있다.

태양계의 가장 바깥 변두리를 165년을 1주기로 공전하는 해왕성은 지난 2011년에 이르러 발견된 지 딱 165년을 맞았다. 그해 9월 23일, 태양 둘레를 280억km 여행한 해왕성은 처음 발견된 바로 그 위치로 되돌아와 인류에게 다시금 그 모습을 보여주었다. 165년 전 해왕성 발견의 공로를 놓고 서로 다투던 그 사람들은 모두 사라졌지만 말이다.

20. 최고의 철학자가 밝혀낸 태양계 탄생의 기원

– 임마누엘 칸트(1724~1804)

우리가 어디서 왔는지 아는 것은 항상 유익하며,
만약 자연에서 배울 단 하나의 소중한 교훈이 있다면,
그것은 우주가 조화를 이루고 있다는 사실이다.

첫 레이모 (미국 천문학자)

임마누엘 칸트의 태양계 형성 이론

《순수이성비판》을 쓴 철학자 임마누엘 칸트의 박사학위 논문이 철학이 아니라 천문학 이론임을 아는 사람은 그리 많지 않은 것 같다. 1755년에 발표된 칸트의 학위논문은 그 제목부터가 《일반 자연사와 천체이론》이었다.

하긴 그 시대는 철학과 천문학 사이에 명확한 경계선이 없던 때이기는 했다. 하지만 칸트의 논문은 명확히 천문학에 관한 내용이었다. 그것도 우리 태양계의 생성에 관한 학설로, 흔히 '성운설'이라고 불리는 것이다. 현대 천문학 교과서에도 '칸트의 성운설'Kant's Nebula Hypothesis로 당당하게 자리 잡고 있다.

일찍이 뉴턴 역학에 매료되어 대학에서 철학과 함께 물리학과 수학을 공부했던 칸트는 틈틈이 망원경으로 우주를 관측하며 천문학을 연구한 천문학자이기도 했다. 그는 대선배인 아리스토텔레스의 세계관이 뉴턴에 의해 붕괴되는 것을 보고 새로운 시대의 우주론에 깊이 빠져들었다.

뉴턴 물리학의 등장으로 천문학은 새로운 전기를 맞이하게 된다. 천상의 천체들 역시 지구처럼 질량을 가지고 중력으로 빈틈없이 묶여 있는 물체임이 밝혀지게 되었다. 즉, 지상의 물리학은 천상에서도 적용되며, 지상의 물리학을 통해 우주의 상황을 알 수 있다는 믿음을 갖게 된 것이다. 인간의 몸은 비록 지상에 매여 있지만, 우리의 지성은 온 우주로 확장될 수 있다는 믿음이었다.

이제까지 항성천구에 붙어 있는 점으로 간주되었던 하늘의 천체들이 질량을 가진 물체라는 사실이 알려지면서 하나의 흥미로운 문제가 제기되었다. 천체들의 내력, 곧 우주의 역사라는 문제에 인류가 눈을 뜨게 된 것이다.

이전에는 사실 태양계라는 개념조차 없었다. 태양계라는 개념이 생긴 것은 17세기 말에 이르러서였다. 그럼 이 태양계는 언제 어떻게 형성되었나? 세계의 탄생과 멸망에 관한 이론들은 고대로부터 각 문명권마다 있었지만, 오랜 시간 동안 인류는 이 이론을 태양계에 접목할 생각은 하지 못했다. 그러다가 뉴턴 이후에야 비로소 천체들의 성질, 우주가 공간과 시간 속에서 역사를 갖고 있다는 생각을 하기에 이르렀고, 천체 형성에 관한 이론들이 나타나기 시작했다.

천문학자들은 천체 자체에 관한 질문들, 곧 별이란 대체 무엇이며, 태양·행성·달·혜성 등이란 무엇일까 하는 물음들을 본격적으로 던지고 있었지만, 천문학은 여전히 이 같은 질문들에 대한 답을 확실하게 내놓지 못하고 있었다.

충돌하고 합병했다는 '파국 이론'

뉴턴 사후 22년이 지난 1749년, 프랑스의 철학자이자 박물학자인 조르주 드 뷔퐁이 태양계 형성에 대한 주목할 만한 이론을 발표했다. 뉴턴에 깊이 영향을 받은 뷔퐁은 태양계는 공통의 기원을 가지고 있다고 주장하면서, 다음과 같은 중요한 단서들을 제시했다.

1. 모든 행성들은 태양의 주위를 같은 방향으로 돌며, 태양의 자전 방향도 같다.
2. 이러한 운동이 일어나는 국면들은 우주공간 속에서 모두 비슷한 상황에 있다.
3. 행성들은 태양에서 멀어짐에 따라 그 밀도도 줄어든다.

(• 이상의 3가지 중 1과 2의 2가지 사항은 위성들에게도 해당된다.)

뷔퐁은 이 모든 일은 우연으로 인한 것이며, 그 확률은 1/7,692,624이라는 계산을 내놓았다. 그리고 태양계의 기원은 혜성이 태양에 충돌해서 거기에서 물질들이 빠져나옴으로써 비롯되었다는 주장을 펼쳤다. 물질들은 중력으로 인해 뭉쳐져 둥근 형태를 이루었으며, 서서히 식어서 행성이 되었고, 더 작은 덩어리들은 위성이 되었다는 것이다.

뷔퐁의 혜성 충돌설은 최초의 본격적인 태양계 형성설로, 이로써 그는 '우주 파국 이론'의 창시자가 되었다. 이것은 2개의 천체나 체계가 서로 충돌하거나 합병함으로써 우주의 구조와 천체들이 생겨났을 거라는 이론이다. 실제로 2개의 천체가 충돌하는 것은 우주에서는 다반사로 일어나는 일이다. 심지어 은하들도 충돌하고 있다. 우리은하도 45억 년 후에 안드로메다은하와 충돌할 것으로 예상되고 있다.

칸트의 성운설

이 뷔퐁의 태양계 형성설에 크게 영향을 받은 사람이 바로 철학자 임마누엘 칸트였다. 31살 때인 1755년에 발표한 박사학위 논문《일반 자연사와 천체이론》에서 칸트는 뉴턴 역학의 모든 원리를 확대 적용하여 우주의 발생을 역학적으로 해명하려 했다. 이것이 바로 뒷날 유명한 '칸트-라플라스 성운설'로 알려진 우주 발생 이론이다.

뉴턴이 생성 운동의 기원을 신의 '최초의 일격'으로 돌린 데 반해, 칸트는 우주의 생성과 진화에 사용되는 힘들을 물질에 내재하는 중력과 척력, 그리고 그 안에서 대립되는 힘이라고 생각했다.

이 설에 따르면, 원시 태양계는 지름이 몇 광년이나 되는 거대한 원시 구름인 가스 성운이 그 기원이다. 천천히 자전하던 이 원시 구름은 점점 식어가면서 중력에 의해 중심 쪽으로 낙하하는 현상이 일어남으로써 수축이 이루어져 회전이 빨라지고, 마침내 그 중심부에 태양이 탄생되고 주변부에는 여러 행성들이 만들어졌다는 것이다. 행성들이 자전하면서 거기에서 떨어져나온 것들이 바로 위성이다. 이 칸트의 행성계 탄생 과정은 원래 태양계를 설명하기 위한 가설이었으나 현재는 전 우주에 걸친 보편적 현상으로 인정받고 있다.

칸트는 이러한 방식으로 진화론적 생각을 역학법칙에 따르는 천제운동의 과학적인 설명과 결합시켰다. 엥겔스는 바로 이 점에서 칸트가 형이상학적 세계상을 극복하는 데 큰 기여를 한 것이라 보고, "현재의 모든 천체가 회전운동을 하는 성운 덩어리로부터 발생했다는 칸트의 이론은 코페르니쿠스 이래 천문학이 이룩한 가장 커다란 진보였다"고 평했다.

칸트의 성운설은 한마디로 태양을 비롯하여 행성, 위성, 혜성들이 원초적인 근본물질들에서 분리되어 우주공간을 채웠으며, 그 안에서 형성된 천체들이 태양계 공간을 운행하게 되었다는 것이다. 칸트의 아래와 같은 추론은 현대 천문학자들의 견해에 접근하는 놀라운 예지의 소산이라 하지 않을 수 없다.

"이런 식으로 채워진 공간에서 고요함이 지속되는 것은 일순간일 뿐이다. 원소들은 서로를 움직이게 하는 힘을 가지고 있으며, 그것들 자체가 생명의 근원이다. 물질은 형태를 이루려고 분투한다. 흩어진 원소들 중 밀도가 높은 것은 가벼운 원소들을 주위로 끌어들인다."

칸트의 성운설은 행성들의 동일 평면상에서의 운동, 공전방향과 태양의 자전방향과의 일치 등을 잘 설명할 수 있다는 점에서 최초의 과학적인 태양계 기원설로 널리 받아들여졌다.

우주 진화론의 창조자

원시 태양계 형성의 얼개를 만든 칸트는 별들에 대해서도 기존의 이론들과는 사뭇 다른 주장을 펼쳤다. 직접 망원경으로 우주를 관측하기도 했던 칸트는 별들 역시 태양과 다를 바 없는 존재로, '비슷한 체계 안에 들어 있는 중심'이라고 보았다. 이로써 태양계와 별들 사이의 관계를 정립한 칸트는 한 걸음 더 나아가, 이러한 원리를 은하계로까지 확대했다.

그는 은하계가 거대한 렌즈 모양을 하고 있으며, 별들이 은하 적도 부근에 밀집해 있다고 주장했다. 그리고 우리의 항성계가 다른 우주의 체계들, 성운들과 비슷하다고 보았다.

망원경으로 밤하늘에서 빛나는 나선 형태의 성운을 관측하기도 했던 칸

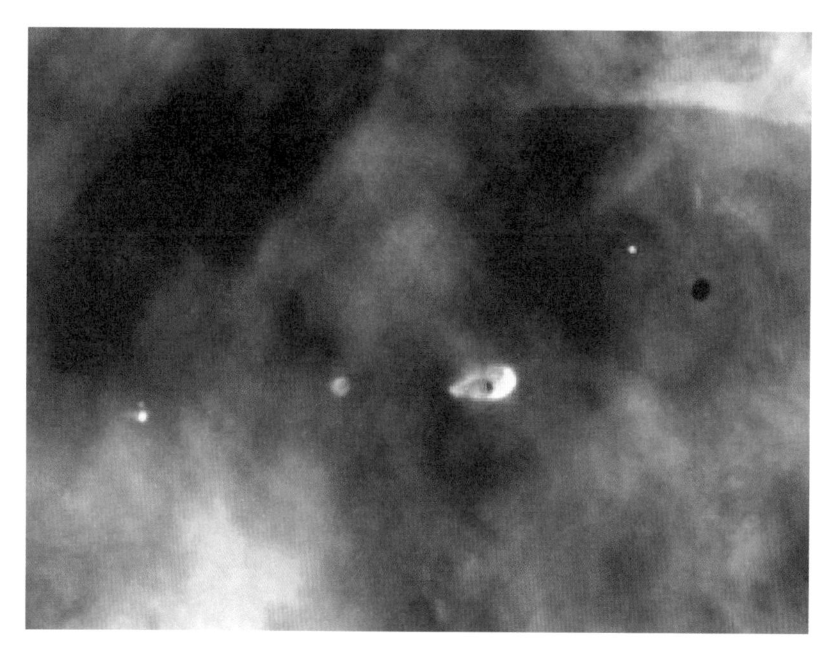

오리온 성운 내 원시 행성계 원반들을 허블 우주 망원경이 촬영한 모습. 사진에 보이는 원반의 크기는 1광년 정도로, 우리 태양이 처음 태어났을 때도 이와 비슷한 모습을 했을 것이라고 여겨진다. © Wikipedia

트는 당시 성운으로 알려졌던 안드로메다 자리의 M31*이 수많은 별들로 구성된 또 하나의 은하일 것이라는 구체적인 제안을 했을 뿐만 아니라, 이러한 나선형 성운에 '섬 우주'island universe라는 멋진 이름을 붙여주기까지 했다. 지금이야 이런 성운들이 외부 은하임이 밝혀졌지만, 당시만 해도 우리 은하 내부의 성간운星間雲(은하계 안에 존재하는 성간 물질의 집합체)이라는 주장이 널리 퍼져 있었다.

칸트의 이러한 우주 진화론은 창조자로서 신을 중심으로 한 목적론적 질서와 조화라는 견해와 모순되는 것이라고는 할 수 없었다. 오히려 칸트

* M31 : 안드로메다 은하의 메시에 번호. 《메시에 목록》은 성단-성운 목록으로 가장 많이 쓰인다.

는 이러한 자신의 시도가 우주의 기계적 완벽성을 순수하게 역학적으로 설명한 것인 만큼 신의 완전성과 합목적성의 증거가 된다고 믿었다. 칸트는 우주 진화에 대한 연구를 통해 천문학사에서도 중요한 위치를 차지하게 되었다.

그러나 칸트의 우주 진화론이 당시에 널리 받아들여지지 않았던 것은 어쩌면 당연한 일이기도 했다. 학자들은 수학적으로 계산할 수 있는 것 외에는 잘 인정하려 하지 않았기 때문이다. "더 나은 시대를 위해 유보되었던" 칸트의 진화론은 그들이 보기엔 너무 직관적이고 모호하게 비쳤던 것이다. 그러나 뒤이어 나타난 아마추어 천문학자 허셜이 놀라운 발견들을 거듭하면서 칸트의 진화론을 뒷받침했다.

'인간과 우주'를 아우른 아름다운 묘비명

157cm밖에 안 되는 자그만 키에, 80평생 고향 쾨니히스베르크(현재 러시아 칼리닌그라드)에서 100마일 이상을 나가본 적이 없으면서도 누구보다 우주를 멀리 내다보았던 사람, 하루도 빠짐없이 매일 오후 우주의 시계추처럼 일정한 시간에 산책을 다녔던 사람, 노년에 이르도록 깊이 우주를 사색했던 철학자—이런 것들이 '천문학자 칸트'를 규정할 수 있는 몇 가지 요소들이다.

여담이지만, 평생을 독신으로 살았던 칸트에게도 한 번은 결혼할 뻔한 적이 있었다. 마을의 한 처녀에게 청혼을 하여 승낙까지 받았는데, 머릿속엔 늘 생각으로 가득하고, 망설여지기도 하고, 또 깜박하기도 하여 세월을 죽이다가, 어느 날 갑자기 그 처녀와 결혼해야겠다는 생각이 들어 한껏 차려입고 처녀의 집엘 갔으나 아뿔싸! 그 처녀는 벌써 20년 전에 이사를 갔다는 것이다. 이것이 칸트 생애에 있었던 로맨스의 총량이다.

하지만 학문에서 거둔 결실은 풍성했다. 《순수이성비판》에 이어 7년 뒤에는 《실천이성비판》, 그리고 《판단력비판》을 잇달아 선보이는 등 눈부신 학문적 성취와 더불어 1786~1788년에는 쾨니히스베르크 대학의 총장에 선출되는 영예를 누렸다.

쾨니히스베르크(현재 러시아 칼리닌그라드)에 세운 임마누엘 칸트의 동상.

1804년 2월 12일 새벽, 칸트는 늙은 하인이 건넨 포도주 한 잔을 마시고는 "그것으로 좋다"Es ist gut는 말을 마지막으로 남기고 삶을 마감했다. 향년 80세.

끝으로, 놀라운 직관과 예지로 당대의 어느 누구보다 우주의 진면목에 다가갔던 칸트의 묘비명은 우주와 인간을 아우르는 아름다운 내용으로 유명한데, 그 내용은 다음과 같다.

"생각하면 할수록 내 마음을 늘 새로운 놀라움과 경외심으로 가득 채우는 것이 두 가지 있다. 하나는 내 위에 있는 별이 빛나는 하늘이요, 다른 하나는 내 속에 있는 도덕률이다."

21. 지구에서 별까지의 거리를 재다
- 프리드리히 베셀(1784~1846)

별들 사이의 아득한 거리에는
신의 배려가 깃든 것 같다.
칼 세이건 (미국 천문학자)

천문학자들의 300년 숙원사업

지구에서 별까지 거리는 얼마나 될까? 1543년 코페르니쿠스가 태양중심설을 발표하고 300년이 지난 19세기에 이르러서도 이 문제는 여전히 천문학자들을 괴롭히는 난제이자 해결해야 할 숙원사업이었다.

별까지의 거리를 아는 것이 왜 그토록 중요한 것일까? 그것은 지구 공전에 대한 가장 확실하고도 직접적인 증거이기 때문이다. 물론 갈릴레오와 뉴턴에 의해 지동설은 튼실한 뿌리를 내렸지만, 그 직접적인 증거라 할 수 있는 별까지의 거리를 알려주는 '시차'視差가 발견되지 않고 있다는 것은 참으로 갑갑한 노릇이 아닐 수 없었다.

지구가 태양의 둘레를 공전한다면 6개월의 시차를 두고 잰 별의 위치에

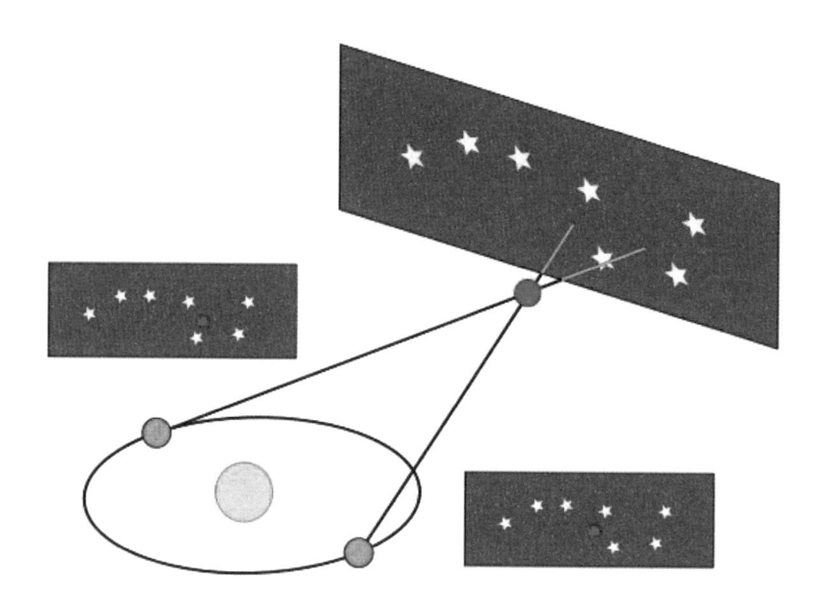

지구가 태양을 중심으로 공전운동을 함에 따라 천체를 바라보았을 때 생기는 별의 연주시차. © Wikipedia

연주시차가 발생하지 않을 수가 없다. 별의 연주시차만 발견한다면 이는 천동설-지동설 전쟁의 게임 체인저라 할 수 있었다. 뿐더러 우리가 사는 우주의 크기를 가늠해볼 수 있는 잣대이기도 했다.

지구는 태양에서 볼 때 6달 간격으로 궤도의 양끝에 위치하므로 그 양끝에서 목표 천체를 잇는 두 직선이 이루는 각도를 구하고, 그 값을 둘로 나누면 그것이 바로 연주시차다. 이것만 알면 삼각법으로 바로 목표 천체까지의 거리를 구할 수 있다.

그리하여 별의 연주시차 발견은 천문학자들의 숙원사업이 되었다. 그러나 3세기가 지나도록 수많은 사람들이 도전했지만 연주시차는 난공불락이었다. 아무리 정밀하게 측정해봐도 연주시차는 검출되지 않았다. 별은 꼼짝 않고 그 자리에 붙박여 있는 듯이 보였다.

역사상 최고의 안시 관측자로 꼽히던 튀코 브라헤도 연주시차를 발견하지 못해서 지동설을 거부하고 어정쩡한 튀코 우주모델을 주장했으며, 불세출의 관측 천문가 허셜도 평생을 바쳐 추구했지만 끝내 이루지 못한 꿈이 연주시차의 검출이었다.

지구 중심 모델을 믿는 사람들은 이것을 지구가 우주의 중심에 부동자세로 있는 증거라고 받아들였고, 태양 중심 우주모델을 지지하는 사람들은 시차가 발견되지 않는 것은 별들이 믿을 수 없을 정도로 멀리 있기 때문이라고 주장했다.

과연 연주시차는 존재하지 않는 것일까? 이 문제를 300년 만에 마침내 해결한 사람이 나타났다. 그런데 놀랍게도 천문학자가 아니라 중학교를 중퇴하고 회사의 견습사원으로 근무하면서 천문학을 독학한 프리드리히 베셀이 바로 그 주인공이다.

수줍음 많은 중퇴생 수학 천재

베셀은 허셜이 천왕성을 발견한 지 3년 뒤인 1784년에 독일의 베스트팔렌에서 태어났다. 시청 사법관 회의의 말단 관리였던 아버지와 목사의 딸인 어머니 사이에 태어난 베셀은 3남 6녀 중 차남이었고, 가난한 집안의 아홉이나 되는 아이들은 제대로 된 교육을 받기 어려웠다.

베셀은 중학교를 다닐 때까지는 별다른 재능을 보이지 않았다. 오히려 라틴어를 싫어해 14살 때 "나는 라틴어 공부는 도저히 더 못하겠어요" 하고 중학교를 그만두고, 계산에 뛰어난 소질을 살리기 위해 브레멘의 무역회사 견습사원으로 들어갔다. 7년간은 도제 기간으로서 무보수라는 조건이었다.

그는 노력파였다. 그리고 엄청난 지적 욕구의 소유자였다. 무역 업무를 위해 영어·스페인어를 배웠으며, 항해 천문학을 연구했고, 항해사 시험을 준비하는 강좌에 등록했다. 이어서 달에 의해 항성이 엄폐되는 현상을 관측하여 브레멘의 위치를 알아내는 실무 연습도 했다. 회사에서는 입사 1년 만에 그의 능력을 인정해 급료를 주기 시작했다.

베셀이 천문학에 발을 들여놓게 된 것은 항해술을 공부하기 시작한 것이 계기가 되었다. 항해술이란 배를 바다에서 정확한 항로로 항해해서 목적지에 올바르게 도착하도록 하는 기술이다. 이를 위해서는 바다 한가운데서 배가 현재 어느 위치에 있는지, 그리고 어느 방향으로 얼마나 운행해야 하는지 정확히 알아내는 기술이 필요했다. 육분의로 기준 천체의 위치를 재고, 시계를 사용하여 그것들을 결정해야 한다.

그러나 당시 독일의 선장들은 이런 천문항법을 채용하지 않고 있었다. 종래의 경험이나 지형지물을 이용한 연근해 항해만을 했기 때문에 천문항법에는 관심이 없었다. 이런 사고방식에 승복하지 않았던 베셀은 항해술 개론서를 보면서 공부해나갔다. 그러나 구면삼각법을 접해본 적도 없었고, 천문학 지식도 거의 없었던 베셀은 책을 읽어도 절반도 이해할 수 없었다. 그래서 그는 결심했다. 천문학을 공부하자!

베셀은 천문학 책을 사서 공부하면서 육분의와 소형 망원경, 진자시계를 사서 천체관측을 하기 시작했다. 그리고 드디어 성식*의 관측에도 성공했다. 낮에는 일하고 밤 9시부터 새벽 3시까지 천문학을 비롯해 미적분, 물리학 등을 주경야독하던 그에게 어느 날 하늘에서 "너는 장차 천문학자가 되어라"고 암시하는 듯한 운명의 순간이 찾아왔다. 《베를린 천문연감》을 보

* 성식(星蝕) : 천체의 빛이 행성이나 위성과 같은 다른 천체에 의하여 가려지는 일 또는 그런 현상. 일식은 달에 의하여 태양이 가려지는 것이고, 월식은 지구가 태양의 반대쪽 그림자 속에 들어가 달이 가려지는 것이다. 엄폐라고도 한다.

다가 1607년의 핼리 혜성 관측 데이터를 발견했던 것이다.

그 무렵 이미 베셀은 독학으로 미적분, 구면삼각법 등을 완벽히 정복한 뒤라서 수학에 상당한 자신감을 갖고 있었다. 그는 랄랑드의 천문 교과서와 올베르스의 《혜성 궤도 결정에 관한 가장 간단한 방법》을 독파하고, 핼리 혜성의 궤도를 구하기로 마음먹었다. 그는 2명의 관측에서 나온 데이터를 토대로 핼리 혜성의 궤도를 구하는 데 성공했다.

마침 당시 혜성 연구의 일인자였던 하인리히 올베르스가 같은 도시에 살고 있었다. 그는 브레멘에서 잘 알려진 의사이자 아마추어 천문학자로, 박물관 같은 데서 가끔 천문학 강의를 하곤 했는데 베셀도 여러 번 그의 강의를 들은 적이 있었다. 하지만 이 20살의 젊은이는 숫기가 전혀 없어서 직접 올베르스의 집으로 찾아가 초인종을 누를 엄두가 나지 않았다. 하는 수 없이 그는 퇴근하는 올베르스를 기다렸다가 그의 뒷모습을 보고는 급히 옆길로 달려가 올베르스의 앞으로 다가갔다. 그러고는 자기가 혜성의 궤도를 계산한 노트를 그에게 건네며 몇 마디 간단한 설명을 덧붙였다.

올베르스는 낯선 청년이 길을 막고 말을 건네는데도 온화하게 맞아주었다. 그는 노트를 한동안 들여다보다가 고개를 들어 베셀을 쳐다보았다. "정말 훌륭하군. 좀더 자세히 검토해보고 가까운 시일 내에 내 의견을 말해주겠네." 이때가 1804년 7월 28일 토요일로, 베셀이 막 스무 번째 생일을 맞은 며칠 뒤였다.

다음 날 일요일, 산책에서 돌아오니 많은 책과 함께 올베르스의 편지가 배달되어 있었다. 편지에는 천문 계산 중 가장 어렵다는 궤도결정을 훌륭히 해낸 데 대한 칭찬과 함께 논문을 좀 손봐서 《천문학 소식》 잡지에 싣는 것을 허락해달라는 내용이었다. 그리고 보낸 책들은 좀더 공부하라는 뜻으로 주는 선물이라는 말이 덧붙여져 있었다.

올베르스는 베셀의 논문을 일부 수정하여 유명한 천문잡지인《지구학과 천문학 촉진을 위한 월간통신》에 보내면서 호의에 찬 소개말을 덧붙였다.

"탁월한 재능을 지닌 젊은 천문학자를 귀지에 소개할 수 있게 되어 기쁩니다. 청년의 이름은 프리드리히 베셀입니다. 유감스럽게도 그는 지금 회사에 다니느라 천문학 연구에 전념할 여유가 없습니다. 이 논문을 읽은 독자는 누구라도 이 위대한 재능이 일개 회사원으로 막을 내린다면 천문학 발전을 위해 참으로 애석한 일이라고 생각할 것임에 틀림없습니다."

베셀의 이 최초의 논문은 학위논문 수준에 도달한 것이었다. 무역회사의 일개 견습사원이 이런 논문을 쓴 데 대해 사람들은 놀라워했다. 결과적으로 베셀의 인생은 이 논문 한 편으로 크게 바뀌었다. 1806년 초, 올베르스는 브레멘 근처에 있는 사설 릴리엔탈 천문대의 조수 자리를 베셀에게 주선해주었다. 쉬운 이직은 아니었다. 무역회사에서 받는 보수의 7분의 1이었다. 그러나 베셀은 조금의 망설임도 없이 릴리엔탈 천문대로 발길을 돌렸다. 이 결단을 두고 올베르스는 '과학을 위한 축복'이라며 기뻐했다.

릴리엔탈 천문대는 당시 유럽에서 최대 규모인 초점거리 9m의 반사망원경을 보유하고 있었다. 여기에서 베셀은 혜성과 행성 관측에 열정을 쏟았고, 마침내 혜성 궤도결정에 공헌했다. 베셀은 올베르스의 권고로 브래들리가 1750년에서 1762년 사이에 그리니치 천문대에서 수행했던 3,222개의 항성 위치 관측에 대해 세차·장동*·광행차 등의 영향을 보정하여 해석하고 기준별의 위치를 정했다. 이 업적으로 그는 1812년 베를린 학술원 회원

* 장동(章動) : 자전하는 물체의 회전축이 세차운동에 따라 원을 그릴 때 그 원주 위에서 일어나는 진폭이 작은 주기적인 진동을 말한다.

에 선출되었다. 천문학계가 이 젊은 학자를 주목하기 시작했다. 그는 문자 그대로 천문학계의 신성이 되었다.

그런 베셀에게 또 다른 기회가 찾아왔다. 쾨니히스베르크 대학에 건립될 국립 천문대장으로 취임해달라는 제안이 들어온 것이다. 아울러 대학의 천문학 교수직도 맡는 조건이었다. 이 대학은 얼마 전까지만 해도 성운설을 주창한 칸트가 강의하던 곳이었다.

그런데 문제가 하나 생겼다. 천문대장이 되려면 최저 조건이 박사학위인데, 알다시피 베셀의 최종 학력은 중학교 중퇴였기 때문이다. 그때 문제를 해결한 사람이 괴팅겐 천문대장이었던 가우스였다. 19세기 최대의 수학자로서 아르키메데스, 뉴턴과 더불어 역사상 3대 수학자로 꼽히는 가우스는 몇 년 전 올베르스를 통해 베셀을 소개받은 자리에서 한눈에 그의 천재를 알아보고 베셀을 좋아하게 되었다.

가우스는 베셀의 고민을 듣고는 바로 그 자리에서 "그럼 내가 베셀에게 학위를 주면 되겠네" 하고는 몇 가지 수속을 밟은 후 바로 학위를 수여했고, 대학 당국도 그것으로 만족했다.

쾨니히스베르크 천문대가 우여곡절 끝에 1813년에 완공되자 베셀은 관측을 재개했다. 목적은 주로 항성 위치를 구하는 것이었고, 여기에는 정밀한 자오환子午環(천체의 적위와 적경을 정밀하게 측정하는 기계)이 사용되었다. 1819년부터 베셀은 자격을 갖춘 학생들의 도움을 받아 5만 개가 넘는 별의 위치를 결정했다. 그중 가장 눈에 띄는 사람은 프리드리히 빌헬름 아르겔란더로서, 그는 변광성을 깊이 연구하여 변광성을 분류하는 근대적 체계를 확립한 천문학자로 기록된다.

'백조자리 61'을 잡아라!

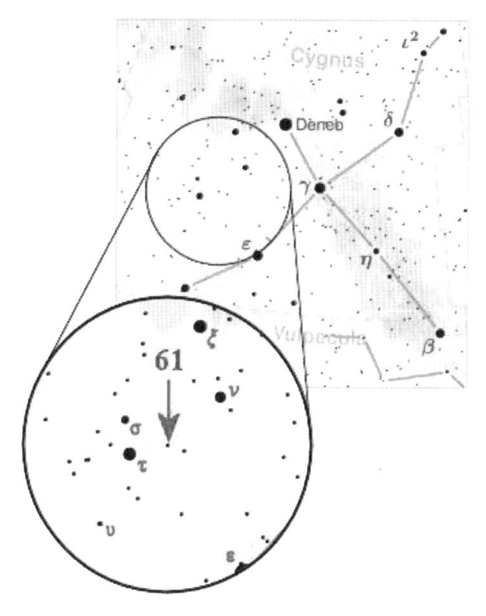

백조자리 61의 위치 © Wikipedia

항성 위치 결정을 통해 베셀은 별의 연주시차 측정에 한 발짝 더 다가서게 되었다. 천문학의 역사에서 베셀을 불후의 이름으로 올리게 한 연주시차 탐색은 1837년부터 시작되었다. 별의 연주시차는 지극히 작으리라고 예상됐던 만큼 되도록 가까운 별로 보이는 것들을 대상으로 선택해야 했다.

고유운동이 큰 별일수록 가까운 별임이 분명하므로 베셀은 광행차를 발견한 그리니치 천문대장 브래들리의 관측자료를 근거로 가장 큰 고유운동을 보이는 백조자리 61을 목표물로 삼았다. 이 별은 고유운동이 1년에 5.2초였지만, 겉보기 등급이 5~6등급으로 어두운 편이라 아무도 주목하지 않았던 것을 베셀이 굳이 선택한 것이다.

베셀은 시차를 측정하기 위해 정밀한 천문각도 측정기기인 프라운호퍼의 태양의를 사용했다. 1837년 8월에 백조자리 61의 위치를 근접한 2개의 다른 별과 비교했으며, 6개월 뒤 지구가 그 별로부터 가장 먼 궤도상에 왔을 때 두 번째 측정을 했다. 그 결과 배후의 두 별과의 관계에서 이 별의 위치 변화를 분명 읽을 수 있었다. 데이터를 통해 나타난 백조자리 61의 연주시차는 약 0.314초(1초는 3,600분의 1도)였다! 그리하여 허셜이 평생을 관측하면서도 잡아내지 못했던 별의 연주시차는 베셀에 의해 정복되었다.

이 각도는 빛의 거리로 환산하면 약 10.3광년에 해당한다. 현재 측정값인 11.4광년보다 약 9.6% 작게 잡혔지만, 당시로서는 탁월한 정확도였다. 1초에 30만km를 달리는 빛이 1년에 가는 거리는 무려 10조km에 달한다. 지구 궤도 지름 3억km를 1m로 치면, 백조자리 61은 무려 3만km가 넘는 거리에 있다는 말이다. 그러니 그 연주시차를 어떻게 잡아내겠는가? 그 솜털 같은 시차를 낚아챈 베셀의 능력이 놀라울 따름이다.

이 10광년의 거리는 사람들을 경악케 했다. 이것은 약 100조km로, 태양계(당시 천왕성 궤도 지름이 약 60억km)의 1만 5,000배에 달하는 거리였다. 베셀의 이 측정으로 태양계는 갑작스럽게 광대한 우주 속의 한 웅덩이로 축소되고 말았다. 항성 시차의 발견으로 우리가 사는 이 우주가 얼마나 광막한 곳인가를 알게 된 인류는 경악할 수밖에 없었다.

이로써 1727년 제임스 브래들리가 광행차를 발견한 후 지구 공전에 대한 두 번째 증거가 확보되었을 뿐만 아니라, 이제껏 지구 하늘을 답답하게 덮어씌우고 있던 수정 천구를 말끔히 걷어내게 되었다. 베셀은 이로써 별까지의 거리를 측정하는 데 항성 시차를 사용한 최초의 천문학자로 기록되었다.

우주의 크기를 알려준 기준별이 되어준 백조자리 61은 그후 '베셀의 별'이라는 별명을 얻었다. 또한 베셀의 항성 시차 발견과 얼마 차이 나지 않는 간격을 두고 러시아의 프리드리히 스트루베와 토마스 헨더슨은 베가(약 25.3광년)와 알파 센타우리(약 4.3광년)의 시차를 측정하는 데 성공했다.

가장 위대하고 영광스러운 성취

베셀의 이 쾌거는 우주의 광막함은 인간의 모든 상상을 뛰어넘는다는 것을 새삼 일깨워준 '사건'이었다. 베셀로부터 이와 같은 결론을 80회 생일선물로 받은 올베르스는 그에게 감사의 마음을 표시하며, "이 우주에 대한 우리의 상상력에 처음으로 굳건한 토대를 마련해주었다"면서 옛 제자의 성공을 축하해주었다.

베셀은 이 업적으로 런던 왕립천문학회 등으로부터 금메달과 표창을 받았다. 이 천문학회 학회장은 바로 윌리엄 허셜의 아들이자 유명한 천문학자인 존 허셜 경이었다. 그는 베셀의 업적을 이렇게 평했다. "베셀의 연주시차 발견은 천문학이 성취할 수 있는 가장 위대하고도 영광스러운 성공이다. 우리가 살고 있는 우주는 그토록 넓으며, 베셀로 인해 우리는 그 넓이를 잴 수 있는 수단을 발견한 것이다."

베셀의 연주시차 측정은 우주의 광막한 규모와 지구의 공전 사실을 확고히 증명한 천문학적 사건으로 커다란 의미가 있다. 별들의 거리에 대한 측정은 천체와 우주를 물리적으로 탐구해나가는 데 필수적인 요소라는 점에서 베셀은 천문학에 새로운 길을 열었던 것이다.

우선 백조자리 61까지의 거리를 알게 됨으로써 우리은하의 크기를 추정할 수 있게 되었다. 이렇게 해서 계산서를 뽑아본 결과, 우리은하의 지름은 약 1만 광년, 두께는 1,000광년으로 나왔다. 실제 크기의 딱 10분의 1이지만, 천문학에서 이 정도 오차는 아주 우수한 편에 속한다. 오늘날 우리는 우리은하의 크기가 지름 10만 광년, 두께 1만 광년이란 사실을 알고 있다.

베셀은 눈부신 업적으로 수많은 상을 받았다. 특히 영국 왕립천문학회에서 주는 금메달을 1829년과 1841년에 걸쳐 두 차례나 받았다. 베셀의 명성은 유럽뿐 아니라 영국에까지 널리 퍼져 영국으로부터 '유럽의 천문학자 베셀 귀하'라고만 쓰인 편지도 어김없이 베셀에게로 도달했다는 에피소드가 전한다.

베셀은 암으로 투병하다가 1846년 3월 17일 쾨니히스베르크에서 우주로 떠났다. 향년 62세. 이 도시는 현재 러시아의 칼리닌그라드로 이름이 바뀌었다. 올베르스의 주선으로 맨 처음 베셀의 논문을 실어주었던 천문잡지 《지구학과 천문학 촉진을 위한 월간통신》은 베셀의 죽음을 다음과 같이 전했다. "그는 통증 없이 조용한 죽음을 맞이했다. 사랑의 지킴 속에서 조용히 잠든 그는 다시는 깨어나지 않을 것이다."

베셀의 안식처는 그가 평생을 같이했던 쾨니히스베르크 천문대 근처의 공동묘지 한켠에 마련되었다. 그의 아내는 그보다 40년을 더 산 후 그의 옆에 나란히 묻혔다.

중학 중퇴로 천문학과 수학을 모두 독학으로 정복하고, 마침내 천문학의 최고봉에 오른 프리드리히 베셀. 이 같은 천문학자는 이제 다시는 나타나기 어려울 것이다. 그의 이름은 달의 맑음의 바다에서 가장 큰 크레이터와 소행성대에 있는 '1552 베셀' 소행성에 붙여졌다.

22. 별을 해부한 사람들

– 프라운호퍼(1787~1826) & 키르히호프(1824~1887) & 허긴스(1824~1910)

경이로움이 없는 삶은 살 가치가 없다.

아브라함 헤셸 (미국 신학자)

세상은 공평치가 않아서 어떤 사람은 유복한 가정에서 태어나 평생 꽃길만을 걷는가 하면, 다른 어떤 사람은 가난한 집안에서 태어나 평생을 힘겹게 살아야 하는 사람도 있다. 시쳇말로 전자를 '금수저', 후자를 '흙수저'라고 일컫기도 하는데, 여기서는 천문학 역사상 최고의 흙수저에 관한 얘기다. 소년공으로 출발한 이 불우한 젊은이의 여정을 따라가다보면 어느덧 별에게로 이어지는 아름다운 길에 서 있는 자신을 돌아보게 된다.

천문학 동네의 최고 '흙수저'

소년의 이름은 요제프 폰 프라운호퍼. 1787년 3월 6일 독일 바이에른주의 도나우 강변에 위치한 슈트라우빙에서 태어났다. 아버지는 가난한 유리공이었고, 프라운호퍼는 11명의 형제 중 막내였다. 그의 가계는 대대로 유리를 만드는 일에 종사했는데, 어린 시절부터 아버지가 하는 유리 일을 옆에서 지켜보던 프라운호퍼는 차츰 유리 세공에 흥미를 느껴 초등학교 때부터 아버지의 작업장에서 일을 거들게 되었다.

그러나 소년의 앞길에는 11살 때부터 먹구름이 일기 시작했다. 어머니가 갑자기 세상을 떠나더니, 이듬해에는 집안의 기둥인 아버지까지 잇달아 세상을 떠났다. 뒤에 남은 11명의 형제들은 공장을 유지할 수가 없어 팔아넘기게 되었고, 그래도 생활을 꾸려갈 수가 없어 뿔뿔이 흩어지게 되었다. 12살의 프라운호퍼는 학교를 중퇴하고 뮌헨의 영세한 유리거울 공장에 들어갔다. 가족들과 헤어진 슬픔보다는 먹고 잘 데가 생겼다는 데 위안을 얻어야 할 판이었다.

아버지로부터 유리 세공 기술을 익힌 소년공은 새 직장의 고용주로부터 거울과 유리에 관한 지식을 부지런히 배워나갔다. 어렸을 때부터 완벽주의자였던 그는 두뇌까지 명석하여 빠른 시간 안에 누구에게도 뒤지지 않을 만큼 숙련공이 되었다. 그러나 노동환경은 비참했고, 직장의 고용주는 소년공을 비인간적으로 대했다. 공장 건물은 오래된 데다 수리도 제대로 이루어지지 않아 언제 무너질지 모를 형편이었다. 그래도 고용주는 태평이었다.

파국은 오래지 않아 찾아왔다. 프라운호퍼가 14살이던 1801년 7월, 건물은 굉음과 함께 무너져내렸고, 건물 안의 사람들은 피할 겨를도 없이 건물 잔해에 묻히고 말았다. 고용주의 부인을 비롯해 여러 명의 사람들이 목숨을 잃었고, 프라운호퍼는 쓰러진 기둥에 다리가 깔려 부러지는 바람에 심한 출혈이 일어났다. 사람들이 몰려들어 간신히 그를 끌어냈지만 빈사 상태의 소년공 모습은 처참하기 짝이 없었다.

여기서 기적적인 반전이 일어났다. 마침 국정 시찰에 나선 바이에른 국왕 막시밀리안 1세 요제프가 부근에서 중상을 입은 소년공 이야기를 듣고 병원으로 문병을 온 것이다. 환자와 이야기를 나누면서 국왕은 소년공이 아주 명석하며 광학에 깊은 관심을 보이고 있음을 알아채고는 퇴원하면 광학을 공부하라고 장학금을 하사하면서 격려해주었다. 이것이 미래의 천문학에 한 줄기 밝은 빛을 던져준 역사적인 전기가 되었다. 물론 당시엔 국왕도 소년공도 알 수 없었지만.

프라운호퍼는 국왕의 하사금을 가지고 자신이 사용할 수 있는 유리 공작 기계와 광학 관련 책들을 사들여 무섭게 공부하기 시작했다. 그러나 곳곳에서 진도가 막혔는데, 수학 때문이었다. 12살에 학교를 떠난 프라운호퍼는 광학을 이해하기 위해서는 수학을 배워야 한다는 사실을 알게 되었고, 독학으로 수학을 공부하기 시작했다.

그 무렵 프라운호퍼가 알게 된 또 다른 사람은 당시 국왕의 정부에 상당한 영향력을 가지고 있던 기업가 우츠슈나이더였다. 그는 끔찍한 사고 직후에 프라운호퍼에게 책을 사 주었고, 1806년에는 프라운호퍼를 자신의 라이헨바흐 광학 연구소에 기사로 취직시켰다. 이 연구소에서 제작된 천체관측 기기들은 베셀, 가우스, 라플라스 등 걸출한 천문학자들로부터 크게 호평을 받았다. 프라운호퍼는 여기서 망원경 제작에 투입되어 고품질의 렌즈 제작에 전념했다.

프라운호퍼는 곧바로 재능을 인정받아서 1806년에는 작업장의 책임자가 되고, 1809년에는 광학 작업장 매니저가 되었다. 그는 이 과정에서 스위스의 유리 장인 기낭으로부터 광학기기에 필요한 정밀한 유리 제작에 대한 비법들을 배웠는데, 얼마 후에는 스승을 뛰어넘는 명장이 되었고, 이윽고 우츠슈나이더 회사의 파트너가 되었다.

굴절망원경의 렌즈는 빛이 지니고 있는 각각의 고유한 파장으로 인해 색수차를 발생시킨다. 그 결과 한 점에서 나온 빛이 광학계를 통한 다음 한 점에 모이지 않고 영상이 빛깔이 있어 보이거나 일그러지는 상을 만들어내게 된다. 뉴턴은 망원경에 렌즈를 쓰는 이상 이 같은 색수차를 피할 수가 없다고 생각한 끝에 반사경을 이용한 반사망원경을 발명했다.

그러나 많은 과학자들은 뉴턴의 생각에 동의하지 않고 색수차가 없는 색지움 렌즈를 개발했는데, 성분이 다른 렌즈를 여러 장 조합하여 각각의 렌즈의 색수차가 상쇄되도록 한 것이다. 색지움 렌즈가 개발됨으로써 렌즈의 색수차를 상당히 보정할 수 있게 되었다. 그러나 색수차를 완벽히 지우기 어려운 것은 유리의 굴절률을 정확하게 알기 힘들다는 사실에서 기인했다.

광학과 수학을 독학으로 공부해 빛의 회절* 현상을 처음으로 연구하고 빛의 파장을 계산해낸 프라운호퍼는 이런 문제를 극복하기 위해 인공 광원을 만들어 실험하기도 했으며, 1814년에는 빛의 스펙트럼 색들이 유리의 종류에 따라 어떻게 굴절하는지 알아보기 위해 망원경 앞에 프리즘을 달았다. 역사상 최초의 분광기**라 할 수 있는 것이었다. 그는 분광기를 이용해서 불에서 나오는 빛의 스펙트럼의 주황색 영역에서 밝은 선을 발견했고, 이유도 모른 채 이 선을 굴절률을 결정하는 기준으로 삼았다.

프라운호퍼는 여기에서 더 나아가 태양에도 비슷한 선이 있는가를 밝혀내기 위해 태양의 스펙트럼을 분석하는 실험을 했는데, 이 실험에서 프라운호퍼는 그의 이름을 불멸의 것으로 만든 놀라운 현상을 발견했다. 1814

* 회절(回折) : 빛이 진행 도중에 틈새기나 장애물을 만나면 빛의 일부분이 틈새기나 장애물 뒤에까지 돌아들어가는 현상으로, 파동의 한 특징이다.

** 분광기(分光器) : 물질이 방출 또는 흡수하는 빛의 스펙트럼을 계측하는 장치로, 파장 스펙트럼의 좁은 영역을 분리시켜 스펙트럼의 성격을 연구한다.

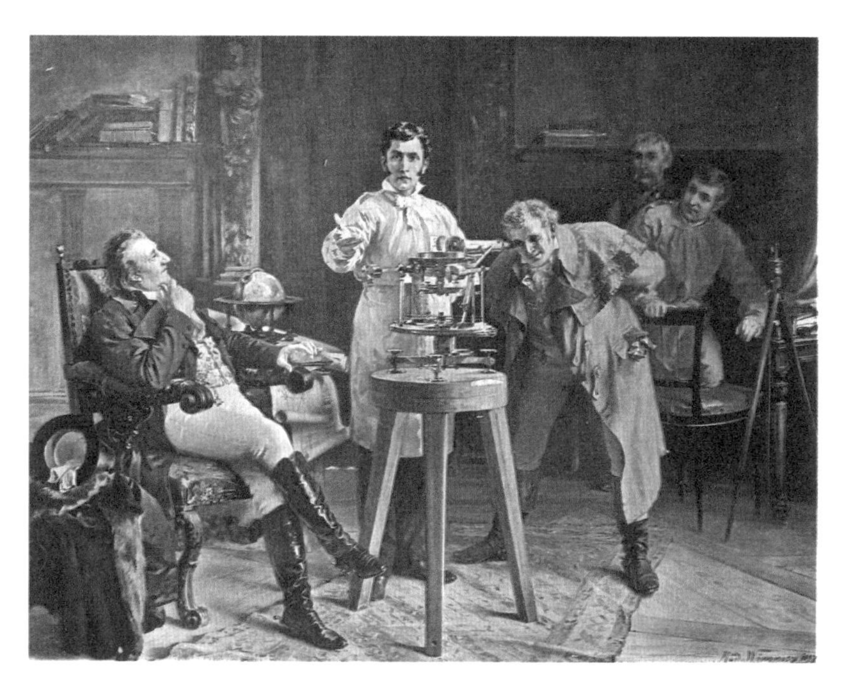

분광기를 시연하고 있는 프라운호퍼 © Wikipedia

년 프라운호퍼는 예상치 않게 태양의 스펙트럼에서 수백 개의 검은 선이 있음을 발견했던 것이다. 그의 말을 들어보자.

"헤아릴 수 없을 정도의 수많은 희미한 수직의 선들이 스펙트럼 안에 보인다. 그 중에서 몇 개는 아주 검게 보였다. 여러 가지 실험과 방법으로 확인해본 결과 이들 선과 띠는 태양빛의 성질에서 유래한 것으로, 회절 현상이나 착시에 의한 것이 아니라고 확신한다."

그는 태양 이외의 천체에 대해서도 스펙트럼 조사를 했다. 햇빛을 받아 반사하는 달과 금성, 화성을 분광기에 넣었을 때도 똑같은 선을 볼 수 있었다. 이는 달과 행성들이 태양의 빛을 반사하여 밝게 빛난다는 사실을 재확인시켜주는 것이었다.

그러나 망원경을 항성으로 겨누었을 때는 상황이 달랐다. 별마다 각기 특유의 스펙트럼을 보여주는 것이다. 그는 햇빛 스펙트럼의 세밀한 조사를 통해 모두 574개의 검은 선을 발견했는데, 이것이 바로 오늘날 '프라운호퍼선' 또는 '흡수선'이라 불리는 것이다. 프라운호퍼 이전에 영국의 과학자 윌리엄 울러스턴이 태양 스펙트럼에서 이런 검은 선을 6개 발견했지만, 프라운호퍼는 이를 수백 개로 확장했던 것이다.

프라운호퍼는 이 선들이 무엇을 뜻하는 건지 끝내 알 수 없었지만, 이것이야말로 저 천상의 세계가 무엇으로 이루어져 있는지를 밝혀낼 수 있는 열쇠로서 19세기 천문학상 최대의 발견이었다. 프라운호퍼의 검은 선이 뜻하는 것은 그로부터 한 세대 뒤 키르히호프에 의해 완벽하게 해독되었다. 그것은 바로 별이 무엇으로 이루어져 있는지를 말해주는 '원소 암호'였던 것이다.

프라운호퍼는 자신의 발견을 《완전 색지움 렌즈 망원경에 대한 여러 종류의 유리의 굴절과 분산력의 결정》이라는 제목의 논문으로 발표했다. 이 논문은 1817년 뮌헨 과학 아카데미에서 출판되었으며, 프라운호퍼는 곧바로 아카데미 회원으로 선출되었다. 학자가 아니면 선출될 수 없는 아카데미 회원에 거의 무학의 경력으로 선출된 것은 전례가 없던 일이었다.

스펙트럼 분광을 계속 연구한 프라운호퍼는 얼마 후 또 하나의 논문을 발표했다. 《광선의 상호작용과 회절에 의한 빛의 새로운 변화와 그 법칙》이라는 제목의 이 논문은 1821년 과학 아카데미에서 출판되었다. 여기에서 그는 수백 가지 스펙트럼선을 도표로 나타내고, 이들의 파장을 측정해 그 스펙트럼이 태양의 직접 광선에 의한 것이든, 달이나 다른 행성들의 반사

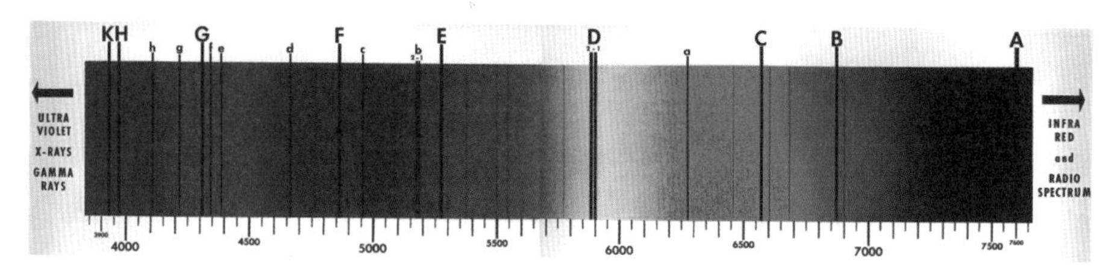

태양 스펙트럼에서 나타나는 프라운호퍼선. 프라운호퍼의 이 발견으로 우주의 화학 조성을 알 수 있는 문을 열었다.

광에 의한 것이든, 또는 기체나 가열된 금속에 의해 만들어진 것이든 간에 원소들의 스펙트럼에서 선들의 상대적인 위치는 일정하다는 것을 밝혔다.

이것은 원소의 족보와 지문을 찾아낸 놀라운 발견으로, 과학사에 프라운호퍼의 이름을 불멸의 것으로 기록되게 했다. 논문은 전 세계의 물리학자들에게 읽혀졌으며 지금까지도 읽혀지고 있다. 연속체라고 알려진 빛의 스펙트럼에 여러 검은 선들이 불규칙적으로 존재한다는 사실을 발견한 이 주제는 당시 물리학자들에게 매우 중요한 연구 주제가 되었고, 분광학이라는 새로운 학문 분야를 연 결정적인 계기가 되었다. 이로써 프라운호퍼는 분광학 천문학의 아버지로 자리매김하게 되었고, 1923년 36살의 나이로 뮌헨 대학의 교수가 되었다.

"그는 우리를 별에 더 가깝게 이끌었다!"

프라운호퍼의 업적은 망원경 제작에서도 두드러졌다. 1824년 그가 만든 구경 24cm의 굴절망원경은 세계 최정상의 성능을 자랑하는 것으로, 지구 자전 속도에 맞춰 역방향으로 회전하도록 시계 장치 모터가 장착된 것이었다. 이로써 관측자는 대물렌즈에서 빠르게 움직이는 대상을 한 점에 고정시켜 관측할 수 있게 되었다. 이 적도의식 망원경은 천문학자들로부터 갈채를 받았으며, 러시아 정부에서 바로 사들여 도르파트 천문대에 설치했다.

프라운호퍼는 또 베셀의 쾨니히스베르크 천문대를 위해 15cm 태양의太陽儀/헬리오미터를 제작했다. 이 기기는 베셀이 백조자리 61번 별의 시차를 잡아내는 데 결정적인 역할을 함으로써 우주의 크기를 엄청나게 확대하는 데 기여했다. 19세기 초의 잇따른 천문학적 발견은 대부분 프라운호퍼의 손으로 제작한 망원경에 의해 이루어졌다고 해도 과언이 아니다.

프라운호퍼는 천문학 발전에 끼친 공로로 1822년에 에를랑겐 대학교에서 명예박사 학위를 받았고, 1824년에는 바바리아의 왕으로부터 기사 작위를 받았다. 소년공 출신 흙수저의 놀라운 인간승리였다.

그러나 불운한 사나이 프라운호퍼의 행복은 오래 가지 못했다. 불우한 환경 탓에 어렸을 때부터 몸이 허약한 데다가 평생 유리와 함께 생활하는 바람에 유리가루가 폐에 차서 자리에 눕게 되었다. 폐결핵이었다. 1826년 6월 요양을 위해 이탈리아로 떠날 준비를 하던 차에 갑자기 위독해져 결국 삶을 마감하고 말았다. 겨우 39살이었다. 그의 죽음과 함께 유리 제작에 관한 많은 비법들이 함께 묻혀져버린 것으로 과학자들은 생각하고 있다.

그러나 천문학 발전에 끼친 공적으로 볼 때는 프라운호퍼는 누구에게도 뒤지지 않는 거인이었다. 그는 프라운호퍼선의 발견으로 우주를 인류 앞에 활짝 열어놓았다. 후세의 천문학자들은 이 프라운호퍼선을 도구로 하여 우주의 화학 조성을 알 수 있게 되었다. 뿐더러 각각 다른 분야를 다루던 천문학자, 물리학자, 화학자를 결합시켜 우주의 신비에 더욱 다가갈 수 있는 토대를 닦았다. 진화생물학자 도킨스는 분광기를 '인류의 가장 위대한 발명품'이라 평했다. 프라운호퍼의 분광기 덕분에 우리는 별의 성분과 별빛의 적색이동*을 관찰하고 우주의 기원을 알아내게 된 것이다.

우주가 무엇으로 이루어져 있는가를 밝히는 데 첫 주춧돌을 놓은 프라운호퍼는 뮌헨 시내에 있는 또 다른 유명한 망원경 제작자인 라이헨바흐의 묘 옆에 묻혔다. 그의 무덤 비석에는 "그는 우리를 별에 더 가깝게 이끌었다!"(Approximavit sidera)는 문구가 새겨져 있다.

'단정적인 말'의 위험성을 증명한 실증주의 철학자

수십 광년에서 수백 광년 떨어져 있는 별을 구성하는 원소가 무엇인지 과학자들은 어떻게 알까? 그것을 알아내는 마법과도 같은 방법이 있다. 바로 분광학이다. 별에서 오는 빛을 분광학적으로 분석하면 그 별이 무엇으로 이루어져 있는지 알아낼 수 있다. 별뿐만이 아니라, 지구에서 6,000만km나 떨어져 있는 금성 대기의 화학 조성도 지구에 앉아서 식별할 수가 있다.

뉴턴의 물리학이 등장한 후 사람들은 지상의 물리학이 천상의 세계에도 그대로 통한다는 사실을 알고는 환호했다. 태양과 천체들은 지구 물질과는 전혀 다른 것으로 이루어져 있다는 아리스토텔레스의 우주관은 완전히 폐기되었다.

천문학자들은 대담하게도 태양의 크기와 거리를 측량했고, 만유인력 방정식으로 그 질량을 알아냈다. 그것은 자그마치 지구 질량의 33만 3,000배였다. 이를 백분율로 나타내면 지구는 태양 질량의 0.0003%라는 뜻이다. 그도 그럴 것이, 태양을 비롯해 행성, 위성, 소행성 등 태양계의 모든 천체들을 다 합친 것에서 태양이 차지하는 비중이 무려 99.86%나 되니까. 나머지 티끌 같은 0.14%가 지구를 포함한 기타 등등이다.

여기서 당연한 의문이 제기된다. 그렇다면 태양을 이루고 있는 물질은

* 적색이동(赤色移動) : 천체 등의 광원이 내는 빛의 스펙트럼선이 파장이 긴 쪽으로 밀리게 되는 현상. 파장이 표준적인 것보다 긴 쪽은 붉은색 쪽으로 치우쳐 보인다. 적색편이(赤色偏移)라고도 한다.

무엇인가? 무엇이 저렇게 엄청난 에너지를 뿜어내고 있는가? 만유인력의 법칙이 우주의 모든 천체에 보편적으로 적용된다손 치더라도, 그것만으로 이들이 모두 똑같은 기본물질로 이루어져 있다는 것을 증명하는 것은 아니다. 방법은 하나밖에 없는 듯이 보였다. 직접 그 천체의 시료를 채취해 와서 화학적으로 분석해보는 것이다. 하지만 이것은 불가능하다.

프랑스의 실증주의 철학자 오귀스트 콩트는 1844년 인간이 경험으로는 영원히 알 수 없는 지식의 대표적인 예로 '머나먼 별의 성분'을 들면서 다음과 같이 말했다. "우리가 별의 형태, 별까지의 거리, 별의 크기, 별의 움직임을 알아낼 수는 있지만, 지금까지 밝혀진 모든 것을 가지고 풀려고 해도 절대 해명할 수 없는 수수께끼가 있다. 그것은 별이 무엇으로 이루어져 있는가 하는 문제이다."

그러나 결론적으로, 이 철학자는 입이 좀 가벼웠다. 콩트가 죽은 지 2년 만인 1859년, 하이델베르크 대학 물리학자 키르히호프가 태양광 스펙트럼 연구를 통해 태양이 나트륨, 마그네슘, 철, 칼슘, 동, 아연과 같은 매우 평범한 원소들을 함유하고 있다는 사실을 발견했다. 인간이 '빛'의 연구를 통해 영원히 닿을 수 없는 곳의 물체까지도 무엇으로 이루어졌는가를 알아낼 수 있게 된 것이다. 천문학자 칼 세이건은 그의 책 《코스모스》에서 이 일화를 소개하며, 대철학자 콩트가 하필 영원히 알 수 없는 것의 완벽한 사례로 별의 조성 성분을 꺼낸 것을 두고 "운이 나빴다"고 안타깝게 여겼다.

"옜소, 태양에서 가져온 금이오."

"별이 무엇으로 이루어졌는가를 아는 것은 불가능하다"고 단정한 철학자 콩트의 엉덩이를 보기 좋게 걷어찬 물리학자 구스타프 키르히호프는 철학자 칸트가 태어난 지 꼭 100년 만인 1824년 칸트의 고향 쾨니히스베르크에서 태어났다. 아버지 프리드리히는 법률가였다.

쾨니히스베르크 알베르투스 대학에서 전기회로를 연구한 키르히호프는 아직 학생이던 1845년 키르히호프의 전기회로 법칙을 발표했다. 이는 원래 세미나 숙제로 작성한 것인데, 결국 키르히호프의 박사학위 논문주제가 되었다.

구스타프 키르히호프(왼쪽)와 로버트 분젠(오른쪽)
© Wikipedia

졸업 후 베를린 대학 강사 등을 거쳐 1850년 브레슬라우 대학교의 교수로 부임했다. 1859년에는 열복사에 대한 키르히호프의 복사 법칙을 발표하고, 1861년에 이를 증명했다. 브레슬라우 대학교에서 함께 분광학을 연구한 적이 있는 로베르트 분젠이 1854년 키르히호프를 하이델베르크 대학 교수로 초청했다.

하이델베르크 대학으로 간 키르히호프는 분젠과 함께 여러 가지 원소의 스펙트럼 속에서 나타나는 프라운호퍼선의 연구에 몰두했다. 그는 유황이나 마그네슘 등의 원소를 묻힌 백금 막대를 분젠 버너 불꽃 속에 넣을 때 생기는 빛을 프리즘에 통과시키는 방법으로 연구를 진행했다. 그 결과, 키르히호프는 각각의 원소는 고유의 프라운호퍼선을 갖는다는 사실을 발견했다. 말하자면 원소의 지문을 밝혀낸 셈이었다.

이어서 그에게 영광의 순간이 찾아왔다. 나트륨 증기가 내보내는 빛을 분광기를 통하게 하니, 그 스펙트럼 안에 2개의 밝은 선이 나타났다. 프라운호퍼가 제작한 지도와 대조해보니 그 선들이 D1, D2의 장소와 일치했다. 프라운호퍼가 나트륨 화합물을 태웠을 때 발견한 2개의 밝은 선에 붙여놓은 기호들이었다.

여기서 키르히호프는 그의 선배보다 한 걸음 더 나아갔다. 나트륨 불꽃을 통하여 태양빛을 분광기에 넣었더니 스펙트럼 안의 밝은 선이 있었던 장소가 어두운 D선으로 바뀌는 게 아닌가! 이는 어떤 특정한 파장의 빛이 나트륨 가스에 흡수되어버렸음을 뜻하는 것이었다. 다시 말해, 이 D선은 태양 주위에 나트륨 가스가 존재한다는 것을 증명하는 것이다. 그는 "해냈다!"고 외쳤다. 이것이 바로 반세기 전 프라운호퍼가 그토록 알고 싶어한 수수께끼였던 것이다.

키르히호프는 다음 과제로, 태양광 스펙트럼에서 보이는 검은 선들이 어떤 원소들의 것인가를 조사한 결과 마그네슘, 철, 칼슘, 동, 아연 등 30개의 원소들을 찾아냈다. 콩트가 죽은 후 2년 뒤인 1859년, 그는 이 같은 사실을 발표했다. 이로써 키르히호프는 태양을 최초로 해부한 사람이 되었고, 항성물리학의 기초를 놓은 과학자로 우뚝 섰다.

키르히호프는 2년 뒤 스펙트럼 분석을 통해 새 원소 루비듐과 세슘을 발견하는 등 천문학과 물리학 발전에 크게 공헌했다. 전기회로와 열역학 분야에서 서로 다른 2개의 키르히호프 법칙은 그의 이름을 딴 것이다. 그는 자체의 열에 의해서 방출되는 빛의 스펙트럼 분포를 설명하는 경험적인 3개의 가설을 제안했는데, 이는 훗날 보어 모형과 양자역학으로 설명되게 되고, 양자론의 발전에 토대가 되었다.

1. 뜨거운 고체는 연속적인 스펙트럼 분포를 갖는 빛을 생성한다.

2. 뜨겁고 희박한 기체는 기체의 에너지 준위에 따라 달라지는 띄엄띄엄 놓인 몇 개의 스펙트럼선으로 나타나는 스펙트럼 분포를 갖는다.

3. 뜨거운 고체와 고체를 둘러싼 고체보다 차가운 기체 전체가 복사하는 빛은 거의 연속적인 스펙트럼 분포를 갖지만, 기체 원자의 에너지 준위에 따라 달라지는 띄엄띄엄 떨어진 파장만큼의 빈 간격을 갖는다.

전기회로, 분광학, 흑체 복사 등의 분야에 뚜렷한 족적을 남긴 키르히호프는 1862년에 흑체라는 말을 처음 만들어낸 장본인이다. 그러나 태양이 무엇을 태워서 저처럼 막대한 에너지를 분출하는지, 그 에너지원이 밝혀지기까지는 아직 1세기를 더 기다려야 했다.

여담이지만, 키르히호프가 거래하던 은행의 지점장은 자기 고객이 태양에 존재하는 원소에 관한 연구를 하고 있다는 말을 듣고는 이렇게 한마디 했다고 한다. "태양에 아무리 금이 많다고 하더라도 지구에 갖고 오지 못한다면 무슨 소용이 있겠습니까?" 이 말을 들은 키르히호프는 훗날 분광학 연구 업적으로 대영제국으로부터 메달과 파운드 금화를 상금으로 받게 되자 그것을 지점장에게 건네며 말했다고 한다. "옜소. 태양에서 가져온 금이오."

아마추어 천문가로 출발해서 당대 최고의 천문학자가 된 사람

프라운호퍼에게서 방출된 스펙트럼이 키르히호프를 거쳐 또 한 사람에게 가서 만개했는데, 그가 바로 아마추어 천문가로 입신하여 나중엔 왕립학회 회장까지 역임한 윌리엄 허긴스였다.

1824년 런던의 번화가 콘힐에 있는 옷감가게의 아들로 태어난 허긴스는 몸이 허약해서 학교를 중퇴한 후 가정교사에게 지도를 받았는데, 특히 과학에 깊은 흥미를 보였다. 그가 천체관측을 시작한 것은 18살 때 15파운드로 천체망원경을 사면서부터였다. 하지만 런던 한복판에서 만족스러운 천체관측을 한다는 것은 어려운 일이었다.

더욱이 그는 18살에 가업인 옷감가게 운영을 떠안게 되었다. 하지만 관심은 늘 하늘에 가 있었던 허긴스가 가업을 오래 붙잡고 있을 수는 없었다. 다행히 아버지로부터 많은 유산을 물려받았던 그는 10년 정도 사업을 경영하다가 정리하고는 런던 근교 툴스힐에 사설 천문대를 세웠다. 돈을 아낌없이 쏟아부어 지은 그의 천문대 설비는 세상의 화제가 되었다. 천체관측에 매진한 그는 28살인 1852년에는 왕립천문학회에 가입할 정도가 되었다.

당시 최고의 품질을 자랑하는 클라크의 구경 20cm 굴절망원경을 설치하고 행성관측에 열중하던 허긴스에게 1859년 귀가 번쩍 띄는 소식이 들려왔다. 독일의 키르히호프가 태양 스펙트럼의 프라운호퍼선을 통해 태양 대기의 화학적 성분을 알아낼 수 있었다고 발표했던 것이다. 허긴스는 그 순간 "메마른 땅에서 샘물이 솟아나온 것과 같은 굉장한 뉴스"라고 생각하고 "이 방법을 항성에 적용하면 재미있겠다"고 직감했다.

당시는 분광기가 과학 기구로 유통되던 때도 아니어서 허긴스는 2장의 프리즘을 이용해 직접 분광기를 제작해서 자신의 20cm 망원경에 달고 항성 스펙트럼을 관측하기 시작했다. 그것은 어려운 작업이었다. 분광기를 통해 보면 별은 점으로 보이지 않고 바람에 흔들려 일렁이는 긴 고리로 보인다. 거기에서 스펙트럼선을 검출하기란 여간 까다로운 일이 아니었다. 허긴스는 이웃에 사는 킹스대학 화학교수 윌리엄 밀러의 도움을 받아 스펙트럼을 분석하고 함께 연구했다. 두 사람의 공동작업이 거둔 성과는 놀라운 것이었다.

먼저 그들은 항성 스펙트럼을 분석한 결과, 밝은 항성은 태양과 같은 구

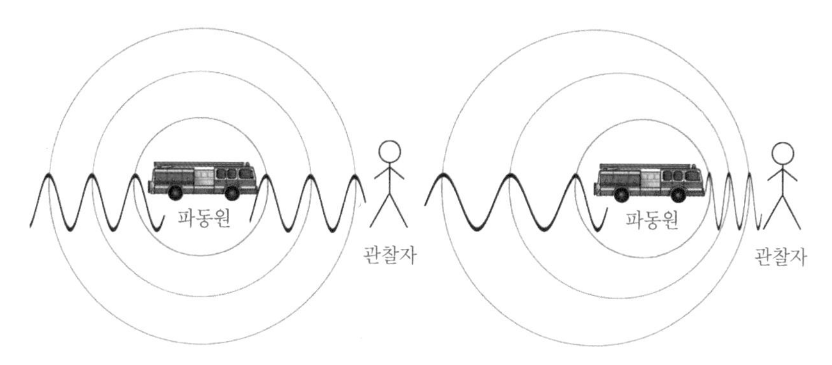

도플러 효과란 어떤 파동의 파동원(Source)과 관찰자(Observer)의 상대적인 속도에 따라 진동수와 파장이 바뀌는 현상을 말한다. 사이렌을 울리는 소방차가 옆을 지날 때 확인할 수 있다.

조이지만 화학 조성에는 상당한 차이가 존재한다는 사실을 밝혀냈다. 이어서 1864년 8월, 최초로 행성상 성운의 스펙트럼을 측정했다. '고양이 눈 성운'이라고 불리는 NGC 6543을 분석한 결과, 행성상 성운이 뜨거운 기체로 이루어진 천체이며 항성이 아니라는 것을 최초로 증명했다. 즉, 오리온 성운과 같은 일부는 가스의 순수한 방출 스펙트럼 특성을 갖는 반면, 안드로메다 은하와 같은 다른 것들은 별의 스펙트럼 특성을 갖는다는 것을 보여줌으로써 성운과 은하를 구별한 최초의 천문학자가 되었다.

당시 '성운은 미지의 성질을 가진 빛의 흐름'이라는 허셜의 견해가 통용되고 있던 천문학계에 이러한 허긴스의 새로운 발견은 큰 충격파를 던졌다. 게다가 항성이 태양과 같은 구조라는 것도 놀라운 사실이었다. 하늘의 별들은 알고보니 바로 태양의 형제들이었던 것이다.

독학의 천문학자 허긴스의 장점은 기존의 어떤 관념에도 얽매이지 않는 유연한 머리였다. 도플러 효과가 발표되고, 운동하는 별의 스펙트럼선은 그 별이 정지해 있을 때 보이는 위치에서 어긋나게 된다는 견해가 제시되자, 허긴스는 즉시 그 관측에 착수했다.

1868년에 허긴스는 시리우스에서 적색이동을 검출하는 데 성공했다. 시리우스의 스펙트럼이 모두 파장이 0.15% 정도 긴 쪽으로 이동해 있는 것을 발견한 것이다. 허긴스는 도플러가 제안한 방정식을 이용해서 시리우스가 초속 29~35km 속도로 멀어지고 있다고 결론지었다. 현재 알려진 참값인 8km에 비하면 한참 큰 값이지만, 육안 관측에만 의존하던 당시의 사정을 감안한다면 용인될 만한 한도였다.

허긴스는 또 항성 분광 사진술을 발명하고, 1864년 이후로 밝은 별들에 대한 분광 사진 관측을 실시하여, 항성 대기의 화학적 성분과 물리법칙이 전 우주에 걸쳐서 관통하는 보편적인 것임을 확인함으로써 항성천문학에 새로운 장을 열었다.

별이 맺어준 별지기 부부

허긴스의 업적에 대해서 다양한 영예가 수여되었다. 1865년 6월 왕립학회 회원으로 선출되었으며, 1867년 윌리엄 밀러와 공동수상한 왕립천문학회의 금메달을 비롯해 많은 메달을 받았고, 정규 교육을 받지 않았음에도 불구하고 지식인 최고의 영예인 왕립천문학회 회장, 왕립학회 회장을 역임했다. 또한 1885년에는 다시 단독으로 왕립천문학회의 금메달을, 1898년에는 세계에서 가장 오래된 과학상인 왕립협회의 코플리 메달을 받았다. 이 메달은 다윈, 아인슈타인, 호킹 등이 받은 권위 있는 상이다.

빅토리아 여왕으로부터 받은 나이트 커맨더 기사 작위 수여 표창에는 다음과 같은 이색적인 문구가 포함되어 있다. “허긴스의 위대한 기여에 대하여 영예가 수여된다. 그는 아내의 도움을 받아 천체물리학이라는 새로운 과학을 수립했다.” 과학자의 업적에 주는 표창에 “아내의 도움을 받아”와 같은 문구가 들어간 것은 전무후무한 일이었다. 이후로 허긴스는 허긴스 경으로, 그의 아내 마거릿 린제이는 레이디 허긴스로 불려졌다.

마거릿 린제이는 대체 남편을 위해 무슨 일을 했기에 이런 찬사를 듣게 된 것일까? 린제이와 허긴스는 하늘이 정해준 짝이라고 해도 지나친 말은 아닐 것이다. 왜냐하면 두 사람은 별을 인연으로 해서 만났기 때문이다.

1848년 더블린에서 변호사를 아버지로 하여 태어난 마거릿은 어렸을 때 어머니를 여의고 아버지가 재혼하는 바람에 홀로 외롭게 자랐다. 다행히 부유한 은행가였던 할아버지는 천문학에 관심이 많은 편이라 어린 손녀에게 별자리를 가르쳤다. 외로운 마거릿 역시 밤하늘의 별을 친구 삼아 즐겨 별을 관측했다. 그러다가 마거릿은 손수 만든 망원경으로 별을 관측하기에 이르렀다.

그녀가 17살일 때, 월간잡지 《굿워즈》Good Words에서 '분광기 만들기'라는 기사를 보고는 직접 분광기를 만들어 자기가 관측하던 망원경에 달아 처음으로 태양 스펙트럼을 보았다. 스펙트럼 안에서 프라운호퍼선을 직접 본 마거릿은 감격과 흥분을 감출 수 없었다. 뉴턴도 보지 못했던 태양 스펙트럼선을 17살 소녀가 직접 만들어서 보았다는 사실은 그녀를 흥분시키기에 충분했다.

마거릿은 분광기 제작 기사를 쓴 이름 모를 필자에게 "고맙습니다. 나는 프라운호퍼선을 분명 보았습니다"라는 감동을 담은 편지를 잡지사를 통해 보냈지만, 오랜 시간이 흘러도 그 필자로부터 기다리던 답장은 끝내 오지 않았다.

그렇게 10년이 흘렀다. 성숙한 처녀로 성장한 마거릿은 우연한 기회에 운명적으로 그 필자를 만나게 되었다. 그는 이미 유명한 천문학자가 되어 있었다. "내가 그 기사를 썼지요. 윌리엄 허긴스라 합니다."

윌리엄 허긴스(왼쪽)와 마거릿 허긴스(오른쪽) 부부 © Wikipedia

그러나 그 필자는 27살의 처녀가 상상하던 남자는 아니었다. 50줄에 접어든 초로의 독신남이었다. 두 사람 사이에는 무려 24년이라는 나이 차이가 있었지만, 그러나 사랑의 화학 반응을 일으키는 데는 전혀 문제가 되지 않았다. 반짝이던 별을 보던 두 사람의 눈은 서로의 눈에서 반짝이는 사랑을 보게 되었고, 자연스레 결혼으로 이어졌다. 그후 35년간 두 사람은 부부로 지내면서 공동 관측자로 활동하고 책도 같이 썼다. 허긴스가 기사 작위 수여 당시 표창에 씌어진 "아내의 도움을 받아"라는 문구는 하나도 틀림없는 사실이었던 것이다.

만약 마거릿이 없었다면 허긴스의 업적은 어려웠을지도 모른다. 허긴스는 늘 아내의 도움을 많이 받았다면서 겸손해했다고 한다. 분광학과 항성천문학 등의 분야에서 10여 권의 저작을 남기고 브리태니커 백과사전 제11판에 기고하기도 한 마거릿 역시 어엿한 천문학자로 인정받아 왕립학회 명예회원이 되었다.

1910년 허긴스는 런던 툴스 힐에 있던 자택에서 영면했다. 마거릿은 남편이 떠난 후 조용한 곳으로 거처를 옮겨 남편의 전기를 집필하던 중 건강이 나빠져 67세의 나이로 남편 곁에 묻혔다. 1915년, 남편이 떠난 지 5년 만이었다. 《런던 타임스》에 게재된 마거릿 허긴스의 부고 기사에서 천문학자 리처드 프록터는 마거릿을 '분광기의 윌리엄 허셜'로 평가한 것으로 밝혀졌다.

그러나 허긴스의 발견 중 가장 위대한 발견이었을지도 모르는 마거릿과의 만남은 따지고보면 프라운호퍼의 스펙트럼이 맺어준 인연이라 하겠다. 그런 의미에서 혹시라도 허긴스가 저승에서 프라운호퍼를 만났다면 크게 사례하지 않았을까 하는 생각도 든다.

23. 별의 일생을 추적한 두 남자
– 헤르츠스프룽(1873~1967) & 러셀(1877~1957)

천문학자는 낭만주의자다.
우주를 이해하지 못하면 나 자신을 이해할 수 없다고 믿는다.
울리히 뵐크 (독일 천문학자)

별도 생로병사를 거친다

지금으로부터 1만 년 전 구석기인이 보던 밤하늘이나 지금의 밤하늘은 거의 변화가 없이 그대로다. 별들이 밤하늘에 그리는 별자리 그림은 1만 년 전이나 지금이나 다를 바가 없다는 말이다. 그래서 사람들은 별을 영원의 상징으로 생각했다.

17세기에 접어들면 별이 태양과 같은 존재라는 사실이 천문학자 사이에서 정설로 받아들여지게 된다. 에드먼드 핼리는 지구 근처 '고정된' 항성 한 쌍이 고유운동을 보이는 것을 측정했다. 이 별들은 고대 그리스 천문학자 프톨레마이오스와 히파르코스가 살던 시절의 자리로부터 일정량 이동했음을 알아냈던 것이다.

그리하여 인류는 세상의 일체무상이 별에게도 적용된다는 사실에 눈뜨게 되었고, 별들 역시 우리 인생처럼 생로병사를 거치는 유한한 존재임을 알기에 이르렀다. 비록 그 수명이 몇십억, 몇백억 년으로 장구하기는 하지만.

이 별들의 일생을 우연히 같은 시기에 추적한 두 남자가 있었다. 천문학 책에서 가장 유명한 그림표를 들라면 단연 '헤르츠스프룽-러셀 그림표'일 것이다. 항성의 진화를 얘기할 때 언제나 등장하는 이 그림표는 덴마크의 아이나르 헤르츠스프룽과 미국의 헨리 노리스 러셀이 각각 독자적으로 만든 것으로, 줄여서 'H-R도'라고도 한다. 두 사람이 제1차 세계대전이 일어나기 전 독자적인 연구를 통해 개발한 그림표라 두 사람 이름이 같이 들어간 것이다.

유언대로 '효'를 실천한 헤르츠스프룽

H-R 그림표는 한마디로 별들의 생로병사의 여정이라 할 만한 것으로, 별의 등급과 항성의 진화, 다시 말해 별의 탄생에서 죽음에 이르기까지 별의 일생을 보여주는 것이다. 이 유명한 도표에 이름을 올린 헤르츠스프룽은 천문학 전공자가 아니라 화학을 전공한 사람이었다. 그런 그가 어떻게 천문학으로 옮겨와 이처럼 놀라운 업적을 이루게 되었을까?

헤르츠스프룽은 1873년 덴마크 코펜하겐 근교에서 태어났다. 아버지는 천문학을 전공하고 학위까지 갖고 있던 천문학자였다. 하지만 그는 배고픈 천문학자의 길을 버리고 보험업에 뛰어들어, 젊은 나이에 국영 생명보험회사의 총지배인이 된 현실적이고도 유능한 사람이었다. 헤르츠스프룽은 아버지로부터 수학과 천문학을 배우기는 했지만, 천문학자가 되는 것은 꿈도 꾸지 말라는 엄한 가르침도 함께 받았다.

헤르츠스프룽은 부모님 말을 잘 듣는 착한 아들이었음이 곧 드러났다. 20살 때 아버지가 세상을 떠나자 곧바로 비싼 천문학 책들을 모조리 헌책방에다 팔아버리는 효를 실천했다. 그리고 자신은 보다 실용적인 직업인 화학자가 되기로 결심하고, 코펜하겐 공과대학에 들어가 화학을 전공했다.

대학을 졸업하고 러시아와 독일 등지에서 화학 기사로 몇 년간 밥벌이하던 그는 1902년 귀국하더니 느닷없이 천문대로 들어가 천문학 연구를 시작했다. 아니, 왜? 화학으로 밥벌이 잘하던 그가 무슨 일로 아버지가 그렇게 말리던 천문학에 뛰어든 것일까? 그렇게 말 잘 듣던 아들이? 거기에는 당연히 그럴 만한 이유가 있었다.

19세기 말에서 20세기 초의 천문학계를 살펴보면, 망원경에 의한 천체 관측이 한계에 도달했다는 분위기가 짙어가는 가운데 새로운 천문학이 태동하고 있었다. 바로 천체물리학이다. 천체의 위치 결정과 운동을 주로 다루는 고전 천문학인 위치천문학에 비해 천체물리학은 항성의 내부 구조와 항성 대기, 항성 진화 등을 다루는 분야이다. 말하자면 천체를 발가벗겨 안과 밖을 들여다보고 분석하는 학문으로, 여기에는 화학과 물리 같은 인접 학문의 접목이 필수적이었다. 그리고 사진술이 광범하게 활용되어 스펙트럼형에 따른 항성 분류법이 개발되고 있었다.

헤르츠스프룽이 바로 이 대목에 걸려든 것이다. 라이프치히 연구소에서 광화학을 연구하던 그는 당시 천문학자들이 사진을 이용해 별의 스펙트럼을 연구하고 있다는 사실에 주목했다. 그는 사진술에도 정상급이었기 때문에 흑체복사* 이론과 항성 스펙트럼형의 관계를 연구하는 데는 자신이 적격자라고 생각했다. 그토록 피하려 했던 천문학계에 그는 이렇게 돌아온

* 흑체복사(黑體輻射) : 흑체에서 방출되는 열복사. 온도와 상관관계가 있어서 어떤 물체에서 방출되는 복사에너지나 색을 측정하면 그 물체의 온도를 알 수 있다.

것이다. 그후 천문학에서 그가 일구어낸 업적을 보면, 그것은 시대의 부름이었음을 알 수 있다.

서로를 칭찬한 두 경쟁자

헤르츠스프룽은 걸출한 아마추어 천문학자 닐센이 세운 우라니아 천문대에서 항성 사진을 열정적으로 찍기 시작했다. "(흑백)사진으로 별의 색을 측정하려 한다"고 닐센에게 놀림을 받을 정도였다.

그의 노력은 3년 뒤 《항성의 복사에 대하여》란 논문으로 나타났다. 이 연구에서 그는 별의 고유운동과 밝기의 관계에서 별의 스펙트럼으로 그 별의 실제 광도를 측정하는 방법을 발견했다. 실제 광도와 겉보기 광도를 비교하면 그 별까지의 거리가 구해진다. 따라서 스펙트럼에서 별의 실제 광도를 측정하면, 삼각시차법으로 구할 수 없는 먼 별의 거리도 얻을 수 있는 것이다. 이는 현대 천문학의 토대를 이루는 획기적인 방법으로, 오늘날 분광시차법의 기초가 되었다.

헤르츠스프룽의 발견 중에는 또 하나 중요한 것이 있었다. 시차와 겉보기 등급, 고유운동, 색에 대한 관계를 조사한 결과, 항성에는 두 종류가 있음을 알게 되었다. 하나는 오늘날 H-R그림표에서 주계열성이라 불리는 것이고, 다른 하나는 아주 밝은 거성이다.

이 무렵 미국에서도 이와 비슷한 주제를 연구하는 천문학자가 있었다. 프린스턴 대학의 헨리 러셀은 시차가 알려진 별들을 조사하는 과정에서 별의 스펙트럼형과 절대등급* 사이에 뚜렷한 상관관계가 존재한다는 사실을 알게 되었다. 즉, 별이 청백색에서 황색, 적색으로 갈수록 어두워지는 것이

* 절대등급 : 별을 일정한 거리 10pc(32.6광년)에 있다고 가정하고 환산한 등급.

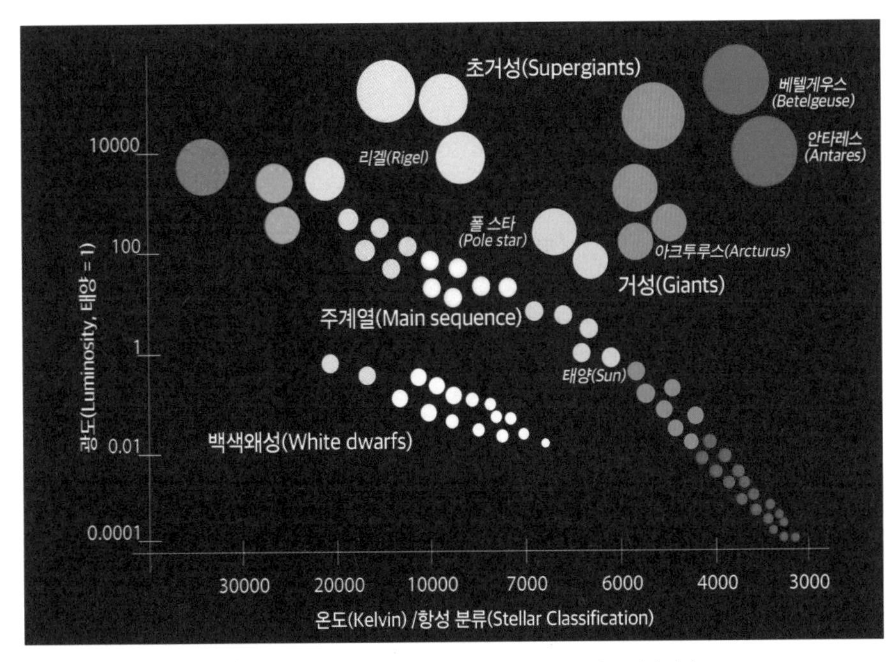

헤르츠스프룽-러셀 그림표. 별이 일생 동안 가는 행로가 그려져 있다.

다. 이는 당시의 관념과는 어긋나는 사실이었다. 당시에는 붉은 별은 멀리 있기 때문에 어두운 것이며, 실제로는 매우 밝은 별이라고 생각했다.

러셀의 연구에서도 별의 진화 과정은 자세히 밝혀졌다. 거성들은 평균적인 질량을 가지고 있되, 지름이 거대하기 때문에 엄청난 에너지를 뿜어낸다. 그리고 붉은색 거성들은 큰 지름을 가지며 온도가 낮은 초기 진화 단계에 해당된다. 그다음에는 수축과 팽창을 거듭하면서 점차 작아진다. 이 과정은 이미 150년 전 칸트가 제시했던 이론과 일치한다. 칸트는 가스 구름이 중력수축하면서 이윽고 별이 되고 이것이 진화의 과정을 밟는다고 예측했던 것이다.

러셀과 헤르츠스프룽은 1913년 영국 왕립천문학회 모임에서 만나 서로의 연구 내용이 흡사한 것을 알고 깜짝 놀랐다. 러셀은 헤르츠스프룽이 자신이 그린 것과 아주 비슷한 그림표를 이미 작성했다는 사실을 알고, "헤르츠스프룽이야말로 내가 제시한 그림을 먼저 만든 사람이고, 나의 이론이 옳음을 증거하는 것이다"라고 말했다. 헤르츠스프룽 역시 친구에게 보낸 편지에서 "이 복잡한 문제를 최근의 잡지에서 쉽게 이해할 수 있도록 표시한 러셀이야말로 위대한 공로자이다"라고 상찬했다.

튀코에 필적하는 20세기 최고의 관측 천문학자

이들의 연구는 나중에 항성 진화단계를 표시하는 헤르츠스프룽-러셀 그림표로 확립되어 모든 천문학 책에 빠짐없이 실리는 도표가 되었다. 이 그림표에 나타난 별의 일생을 따라가보면, 가스 구름에서 태어난 별은 생애의 대부분을 주계열의 특정 지점에 머문다. 그림표의 좌측 상단(뜨겁고 밝은)에서 시작해서 우측 하단(차갑고 어두운)으로 이어지는 대각선 부분이다. 이 기간이 별의 전성기이다.

시간이 지남에 따라 별들은 위에서 아래로 질서 있게 주계열을 벗어난다. 크고 뜨거운 별들은 연료를 빨리 소모하는 반면, 작고 차가운 별들은 연료를 천천히 태워 더 오래 산다. 몇십억 년밖에 못 사는 큰 별이 있는가 하면, 작은 별들은 몇백억 년을 살기도 한다.

젊은 별들도 나이가 들면 적색거성이 되어 오른쪽 위의 구석자리로 옮아간다. 이후로 밝기가 수시로 변하는 불안정한 기간을 보내게 된다. 그리고 마침내 왼쪽 아래 구석자리로 밀려나 별의 일생이 끝난다. 거기가 별들의 무덤인 것이다. 태양은 주계열상에 있으며, 광도 1(절대등급은 대략 5), 5,800K 주변에 있다.

천문학 발전에 기여한 헤르츠스프룽의 공헌은 여러 차례 그에게 영예를 안겨주었다. 1929년에는 영국 왕립천문학회의 금메달이 주어졌으며, 1937년에는 태평양천문학회로부터 천문학 분야에서 일생 동안 탁월한 공헌을 한 사람에게 수여하는 브루스 메달을 받았다.

90살이 지나도록 관측의 열정을 그대로 갖고 있었던 헤르츠스프룽, 그는 1944년 은퇴 후 고국 덴마크로 돌아가서도 20년 이상 열정적으로 쌍성의 사진관측을 하다가 94살의 고령으로 별세했다. 그의 죽음을 애도하는 추도사에서 "튀코 브라헤에 필적하는 20세기 최고의 관측 천문학자"라는 찬사를 들은 이 사람의 살아온 내력을 따라가보면 사람의 운명이란 예초부터 정해져 있는 게 아닐까 하는 생각도 든다.

애초에 천문학자가 될 생각이 전혀 없었던 헤르츠스프룽은 운명의 이끌림으로 천문학으로 돌아와, 누구보다도 열정적으로 관측하고 연구한 끝에 현대 천문학사에 뚜렷한 발자국을 남겼다. 인생의 대부분을 망원경과 사진건판 앞에서 보냈던 그가 후학들에게 남긴 좌우명은 이렇다. "좋은 관측이 있어야만 훌륭한 이론이 탄생한다."

24. 노벨상 수상을 앞두고 타계한 비운의 여성 천문학자
– 헨리에타 리비트(1868~1921)

영원의 관점에서 사물을 생각하는 한 마음은 영원하다.

스피노자 (네덜란드 철학자)

천문학의 역사에서 가장 불운한 천문학자를 꼽자면 단연 독일의 요하네스 케플러겠지만, 그 여성판은 바로 미국 천문학자 헨리에타 스완 리비트이다.

두 사람 다 가난과 병마에 시달린 것도 꼭 닮았다. 케플러는 워낙 약골로 태어나 평생 병을 달고 살았을뿐더러 복시까지 겹쳐 제대로 천체관측을 할 수조차 없었다. 리비트 역시 그녀를 따라다닌 병마로 인해 대학 졸업 무렵부터 청력이 급격하게 감소되어 평생 청각장애를 안고 살았다.

리비트는 우주를 재는 줄자 '표준촛불'을 발견한 업적에도 불구하고 말년에 가난과 병마에 시달리다가 일찍 세상을 떠났다. 지금부터 이야기는 이 불우한 청각장애 여성 천문학자의 일생에 걸친 분투기라 할 수 있다.

별을 세는 여자들

헨리에타 스완 리비트는 1868년 미국 매사추세츠 주 랭커스터에서 목사의 딸로 태어났다. 남북전쟁이 끝나고 3년이 지난 때였다. 이 무렵 한국은 구한말로 프랑스, 미국이 통상을 요구하며 강화도를 침략해 병인-신미양요를 일으키고, 일본이 운요호를 끌고와 강화도에 포격을 퍼부으며 개국을 강요하던 시점이다.

그녀는 1892년 여자 문리과 대학인 래드클리프 대학에서 학사 졸업했다. 이 대학은 나중에 하버드 대학에 합병되었다. 리비트는 대학 4년째가 되어서야 천문학 강의를 듣기 시작했는데, 문과임에도 불구하고 'A-'를 받았다.

1893년, 리비트는 하버드 대학 천문대의 에드워드 찰스 피커링에게 고용되어 한 무리의 여성 계산수의 일원으로 근무하기 시작했다. 여성들만 근무하는 곳이라고 해서 '피커링의 하렘'이라는 별명을 얻었다. 이 여성들이 하는 일은 천문대에 무더기로 쌓여 있는 사진건판들에 나타난 항성들의 밝기를 확인하고, 비교분석하고, 분류하는 작업이었다.

이것은 무척이나 단조로운 일로 '천문학의 바느질'이라고 불렸다. 천문대에서 이 일에 여성들을 고용한 것은 낮은 임금 때문이었다. 시급 30센트였던 천문학계의 기층민이었던 이들을 '컴퓨터'라고 불렀다. 그러나 단조롭기 한량없는 그 작업이 그녀의 영혼을 구원해주었을지도 모른다.

1900년, 리비트는 집안이 위스콘신으로 이사가는 바람에 천문대를 떠날 수밖에 없었지만, 2년 후 그녀는 피커링에게 편지해 다시 천문대로 돌아가고 싶다고 호소했다. 피커링은 흔쾌히 승낙했을 뿐만 아니라, 돌아올 수 있는 여행 경비를 보내주고 영구직까지 마련해주었다. 그후 리비트는 병으로 퇴직할 때까지 평생 천문대를 떠나지 않았다.

하버드의 천문학자 에드워드 찰스 피커링이 고용한 여성 계산수들.
이 집단 속에 리비트와 애니 점프 캐넌 등이 있었다. © Wikipedia

우주를 재는 줄자, '표준촛불'

피커링은 리비트를 시간에 따라 밝기가 변하는 별인 변광성 연구에 배치했다. 과학저술가 제레미 베른슈타인은 이에 대해 "변광성은 몇 년 동안 관심의 대상이었다. 하지만 리비트가 그 건판들을 연구하게 되었을 때, 피커링은 과연 그녀가 천문학을 송두리째 바꿔버릴 대발견을 하게 될 것이라고 짐작조차 했을지 의문이 든다"라고 평했다.

리비트는 페루의 하버드 천문대 부속 관측소에서 찍은 사진자료를 분석하여 변광성을 찾는 작업을 하다가 총 2,400개의 변광성을 발견했다. 그 중에서도 가장 중요한 것은 소마젤란 은하에서 100개가 넘는 세페이드형 변광성*을 발견한 것이었다. 이 별들은 적색거성으로 진화하고 있는 늙은 별로서, 주기적으로 광도의 변화를 보이는 특성을 가지고 있었다.

이 별들이 지구에서 볼 때 거의 같은 거리에 있다는 점에 주목한 리비트는 세페이드형 변광성을 정리하면서 놀라운 사실 하나를 발견했다. 별이 밝을수록 주기가 길어진다는 점이었다. 그녀는 이 사실을 공책에다 "변광성 중 밝은 별이 더 긴 주기를 가진다는 점에 주목할 필요가 있다"고 짤막하게 기록해두었는데, 그후 이 메모는 천문학상 가장 중요한 한 문장으로 평가되었다.

꾸준히 변광성을 연구한 끝에 이 같은 주기-광도 관계를 발견함으로써 리비트는 그 누구도 찾아내지 못했던 표준촛불이라는 우주의 잣대를 개발했으며, 그 밖에 2,400개 이상의 변광성을 관측한 끝에 《변광성표》를 제작하여 학계에서 '변광성의 달인'이라는 별명을 얻었다.

1908년, 리비트는 연구 결과를 《하버드 대학교 천문대 연감》에 게재했다. 여기서 리비트는 최초로 변광성들 중 일부가 특이한 패턴을 나타낸다는 것, 즉 밝은 것일수록 변광 주기가 길다는 것을 밝혔다. 이후 추가적인 연구로 1912년에 리비트는 세페이드형 변광성은 고유 광도가 클수록 변광 주기가 길어진다는 것, 그리고 그 상관관계가 상당히 조밀하고 예측 가능하다는 것을 확인했다.

리비트는 지구에서부터 마젤란 성운 속의 세페이드형 변광성들 각각까지의 거리가 모두 대략적으로 같다고 가정을 단순화하였다. 그렇게 함으로써 변광성의 고유 밝기는 그 겉보기 밝기(사진건판에서 측정한 것)와 마젤란 성운까지의 거리에서 유도될 수 있다고 보았다. 리비트는 이에 대해 논문

* 세페이드형 변광성(Cepheid variable) : 세페우스 자리를 대표로 하는 맥동 변광성으로, 주기는 1일 미만부터 50일 정도이며, 변광 주기가 길수록 밝아서 주기-광도 관계로 표시할 수 있다.

에서 "지구에서 변광성들까지의 거리가 대략 일정하다고 추정되므로, 변광성들의 주기는 실제 빛의 방출과 명백한 관계가 있다. 그리고 빛의 방출은 변광성의 질량, 밀도, 표면 밝기에 의해 결정된다"라고 의견을 밝혔다.

리비트의 발견은 이른바 '주기-광도 관계'로 유명하다. 변광 주기의 로그값은 별의 평균 고유 광도와 상관관계를 이룬다. 하버드 천문대의 사진건판에 기록된 1,777개의 변광성들의 연구에 대하여 리비트는 "최댓값들과 최솟값들에 상응하는 두 무리의 일련의 점들 사이에 직선이 순조롭게 그려질 수 있다. 즉, 세페이드형 변광성의 밝기와 그 주기 사이에 간단한 상관관계가 존재한다는 것을 보일 수 있다"라고 의견을 표했다.

이러한 관계가 보편적으로 성립한다면, 같은 주기를 가진 다른 영역의 세페이드형 변광성에 대해서도 적용이 가능하며, 이로써 그 변광성의 절대등급을 알 수 있게 된다. 이는 곧 그 별까지의 거리를 알 수 있게 된다는 뜻이고, 동시에 우주의 크기를 잴 수 있는 잣대를 확보한 것으로 실로 엄청난 대발견이었다!

세페이드형 변광성의 주기-광도 관계는 천문학 사상 최초의 '표준촛불'을 만들어냈고, 그로 인해 과학자들이 연주시차를 측정하기에는 너무 멀리 떨어져 있는 은하들의 거리를 계산할 수 있게 되었다. 리비트가 자신의 연구 결과를 발표하고 난 1년 뒤, 덴마크의 아이나르 헤르츠스프룽이 우리은하의 세페이드형 변광성 여럿의 거리를 결정하고, 은하 흡수에 의한 감광효과를 감안한 보정이 더해짐으로써 어떠한 세페이드형 변광성이든 그 거리를 정밀하게 결정할 수 있게 되었다.

이로써 천문학자들은 세페이드형 변광성을 표준촛불로 삼아 엄청난 거리의 천체까지도 거리를 잴 수 있는 우주의 줄자를 갖게 되었다. 이제 벼룩 꽁지만 한 시차를 재던 각도기는 더 이상 필요치 않게 된 것이다.

곧이어 안드로메다 은하 등 다른 은하들에서도 세페이드형 변광성들이 발견되었고, 그전까지 소위 '나선 성운'으로 알려졌던 천체들이 우리은하 바깥에 존재하는 천체, 즉 은하라는 사실의 강력한 증거가 되었다. 리비트의 발견은 대논쟁으로 대표되는, 우리 태양을 은하 중심에서 끌어내리는 과정과 에드윈 허블로 대표되는 우리은하를 우주의 중심에서 끌어내리는 과정으로 이어지며 인류의 우주관을 영원히 바꾸어놓았던 것이다.

따지고보면 우주의 팽창이라든가 빅뱅 이론 같은 것도 리비트의 표준촛불이 있음으로써 가능한 것이었다. 리비트가 변광성의 밝기와 주기 사이의 관계를 알아냄으로써 빅뱅의 첫 단추를 꿰었다고 할 수 있다.

허블은 이러한 리비트에 대해 자신의 저서에서 "헨리에타 리비트가 우주의 크기를 결정할 수 있는 열쇠를 만들어냈다면, 나는 그 열쇠를 자물쇠에 쑤셔넣고 뒤이어 그 열쇠가 돌아가게끔 하는 관측 사실을 제공했다"라며 그녀의 업적을 기렸다. 이처럼 허블 본인은 리비트의 업적을 인정하며 리비트가 노벨상을 받을 자격이 있다고 자주 말하곤 했다.

헤르츠스프룽의 연구 중에 특기할 만한 것은 세페이드형 변광성을 이용하여 마젤란 은하까지의 거리를 알아낸 것으로, 이 역시 리비트의 선구적인 업적이 없었다면 불가능한 일이었다. 또한 할로 섀플리는 리비트의 변광성을 이용하여 구상성단들까지의 거리를 계산해낸 결과, 우리은하의 크기는 물론 그 안에 있는 태양계의 위치까지 결정할 수 있었다.

이 같은 위대한 발견을 한 리비트에게 스웨덴 한림원은 노벨상을 주려고 하버드 천문대장 섀플리에게 리비트의 세페이드형 변광성 연구에 관한 정보를 요청했지만 이미 그녀는 병마와 가난에 시달리다가 3년 전 세상을 뜬 후였다.

하버드대학교 천문대의 자기 책상에 앉아 일하는 헨리에타 리비트. 그녀는 우주의 크기를 잴 수 있는 변광성을 발견했지만 아무런 보상도 받지 못한 채 가난과 병마에 시달리다가 이른 나이에 세상을 떠났다. © Wikipedia

세상을 떠나기 직전 그래도 그녀에게 하나의 위안이 있었다. 하버드 천문대장 섀플리가 위문차 찾아왔던 것이다. 나중에 섀플리는 "내가 했던 몇 안 되는 괜찮은 일 중 하나는 헨리에타의 임종 자리를 방문한 것이다"고 말하면서 "천문대장이 보러 왔다는 것이 그녀를 크게 고무시켰다고 친구들이 말했다"고 회상했고, "리비트는 천문학에 손을 댄 가장 중요한 여성의 하나"라고 평가했다.

1921년 12월 12일, 낮부터 오던 비가 폭우가 되어 쏟아지던 밤 10시 30분 리비트는 세상을 떠났다. 향년 53세. 그녀는 암으로 쓰러졌고 매사추세츠 주 케임브리지 공동묘지의 리비트 가족묘에 묻혔다. 조용히 사진자료만을 분석한 겸손한 연구자였기 때문에 그녀의 죽음이 유럽에 알려지지 않았던 것이다.

천문학에 대한 리비트의 자세는 열정적이었다고 동료들은 전한다. 어느 날 거문고자리의 베타 변광성이라는 신비로운 변광성과 마주친 그녀는 동료에게 "그물망을 올려보내서 저 별을 끌어내릴 방도를 찾지 못하는 한 절대로 저걸 이해할 순 없을 거야" 하고 소리쳤다고 한다.

리비트의 죽음은 동료학자들에게 비극으로 받아들여졌다. 그녀의 죽음을 접하고 동료였던 솔론 어빙 베일리는 "그녀는 다른 이들에게서 가치 있고 사랑스러운 모든 것들의 진가를 알아보는 행복한 능력을 가지고 있었다. 또한 모든 생명을 아름답고 의미 충만하게 만들어주는 햇살 같은 본성을 가진 사람이었다"라고 회상했다. 또 다른 동료였던 애니 캐넌은 이렇게 그녀를 추념했다. "오늘밤 마젤란 성운은 참 밝다. 그것은 항상 불쌍한 헨리에타를 생각나게 한다. 그녀는 성운을 정말 사랑했다."

헨리에타 리비트가 밝혀낸 별들은 지금도 여전히 우주의 이정표로 빛을 발하고 있으며, 우주의 크기를 재는 최상의 줄자로서 확고히 자리매김되고 있다. 자신의 업적에 걸맞은 인정을 받지 못한 채 우주로 떠난 불우한 여성 천문학자 리비트의 이름은 천문학사에서 찬연히 빛나고 있을 뿐만 아니라, 소행성 '5383 리비트'와 달의 크레이터 중 하나의 명칭에 '리비트'라는 이름이 부여되어 저 우주 속에서도 빛나고 있다.

25. 빛의 정체를 밝혀낸 사람
– 패러데이(1791~1867) & 맥스웰(1831~1879)

빛은 늙지 않는다. 빛의 속도에서 시간이 얼어붙기 때문이다. 그러므로 어떤 거리에서 우주를 가로질러 지금 내 눈에 들어오는 빛도 그 빛이 출발한 최초의 상태와 똑같다.

크리스토프 갈파르 (영국 물리학자)

세상에서 가장 기묘한 존재 하나를 들라면 그것은 '빛'일 것이다. 눈을 감아 보라. 세상은 아무것도 보이지 않는다. 그러나 눈을 뜨면 만물이 다 보인다. 그것들이 반사하는 빛이 내 눈으로 들어와 망막에 이르면 망막에 퍼져 있는 시세포가 빛을 흡수하여 전기신호를 만들고, 이 신호가 시신경을 타고 시각중추로 들어가서 해석되어 사물을 인지하게 된다.

인류는 오랜 옛날부터 이 빛의 정체가 무엇인지 궁금해했다. 일단 눈을 통해 사물을 지각하게 되는 '물리'를 도무지 이해할 수가 없었다. 만물을 밝혀주는 빛이 정작 자신의 정체가 무엇인가 하는 문제로 사람들을 이렇게 어둠 속에 헤매게 했다는 것은 퍽 역설적으로 느껴지는 대목이다.

시각에 관한 주요한 2가지 이론은 고전시대에 나타났다. 첫 번째 이론인 방출 이론은 고대 그리스 철학자 엠페도클레스가 주장한 것으로, 눈에서 빛이 나감으로써 우리가 사물을 볼 수 있는 시각이 작용한다는 이론이었다. 두 번째 이론인 흡수 이론은 아리스토텔레스 일파가 주장한 이론으로, 물체로부터 눈에 들어오는 어떤 물리적인 것에 의해서 물체를 볼 수 있다는 이론이었다.

10세기 아랍 학자 이븐 알하이삼은, 시각은 눈에서 빛이 나오는 것도 물리적인 어떤 것이 들어오는 것도 아니라고 주장했다. 우리가 눈을 뜨자마자 멀리 있는 별이 보이는 것은 우리 눈에서 나간 빛이 별에까지 갔다가 돌아오는 것이 아님을 증명한다고 보았다. 또한 아주 밝은 빛을 봤을 때 눈이 부시거나 아프다는 사실 역시 빛이 외부에서 눈으로 들어오는 증거라고 주장했다.

알하이삼은 빛이 물체의 각 지점으로부터 어떻게 우리 눈까지 올 수 있는가를 설명한 성공적인 이론을 완성하고, 그것을 실험으로 증명했다. 그가 쓴 《광학의 서》는 눈의 구조, 빛의 반사와 굴절, 렌즈, 무지개, 대기 굴절과 같은 이론들을 담고 있는데, 1270년 라틴어로 번역 출판되어 유럽의 과학에 큰 영향을 미쳤다.

파동이냐 입자냐?

유럽에서 빛의 연구에 대해 최초로 가장 괄목할 만한 성과를 내놓은 사람은 다름 아닌 뉴턴이었다. 흑사병 창궐로 학교가 문을 닫는 바람에 고향에 돌아간 뉴턴은 빛의 연구에 본격적으로 매달렸다. "빛이 물질일까 현상일까?" 늘 궁금해하던 중 거울 속의 태양을 몇 시간씩이나 들여다보다가 실명할 뻔한 것도 이때의 일이었다. 뉴턴은 빛이 안구에서 어떻게 굴절하는지 알아보기 위해 대바늘을 안구와 뼈 사이에 깊숙이 찔러넣거나 빙빙 돌리는 어처구니없는 짓까지 했다. 큰 탈이 나지 않은 것이 다행이라 하겠다.

어쨌든 뉴턴은 프리즘을 이용한 여러 가지 실험 끝에, 프리즘을 통과한 백색광이 무지개처럼 여러 가지 단색광으로 분광되는 스펙트럼 현상을 발견하고, 이는 백색광이 굴절률이 다른 여러 단색광으로 이루어져 있기 때문이라고 주장했다. 원래 '환상'이나 '유령'을 뜻하는 스펙트럼을 빛의 색띠라는 의미로 사용한 것은 뉴턴이 처음이었다.

그는 또 제1의 프리즘으로 분광된 단색광을 제2 프리즘으로 분해해본 결과 더 이상 분광되지 않는다는 사실을 알고, 색깔이 다른 것은 빛의 굴절률에 따른 현상이라는 결론을 내렸다. 이는 곧 색채는 백색광과 어둠의 배합이라는 아리스토텔레스의 이론을 뒤엎는 것이었다. 일찍이 아리스토텔레스는 "빛은 태양의 빛이 유일한 원천이며, 매질[媒質]을 타고 전파되는 파"라고 생각하고 "아무것도 섞인 것이 없는 순수한 빛인 흰색이 빛의 본성이며, 색채는 흰색과 어둠이 혼합되어 나타나는 것"이라고 설명했던 것이다. 이러한 생각은 17세기까지 강력한 영향력을 유지했다.

빛의 색과 파장의 관계는 밝혀졌지만, 빛이 어떻게 움직이는가 하는 문제는 여전히 수수께끼였다. 뉴턴은 빛이 눈에 보이지 않는 작은 입자로 이루어져 운동한다는 입자설을 주장했다. 태양을 바라보면 빛이 똑바로 온다는 점, 그림자의 윤곽이 선명한 것은 빛의 직진 때문이라는 점 등이 그 근거였다.

뉴턴의 입자설은 그러나 빛의 여러 가지 성질을 설명하는 데 한계가 있었다. 이러한 한계를 극복하기 위해 나온 것이 이른바 빛의 파동설로, 뉴턴과 같은 시대를 살았던 후크와 하위헌스 같은 이들은 빛은 정지되어 있는 매질 속을 진행하는 파동이라고 주장했다. 이 정지되어 있는 매질을 일컬어 '에테르'라 했다. 천상의 물질이라 불리는 이 에테르라고 하는 가상의 존재는 이후 과학사에서 끝도 없는 논쟁과 말썽을 일으키며 나름의 역할을 해나가는데, 이처럼 에테르의 존재를 상정하는 입장을 흔히 '에테르 설'이라고 한다.

빛의 입자설과 파동설은 한동안 대립하다가 서서히 입자설의 우위로 굳어져갔다. 입자설이 널리 알려진 현상과 사실을 잘 설명해주는 데다가, 당시 뉴턴의 권위가 하도 대단하여 누구도 도전하기 힘든 성역이었기 때문이다.

빛의 속도를 잰 사람들

지금은 빛의 속도가 초속 30만km로 지구를 7바퀴 반 돈다는 사실을 초등생이라도 알고 있지만, 17세기까지만 해도 빛의 속도가 있는지, 있다면 무한대인지 하는 문제를 놓고도 결론이 나지 않았다. 뉴턴까지도 광속은 무한대라고 생각했다.

빛의 속도을 측정하려 한 사람 중에 17세기 갈릴레오 갈릴레이가 있다. 그는 1607년 피렌체 언덕에서 조수와 함께 산에 올라 램프와 담요를 가지고 광속 측정에 도전했다. 두 사람은 1.5km 떨어진 곳에서 각각 담요로 가린 램프를 들고 있다가 한 사람이 담요를 벗기면 다른 사람이 그 불빛을 보는 즉시로 담요를 벗기게 했다. 그 시간차를 통해 광속을 계산해본 결과, 빛의 속도는 잡히지 않았다. 이 실험에서는 빛이 왕복하는 데 걸린 시간이 10만분의 1초로 너무나 짧아서 측정할 수 없었던 것이다.

광속에 대해 최초로 의미 있는 값을 제시한 사람은 젊은 천문학자였다. 덴마크의 천문학자 올레 뢰머는 1675년부터 목성의 제1위성 이오의 식蝕을 관측하던 중 이오가 목성에 가려졌다가 예상보다 22분이나 늦게 나타나는 것을 알아냈다. 그 순간, 그의 이름을 불멸의 존재로 만든 한 생각이 번개같이 스쳐지나갔다. "이것은 빛의 속도 때문이다!"

이오가 불규칙한 속도로 운동한다고 볼 수는 없었다. 그것은 분명 지구에서 목성이 더 멀리 떨어져 있을 때, 그 거리만큼 빛이 달려와야 하기 때문에 생긴 시간차였다. 뢰머는 빛이 지구 궤도의 지름을 통과하는 데 22분이 걸린다는 결론을 내렸다. 지구 궤도 반지름은 이미 카시니에 의해 1억 4,000만km로 밝혀져 있는 만큼 빛의 속도 계산은 어려울 게 없었다.

당시 알려진 지구의 공전 궤도를 바탕으로 뢰머가 계산해낸 빛의 속도는 초속 약 23만km였다. 참값의 약 75%에 해당하는, 최초로 의미 있는 광속 측정이었다. 이 같은 오차를 보인 것은 당시 지구 공전 궤도 측정이 정확하지 않은 탓이었다. 하지만 당시로 보면 놀라운 정확도였다. 무엇보다 빛의 속도가 무한하다는 기존의 주장에 반해 유한하다는 사실을 최초로 증명한 것으로, 물리학에서 가장 중요한 기초를 놓은 쾌거였다. 1676년 광속 이론을 논문으로 발표한 뢰머는 30살의 젊은 나이로 하루아침에 과학계의 신성으로 떠올랐다.

그후 광속은 획기적인 실험 방법으로 더욱 정확한 값이 알려졌다. 1849년 프랑스의 물리학자 아르망 피조는 빛이 톱니바퀴를 통과한 후 8.9km 떨어진 곳의 거울에 의해 반사가 되어 다시 톱니바퀴로 되돌아오는데, 그 각속도角速度(회전 운동을 하는 물체가 단위 시간에 움직이는 각도)를 이용해 빛의 속도을 측정했다. 그 결과 광속은 초속 31만 3,000km로 나왔다. 이는 현재의 정확한 광속에 거의 근접하는 값이었다.

과학사상 가장 유명한 실험

인류는 빛의 비밀 중 하나인 광속은 거의 밝혀냈지만, 빛이 과연 입자인지 파동인지에 관한 명확한 증명에는 다가가지 못하고 있었다. 물론 과학계의

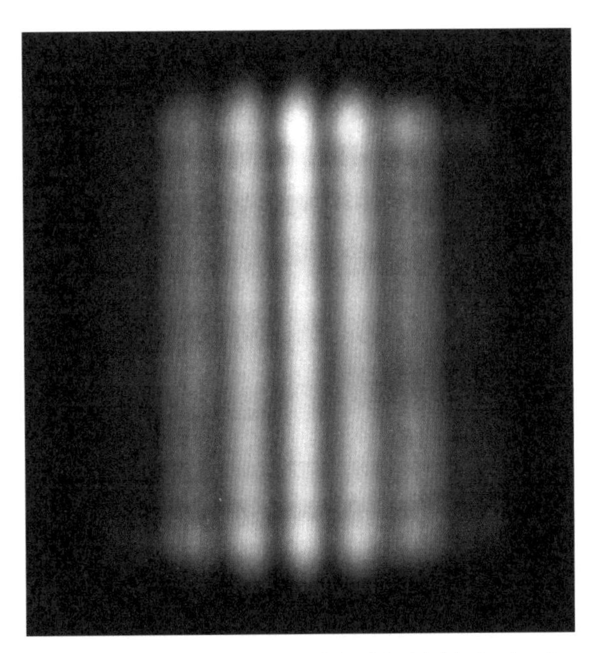

토머스 영의 이중 슬릿 실험. 스크린에 간섭무늬가 나타난다. © Wikipedia

지존인 뉴턴이 선언한 '빛은 입자'라는 주장이 대세였지만, 이윽고 이 뉴턴의 성역에 도전한 사람이 나타났다. 역시 영국인으로, 150년 만에 빛의 입자설에 반기를 들었던 과학자는 토머스 영(1773~1829)이라는 현직 의사였다.

영은 14살 때 그리스어와 라틴어를 배웠고, 칼데아어 등 고대 언어를 포함해 십수 개 언어를 능숙하게 구사했던 놀라운 천재이자 박식가였다. 심지어 샹폴리옹의 로제타석* 비문 해독에도 부분적으로 참여했을 정도였다.

1801년, 영은 파동설이 아니면 도저히 설명할 길이 없는 한 가지 실험을 보고했다. 그는 가로로 나란히 난 2개의 좁은 틈새기로 햇빛을 통과시켜 스

* 로제타석(Rosetta Stone) : 기원전 196년 고대 이집트 왕의 송덕비. 검은 현무암에 이집트어를 적은 신성문자와 속용문자, 그리스 문자가 새겨져 있어 이집트 문자 해독의 열쇠가 되었다.

크린에 비추는 실험을 했다. 이것이 과학사상 가장 유명한 실험인 이중 슬릿 실험이다.

빛의 직진을 주장하는 입자설에서 보면, 틈새기를 지난 빛이 맞은편 스크린에 두 가닥의 빛줄기를 만들어야 하는데, 실제로는 그보다 더 많은 빛줄기가 스크린에 나타났다. 파동의 간섭 현상으로 두 틈새기를 통과한 빛이 서로를 약화시키거나 강화시킴으로써 많은 줄무늬가 스크린에 나타난 것이다. 빛이 입자라면 이런 현상은 설명할 수가 없었다. 이로써 뉴턴의 입자설은 상당한 타격을 받아 궁지에 몰릴 수밖에 없었다.

빛, 고체, 기계, 에너지, 생리학, 언어, 음악의 화성, 이집트학 등 광범한 분야에서 놀라운 업적을 이루었던 토머스 영은 자신의 많은 업적 중에 가장 중요한 업적이 빛의 파동 이론을 수립했던 것이라 생각했다. '에너지'라는 말을 최초로 사용한 사람도 영이었다. 이러한 그의 업적에 대해 과학계는 아낌없는 찬사를 바쳤다.

8살에 성서 '시편' 119편을 외운 조숙한 천재

그러나 빛에는 여전히 풀리지 않는 수수께끼가 있었다. 빛이 파동이라면 그것의 정체는 무엇인가? 그리고 그 파동을 전달하는 매질은 무엇인가 하는 문제였다.

우주에서 가장 신비로운 존재인 빛의 정체는 19세기 중엽에 접어들어서야 비로소 밝혀지게 되었다. 영국의 물리학자 제임스 클러크 맥스웰이 그 주인공이었다. 빛이란 게 알고보니 놀랍게도 전자기파의 일종이라는 것이었다!

세상을 환하게 비춰주는 빛이 도대체 전기와 자기랑 무슨 상관이 있단 말인가 하고 사람들은 의아해했다. 전자기파란 전자기장의 흐름에서 발생하는 일종의 전자기 에너지이다. 전기가 흐를 때 그 주위에 전기장과 자기장이 동시에 발생하는데, 이들이 주기적으로 바뀌면서 생기는 파동을 전자기파라고 한다. 가시광선도 전자기파에 속하며 전파, 적외선, 자외선, X선 같은 전자기파들은 우리 눈에 보이지 않는다. 전자파라고도 하며, 우리가 쓰는 핸드폰을 작동시키고 전자렌지에서 음식을 데우는 것도 전자기파 중에서 긴 파장을 가진 마이크로파이다.

'빛의 과학자' 맥스웰은 1831년 스코틀랜드 에든버러의 중산층 가정에서 외아들로 태어났다. 아버지는 변호사였고, 어머니는 독실한 기독교인이었다. 어린 시절 '행복의 골짜기'라 불리는 시골에서 자라면서 무엇 하나 부러울 것 없는 유복한 유년기를 보냈지만, 그 세월은 짧았다. 8살의 어린 나이에 어머니를 암으로 잃고 말았다. 어머니가 괴로워하다가 이윽고 숨을 거두었을 때, 어린 맥스웰은 병상 옆에 서서 흐느끼며 이렇게 말했다고 한다.
"아, 정말 기뻐! 이제 엄마는 더 이상 아프지 않을 거야!"

맥스웰의 천재성은 일찍부터 드러났다. 8살 때 그는 성경의 시 119편을 암송했다고 한다. 어머니가 떠난 후 1년간 가정교사에게 양육되던 맥스웰은 더 높은 교육을 받기 위해 에든버러 아카데미에 들어갔다.

집을 떠나 에든버러에 있는 고모의 집에서 학교를 다니게 된 그는 외톨이처럼 굴어 동급생들에게는 촌놈 취급을 받았지만, 곧 전 과목 우등생이 되었다. 특히 수학과 기하학을 쉽고 빠르게 터득한 그는 수학에서 최고상을 받아 주위를 놀라게 했다.

이 같은 맥스웰의 천재성은 그의 나이 불과 14살일 때 첫 번째 수학 논문을 탄생시켰다. 《타원 곡선과 다초점 곡선에 대한 설명》이라는 제목의 논문이 그것인데, 핀과 끈과 연필을 사용하여 한 장의 종이 위에 그릴 수 있는 곡선에 관한 것이었다. 2개의 핀을 고정한 후 끈을 이어 연필로 그릴 수 있는 곡선은 타원이다. 이때 끈의 길이를 조절하며 한 무리의 타원체를 생성할 수 있다는 것을 발견했고, 맥스웰의 아버지는 아들의 성과를 에든버러 대학교 교수였던 친구 제임스 포브스에게 보여주었다. 포브스는 맥스웰의 이 논문을 에든버러 왕립학회에 발표했다. 14살 소년의 타원에 관한 독창적인 논문은 대단한 화제가 되었다.

이듬해 그는 에든버러 대학에 진학했고, 3년 뒤인 1850년에는 케임브리지 대학 트리니티 칼리지에 들어가 공부했다. 케임브리지에서 그는 시험을 칠 때마다 최고점을 받아 천재라는 명성을 얻었다. 심지어 어찌나 문제를 빨리 풀었는지 시간이 남아돌아 문제를 라틴어로 번역하며 남은 시험 시간을 보내기까지 할 정도였다.

케임브리지 대학에는 수학 분야의 최고상 수상자를 결정하는 트라이퍼스라는 시험이 있었는데, 맥스웰은 1854년 이 시험에서 차석을 했고, 이보다 좀더 어려운 스미스 상 시험에서는 수석을 차지하고 대학을 졸업했다. 그 덕에 맥스웰은 졸업하자 바로 스코틀랜드의 애버딘 대학 교수가 되어 1860년까지 재직하다가 런던의 킹스칼리지로 옮겼다.

토성 고리의 성격을 밝힌 맥스웰

대학을 졸업한 직후 연구원 시절 맥스웰은 토성 고리에 관한 연구에 관심을 집중한 적이 있었다. 토성의 고리는 1610년 갈릴레오에 의해 발견된 이후 200년 이상 과학자들의 골머리를 썩여온 문제였다. 과연 토성 고리는 무엇으로 이루어져 있는가? 왜 깨어지거나 토성에 충돌하지 않고 안정된 형태를 유지하는 걸까? 이 문제가 관심의 대상으로 떠오른 것은 1857년 케

토성 고리 사이에서 먼지처럼 떠 있는 지구. 저 작은 점 속에 매달려 80억 인류가 살고 있다.
왼쪽 위의 네모 속 확대한 사진에서 지구 옆으로 희미하게 달이 보인다. © NASA

임브리지 세인트 존스 칼리지가 뛰어난 수리과학자에게 수여하는 애덤스 상의 주제로 선정했기 때문이다.

맥스웰은 2년 동안 이 문제의 연구에 매달린 끝에, 토성 고리가 단단한 강체로 이루어졌다면 그 형태를 유지할 수 없으며, 자잘한 조각들로 이루어진 유체라는 결론을 내리고, 그가 벽돌 조각brick-bats이라고 표현한 무수한 조각들이 각각 독립적으로 토성을 공전한다는 것을 증명했다.

맥스웰은 이 연구를 담은 《토성 고리의 운동의 안정성에 관해》(1858)라는 논문을 발표해 1859년 130파운드의 애덤스 상을 받았다. 토성의 고리가 무수한 조각들로 이루어져 있다는 맥스웰의 예측은 1980년대 보이저 우주선의 토성 근접비행으로 확인되었다. 보이저의 관측 결과, 토성의 고리는 수많은 얇은 고리들로 이루어져 있고, 이 고리들은 레코드판처럼 곱게 나열되어 있다. 토성의 고리는 적도면에 자리 잡고 있으며, 토성 표면에서 약 7만~14만km까지 분포하고 있다. 따라서 토성의 고리 너비는 지구 지름의 5배가 넘는 약 7만km에 이른다.

고리를 이루는 알갱이들은 99.9%가 순수한 물로 구성되어 있고, 나머지 부분은 톨린이나 규산염과 같은 약간의 불순물로 구성되어 있으며, 주요 고리는 주로 1cm~10m 크기의 입자들로 구성되어 있음이 밝혀졌다. 또한 토성 고리가 가진 물의 양은 지구 바닷물의 10~20배에 이르는 것으로 밝혀졌다.

인류 문명에 전기를 가져온 무학의 과학자

18세기 후반까지 각각 별개의 자연현상으로 여겨졌던 전기와 자기는 1831년 영국의 마이클 패러데이가 전자기 유도 현상을 발견함으로써 서로 밀접한 내적 관계를 가지고 있음이 드러났다. 이것이 바로 인류 문명에 혁신을 가져온 발전기의 원리가 되었다.

이처럼 인류 문명에 거대한 기여를 한 마이클 패러데이는 1791년 영국 런던 근교 뉴잉턴에서 가난한 대장장이의 네 자녀 중 셋째로 태어났다. 교육이라고는 읽고 쓰기를 겨우 배웠을 정도로 무학에 가까운 패러데이가 어떻게 이처럼 엄청난 위업을 이루었는지, 그 전설적인 라이프 스토리를 따라가보자.

패러데이는 13살이 되던 1804년 제본소의 견습공으로 들어갔다. 당시 관습에 따라 마이클은 스승에게로 가서 함께 살았다. 사고가 개방적이며 호기심이 풍부한 견습생이었던 그에게 지식인들이 쓴 글을 책으로 만드는 제본소는 굉장히 매력적인 곳으로, 학교에서 배울 수 없는 지식들을 그곳에서 배워나갔다.

명석한 머리와 부지런함으로 단시간에 제본 전문가가 된 마이클은 자신이 제본한 책들을 틈틈이 독파해나갔는데, 그 중에서 특히 과학에 관한 책들이 그의 호기심을 일깨웠다. 패러데이는 1809년에 신문과 잡지에서 예술과 과학에 대한 글을 읽고 노트하는 한편, 런던 시의 철학협회가 개최한 저녁 강의를 듣기 시작했다. 그것은 순회 연사가 일반인을 위한 과학 강연을 하는 자리였다. 패러데이는 혼자 전기에 대해 많이 공부해 동료 학생들에게 충분히 설명할 수 있을 정도였다.

1812년 그의 인생에 전기가 된 이른바 '인생 강연'을 듣게 된다. 영국 왕립연구소에서 개최하는 험프리 데이비 강연에 참석할 수 있는 기회를 얻게 되었다. 유명 화학자인 데이비의 강연을 감명 깊게 들은 패러데이는 강연 내용을 무려 386쪽에 걸쳐 필기한 것을 자신의 멋진 제본 솜씨로 제본해서 보냈다. 이를 보고 크게 감명받은 데이비는 패러데이를 조수로 채용했다. 제본공에서 과학 견습생으로의 변신이었다.

왕립연구소에서 생활하게 된 마이클은 차츰 데이비의 신임을 얻어 연구 과제를 받게 되었다. 비록 전문교육을 받지 못해 정확한 공식이나 이론을 만들지는 못했지만 그는 똑같은 실험을 수없이 반복하면서 답을 찾아나갔다. 그는 데이비의 실험을 참고 삼아 여러 기체를 압축해서 액화시키는 데 성공했고 방향족 탄화수소인 벤젠을 발견했다.

패러데이의 가장 큰 업적은 전자기 유도법칙을 발견한 것이다. 그는 전류가 자기장을 만들고 전류에 의해 자석이 힘을 받는 것으로부터 자기가 전기를 발생할 수 있어야만 한다고 믿었다. 결국 그는 1831년 코일 근처로 자석을 움직였을 때 전류가 생기는 것을 발견했다. 또한 코일에 가해진 전류를 끊었다 이었다 했을 때 인접한 다른 코일에 전류가 흐르는 것을 보았다.

이후 패러데이는 전자기 유도라는 기본적인 원리를 이용하여 역학적 에너지를 전기 에너지로 바꾸는 장치인 발전기를 개발했다. 이로써 인류는 무학의 패러데이 덕분에 비로소 제2의 불을 얻어 전기 문명의 시대를 열게 되었다. 또한 패러데이는 1833년에는 화학과 전기를 결합시켜 전기분해법칙을 만들었다.

패러데이는 전자기 연구에서 한 걸음 더 나아가 역선力線/lines of force을 이용해 장場/fields의 개념을 가시화했다. 장이란 물질이 공간에서 힘을 받을 때 공간 자체가 그와 같은 힘을 작용시키는 원인이라는 개념을 말한다. 쉽게 말해서, 자석 부근에서 쇳가루의 움직임이 보여주는 공간 영역이다.

이 장의 개념은 물리학사에서 한 획을 긋는 중요한 업적으로 평가받고 있다. 아인슈타인은 장의 개념이 "뉴턴 이래 물리학이 알게 된 가장 심오하고도 풍요로운 개념이다. 이것은 전하나 입자들의 모임이 아니라, 전하나 입자들 사이의 공간에 존재하는 어떤 영역을 뜻하는 것으로, 물리 현상을 기술하는 데 필수적인 것"이라고 말하면서 "나의 상대성 이론은 장 이론의 일부라고 할 수 있다"라고 덧붙였다.

1824년 영국학술원 회원으로 선정된 그는 1825년부터 영국 왕립연구소의 과학 강연을 시작했다. 강연을 시작하게 된 계기는 크리스마스 때 가난한 아이들에게 케이크나 인형 같은 선물 대신 좀더 의미 있는 것을 주자는 생각에서 시작됐다. 패러데이는 가난한 환경으로 수업조차 듣기 힘들었던 아이들 마음속에 과학의 불씨를 심어주었다.

그는 여러 차례 왕립협회 회장 자리는 물론 기사 작위까지 거절하는 등, 죽는 그 순간까지 돈이나 명예에 관심이 없었던 겸손한 과학자로 알려져 있다. 또한 과학의 대중화에도 힘을 써 19년간 크리스마스 때마다 과학 강연을 베풀었다.

'신의 설계도'에서 빼낸 방정식

패러데이의 전자기 연구는 뛰어난 수학자인 맥스웰을 만나 하나의 '완결'을 이루게 되었다. 맥스웰은 기체 분자 운동을 설명해냈으며, 색채 이론을 정식화하기도 한 뛰어난 물리학자이기도 했다. 하지만 그 중에서도 가장 중요한 연구 성과는 전자기장에 관한 이론이다.

전기장과 자기장에 관한 마이클 패러데이의 장 개념을 확장해 수학적으로 정식화하는 연구에 몰입했던 맥스웰은 1864년 마침내 물리학사에 길이 남을 전자기파 이론을 완성했다. 전자기학에서 거둔 그의 업적은 장 개념의 집대성이었다. 이제껏 각각 독립적으로 다루어져오던 전기와 자기의 법칙들을 종합해 맥스웰 방정식을 도출해냈다. 즉, 패러데이의 역선 개념과 앙페르의 회로 이론을 수학적으로 정식화하는 데 성공했던 것이다. 이로써 전기장의 힘과 자기장의 힘을 전자기라는 단일한 장, 즉 전자기로 통합할 수 있었다.

맥스웰은 전하가 파동을 이루며 공간을 이동하는 파동의 속도를 계산한 결과, 놀랍게도 초속 약 30만km라는 숫자가 나왔다. 이 '30만'이라는 숫자는 물리학에서 자주 만날 수 있는 숫자가 아니다. 이것은 바로 빛의 속도 아닌가! 여기서 맥스웰은 간파했다. "빛은 전자기파다!" 그는 전기와 자기가 같은 것이며, 우리가 보는 빛 역시 전자기 복사의 한 형태라는 통찰을 얻었던 것이다.

그는 조언을 구하는 편지를 자신의 논문과 함께 패러데이에게 보냈다. 아직 파릇파릇한 신참내기 교수가 보낸 편지에 은퇴한 노학자 패러데이는 대가다운 면모가 물씬 풍기는 답신을 보내왔다.

"보내주신 당신의 논문을 잘 보았습니다. 그리고 대단히 고맙게 생각합니다. 당신이 '역선'力線을 언급한 것에 대한 인사는 하지 않겠습니다. 그것은 당신이 철학적 진리를 찾기 위함이라는 것을 잘 알기 때문입니다. 하지만 이 연구는 저에게 기쁨을 주었으며, 더 많이 생각하도록 저를 북돋울 것임을 알아주셨으면 합니다. 처음에 저는 이 주제를 다룰 정도로 뛰어난 당신의 수학적 재능에 감탄했고, 그다음에는 이 주제가 그렇게 정연한 것에 놀랐습니다."

맥스웰이 파악한 빛은 '변동하는 전류'를 계기로 주위의 전기장과 자기장이 차례차례로 연쇄적으로 발생하면서 공간 속으로 나아가는 전자기파였다. 변동하는 전류란 교류전류나 순간적으로 전류가 흘렀다가 곧 사라지는 방전 등을 가리킨다. 일정한 전류에서는 전자기파가 발생하지 않는다. 또 일단 발생한 전자기파는 원래의 전류가 없어지더라도 계속 나아간다. 이 같은 빛과 전자기파의 관계를 규명한 것은 19세기 물리학의 최대 성과로 꼽힌다.

빛은 전자기파였다!

거의 모든 선구적인 연구 성과가 그렇듯 맥스웰의 이러한 주장 역시 다른 과학자들에게 즉시 받아들여지지는 않았다. 맥스웰의 전자기파 이론이 완전하게 입증된 것은 그가 세상을 떠난 후인 1888년 하인리히 헤르츠가 전자기파(당시에는 헤르츠 파동이라고 불렸다)를 발견하고 나서였다.

헤르츠는 맥스웰 이론을 바탕으로 전자기파를 실제로 만들어냈고, 그것이 다름 아닌 빛이라는 사실을 밝혔다. 전자기파가 1초에 진동하는 횟수, 곧 진동수(주파수)의 단위를 헤르츠(ZH)로 쓰는 것은 그를 기리기 위한 것이다. 가시광선은 물론 적외선, 자외선, X선, 감마선—이 모든 전자기파는 진동수만 다를 뿐 한 형제인 '빛'인 것이다.

전자기파는 진행 방향에 대해 수직인 횡파에 속하며, 주기적으로 세기가 변화하는 전기장과 자기장의 한 쌍이 서로 수직을 이루면서 공간 속으로 전파된다. 그리고 파장, 세기, 진동수에 상관없이 일정한 속력 3×10^5km/s로 퍼져나간다. 또한 전자기파는 빛과 같이 반사, 굴절, 회절, 간섭을 하며, 광자의 운동량과 에너지를 갖는다. 전자기파와 물질의 상호작용은 주로 전기장에 기인한다. 광자의 에너지(ε)는 주파수(ν)에 비례하고, 파장(λ)에 반비례한다.

매질이 있어야만 진행할 수 있는 음파와는 다르게, 전자기파는 매질이 없어도 진행할 수 있다. 따라서 공기 중은 물론이고, 매질이 존재하지 않는 우주공간에서도 전자기파는 진행한다. 우리가 별빛을 볼 수 있다는 사실은 빛이 진공 속에서도 전달될 수 있다는 것을 뜻하며, 이는 빛과 전파의 동질성을 암시하는 것이다.

가시광선, 곧 사람이 눈으로 볼 수 있는 빛은 파장이 약 800nm(나노미터)에서 400nm인 전자기파이다(1nm는 10억분의 1m). 이 범위 내에서 초당 약 500조 번 진동하는 전자기파가 우리 눈에 들어오면 눈에 있는 시신경을 자극하고, 시신경은 우리 뇌에 '빛' 신호를 전달한다. 이로써 인류는 드디어 빛의 정체를 파악하게 되었다.

적외선은 800nm~1mm(마이크로미터)이고, 이보다 더 긴 파장은 마이크로파라고 부르는데, 바로 전자렌지에서 쓰는 전자파이다. 전자기파가 물질 중의 전자 등을 흔들 때는, 전자기파의 일부는 물질에 흡수되고 에너지가 물질에 인계된다. 이것이 바로 물질에 빛(전자기파)이 흡수되는 본질적인 의미이다.

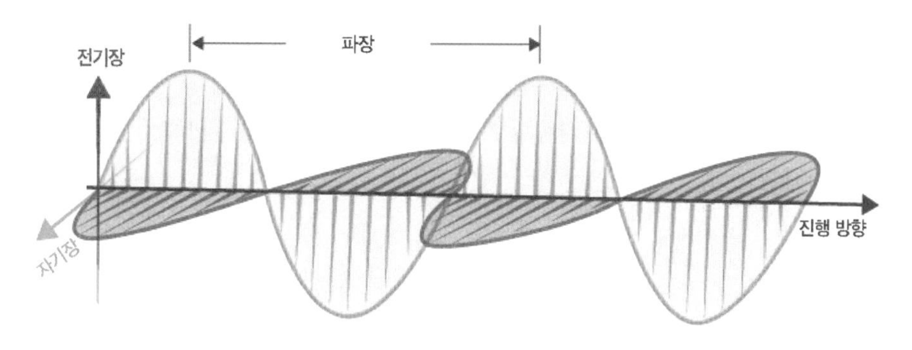

전자기파는 매질 없이 전파되는 전기장과 자기장의 횡파로, 전기장은 수직 평면에서 진동하고 자기장은 수평 평면에서 진동하는데 이 둘은 항상 서로 직각을 이룬다.

그 반대의 과정도 있다. 곧, 모든 물체는 그 온도에 따른 파장의 빛을 방출한다. 이것을 열복사라 한다. 우리 눈에 보이지는 않지만 얼음덩이나 바위도 빛을 방출한다. 고온일수록 파장이 짧은 빛의 성분이 많이 복사된다. 빛은 전자가 가진 에너지의 형태가 모습을 바꾼 것이라 할 수 있다.

마이크로파보다 파장이 길어 수 미터에서 수십 미터까지 긴 것은 보통 전파(라디오파)라 부르며 통신에 쓰인다. 오늘도 우리가 만지작거리고 있는 휴대전화, 스마트폰은 모두 라디오파를 이용한 것이다.

가시광선보다 파장이 짧은 전자기파는 차례대로 자외선, X선, 감마선이라 하는데, 특히 감마선은 파장이 10pm(피코미터. 10pm은 1억분의 1mm) 이하로, 주로 방사선 물질에서 방출되는 아주 고에너지의 전자파이다. 전자파, 곧 빛의 빠르기는 일정하므로, 진동수(주파수)와 파장은 반비례한다. 에프엠(FM) 방송에서 쓰는 전자파는 주파수 100메가헤르츠(1메가헤르츠는 초당 100만 번 진동수)로, 파장은 3m이다.

맥스웰은 1874년에 캐번디시 연구소를 설립하는 일을 맡았다. 그때 이미 병이 깊어 자신의 생이 얼마 남지 않았음을 직감하고 있었다. 그래도 그는 연구소 설립 일과 연구를 계속해나갔다. 1879년 11월 5일, 맥스웰은 '행복의 골짜기'에서 보냈던 어린 시절에 그를 떠났던 어머니의 길을 그대로 밟아 세상을 떠났다. 어머니와 같은 암이었다. 얄궂게도 생을 마감한 나이 역시 어머니와 똑같이 48살이었다.

전자기학 이론의 완성으로 맥스웰은 과학사에 불멸의 금자탑을 쌓았다. 전기와 자기, 그리고 빛의 삼각관계를 밝힌 맥스웰 방정식은 지난 2004년 물리학자 120명을 대상으로 한 설문조사에서 인류 역사상 가장 위대한 방정식 1위로 뽑혔다. 물리학자들은 신이 창세기의 태초에 "빛이 있으라!"는 말 대신 맥스웰 방정식을 주문으로 외웠을 것이라는 농담을 하기도 한다. 말하자면 맥스웰 방정식은 신의 설계도를 읽어낸 것이었다.

맥스웰이 밝혀낸 빛의 본질에 대한 문제는 양자물리학으로, 빛의 속도는 상대성 이론으로 우리를 이끌어갔다. 아인슈타인은 맥스웰의 업적을 "뉴턴 이후 물리학의 가장 심대하고 가장 풍성한 수확"이라고 평가했다. 물리학사에 길이 남을 최고 업적으로 맥스웰 앞에 설 수 있는 사람은 뉴턴과 아인슈타인 정도라 한다.

희한한 일치로 맥스웰이 죽은 해에 태어난 아인슈타인은 자기 연구실에 맥스웰의 사진을 걸어놓고 자신의 우상으로 삼았다. 그는 맥스웰의 죽음에 대해 이렇게 표현했다. "그와 더불어 과학의 한 시대가 끝나고 또 한 시대가 시작되었다."

파인만, '빛이 파동이란 건 잊어버려'

그러면 빛의 입자설과 파동설 간의 승부는 지금 어떻게 되었을까? 토머스 영의 이중 슬릿 실험으로 열세에 몰린 듯하던 입자설이 20세기에 들어오면서 다시 한번 뒤집기를 시도하는 사건이 벌어졌다. 사건의 주인공은 다름 아닌 아인슈타인이었다.

1905년에 발표된 그의 광전효과에 관한 논문은 금속 등의 물질에 일정한 진동수 이상의 빛을 비추었을 때, 물질의 표면에서 전자가 튀어나오는 현상을 설명한 것이다. 이 전자의 튐은 빛 알갱이인 광자가 전자와 충돌함으로써 일어나는 현상이다. 우리는 아인슈타인의 이 이론 덕분에 오늘날 텔레비전을 즐길 수 있게 된 것이다.

빛이 입자인가, 파동인가 하는 오랜 논쟁은 이로써 300년 만에 하나의 우호적인 결론에 이르게 되었다. 빛은 파동인 동시에 입자 다발이라는 것이다. 빛을 좁은 틈새기로 통과시키면 파동의 성질을 보이고, 금속에 비추면 입자의 성질을 나타내어 전자를 당구공처럼 튕겨낸다. 그러나 틈새기를 통과시키거나 금속판에 닿기 전에는 빛이 파동인지 입자인지 알 방도가 없다. 이는 우리의 일상적인 감각으로 빛을 파악하기란 불가능하며, 빛 속에는 파동과 입자의 성질이 공존하고 있음을 뜻한다. 이를 빛의 이중성이라 한다.

이후 20세기 양자역학이 발전함에 따라 빛은 파동성과 입자성을 동시에 가지는 것으로 확실한 결론이 내려졌으며, 입자설과 파동설은 이로써 무승부로 판정난 셈이다.

빛을 파동이라고 생각하기는 쉽지만, 입자라고 생각하기는 아주 어렵다. 그래서 현대의 한 물리학자는 뉴턴의 위대성을 이렇게 표현했다. “뉴턴 선생님, 그 까마득한 옛날에 빛이 입자로 이루어져 있다는 걸 대체 어떻게 아셨습니까?” 양자역학 최후의 영웅 리처드 파인만은 숫제 제자들에게 이렇게 말했다. “빛이 파동이란 건 잊어버려. 빛은 입자야.” 그렇다면 최후의 승자는 역시 뉴턴이란 말인가?

그런데 어떤 사람은 입자면 입자고 파동이면 파동이지 이중성이란 또 뭐

냐고 할지도 모른다. 하지만 물질이란 우리의 상상력 이상으로 오묘한 존재이다. 파동과 입자의 이중성은 꼭 빛에만 한정된 것도 아니다. 원자 수준의 극미한 세계에 들어가면 파동과 입자 개념은 융합되어버린다. 파동이 입자이고 입자가 파동인 세계가 있는 것이다.

빛이 파동과 입자의 성질을 모두 가진다는 것은 빛이나 전자와 같이 극미한 세계에서는 우리의 경험 세계에서 보는 것과는 전혀 다른 일이 일어날 수 있음을 뜻한다. 에너지를 비롯한 물리량이 최소 단위로 양자화되어 있는 세상, 한 물질이 파동과 입자의 성질을 함께 가지는 세상, 이것이 원자보다 작은 극미의 세계이다. 이 세계에서 일어나는 일들은 뉴턴 역학으로는 설명할 수 없는 것들이다. 이러한 빛의 본성이 뒤에 양자론의 세계를 열었다.

26. 우주는 휘어져 있다
– 아인슈타인(1879~1955)

나의 관심은 여러 현상을 규명하는 것이 아니라 신의 생각을 알아내는 것이다.
나머지는 부차적인 것에 불과하다.

아인슈타인 (독일 출신의 물리학자)

겨우 2살짜리 사내아이가 이제 막 태어난 누이동생을 보고 무척 즐거워하면서 말했다고 한다. "옳지, 그런데 바퀴는 어디 있나요?"

사내아이는 알베르트 아인슈타인이고, 갓난아이는 여동생 마리아였다. 사내아이는 동생이 태어나면 매일 데리고 놀 수 있다는 부모님의 말을 듣고 동생을 마치 장난감으로 생각했던지 동생의 발에 바퀴가 달리지 않은 것을 보고 이렇게 물은 것이다. 어릴 때부터 상상력이 풍부했던 아인슈타인은 5살 때는 아버지로부터 생일 선물로 나침반을 받고, 보이지 않는 힘이 나침반의 바늘을 움직이는 것을 보고는 신비로운 감정을 느꼈다.

아이는 자라서 이윽고 15살 소년이 되었을 때 이렇게 상상했다. "만약에 내가 빛기둥을 타고 함께 달린다면 세상은 어떻게 보일까?" 이 15살 소년은 즐겨 상상하던 자연의 신비를 캐기 위해 지치지 않고 달린 끝에 이윽고 빛에 대한 하나의 통찰에 도달했고, 상대성 이론을 만들어 인류의 세계관과 우주관을 크게 바꾸어놓았다. 《타임》지는 1999년 지나간 밀레니엄을 분석하는 기사에서 20세기 인물로 아인슈타인을 선정했다. 역사상 유일무이한 밀레니엄 과학 천재였다.

학교에서 왕따로 겉돌던 아이

아인슈타인은 1879년 독일제국 울름의 유대인 가정에서 태어났다. 아버지는 전기 장비 관련 사업을 하는 엔지니어였다. 1880년에 가족은 뮌헨으로 이사하여 아인슈타인은 5세부터 3년 동안 뮌헨에 있는 가톨릭 초등학교에 다녔다. 8세부터는 김나지움에 들어갔으며, 7년 후 독일제국을 떠날 때까지 중등학교 교육을 받았다.

이 무렵 아인슈타인의 학교 생활은 원만한 것과는 거리가 멀었다. 학교생활에 제대로 적응을 하지 못하는 데다 고집이 세고 학우들과는 겉도는 행태를 보여 이른바 왕따 학생이 되었다. 그러나 성적은 늘 상위권이었고, 특히 수학과 물리학에서는 단연 뛰어나 동료들보다 몇 년 앞선 수학적 수준에 도달했다.

12살의 아인슈타인은 한여름 동안 대수와 유클리드 기하학을 독학으로 배웠으며, 피타고라스 정리에 대한 독자적인 증명을 발견하기도 했다. 가정교사인 막스 탈무드는 12세의 아인슈타인에게 기하학 교과서를 준 후 얼마 지나지 않아 아인슈타인이 책 전체의 내용을 모조리 습득한 것을 보고 경악하고 말았다. 아인슈타인 소년은 그후 고등수학의 세계에 진입했는데, 얼마 지나지 않아 놀라운 수학적 천재성으로 비상하는 바람에 가정교사가 도저히 따라갈 수가 없었다고 한다.

아인슈타인은 12세에 미적분학을 독학하기 시작했으며, 14세 때는 미적분학을 마스터했다. 이 같은 기하학과 대수학에 대한 그의 천재와 열정은 12세 소년으로 하여금 자연을 '수학적 구조'로 이해할 수 있다는 확신을 갖게 해주었다.

그러나 아인슈타인은 제도권 교육 적응에 실패하고 중퇴함으로써 대학 진학과 사회진출에 큰 어려움을 겪게 되었다. 1895년 16세의 나이로 아인슈타인은 취리히에 있는 스위스 연방공과대학ETH 입학시험에 응시했지만, 일부 과목에서 낙제점을 받고 낙방했다. 관심이 없는 암기 과목을 등한시한 때문이었다. 그러나 물리학과 수학에서 받은 뛰어난 성적에 주목한 대학 학장의 조언에 따라 1년 동안 재수한 후에야 이듬해 입학할 수 있었다.

대학에 입학한 후에도 그의 지식 편식은 고쳐지지 않아 물리학과 수학 이외의 강의에는 거의 출석하지 않는 불성실함을 보였고, 교수들에게 나쁜 평판을 얻었다. 게다가 생활지능까지 떨어져 교수에게 '프로페서'라 부르지 않고 '헤르(씨)'라고 불러 노여움을 샀다.

후유증은 이내 나타났다. 지도교수에게 '게으른 강아지'라고 낙인찍혀 추천서를 못 받는 바람에 아인슈타인은 졸업을 앞두고 교직 자리를 얻을 수 없었다. 물리학으로는 밥 먹기 어렵다고 생각한 그는 보험회사에 취직했지만, 곧 직장 상사와 싸우고는 때려치우고 말았다. 게다가 대학에서 사귄 여자친구 밀레바가 덜컥 임신을 하고 낳은 아기를 입양시키는 사태까지 겪게 되었다. 리제를이라는 이름의 딸이었는데, 아인슈타인은 이 딸을 입양시킨 후 평생 두 번 다시 본 적이 없다.

그 무렵 또 아버지가 세상을 떠났다. 자식을 공부시키느라 많은 희생을 했던 아버지에 대한 죄책감은 아인슈타인에게 평생 마음의 상처로 남았다.

그때 절망한 나머지 아인슈타인은 자살할 생각까지 했다고 한다. 그러던 중에 친구의 도움으로 베른의 특허청 하급 공무원으로 취직함으로써 간신히 어둠의 나락에서 탈출할 수 있었다. 그 힘들고 고생스럽던 시절을 아인슈타인과 함께 겪었던 밀레바와 나중에 헤어질 때 아인슈타인은 위자료는 노벨상 상금을 타면 주겠다고 외상으로 달아놓았는데, 나중에 노벨상을 타서 그 외상값을 갚았다고 한다.

하급 공무원에서 최고의 물리학자로

비록 지옥의 맛을 본 끝에 간신히 잡은 하급 공무원직이었지만, 이것이 오히려 아인슈타인이 최고의 물리학자로 도약하는 데 최상의 디딤돌이 되어주었다. 특허 서류 심사를 하는 특허청 공무원은 무엇보다 업무량이 적어서 한가로운 시간을 이용해 세계 최고 수준의《물리학 연보》같은 간행물을 읽고 생각하며 자신의 연구를 진행해나갈 수 있었다. 아인슈타인은 늘 자기 책상 서랍 안에 논문을 넣어두고 틈틈이 작성해나갔다.

아인슈타인이 특허청에서 근무한 지 3년 만인 1905년, 그는《물리학 연보》에 3편의 중요한 논문을 발표한다. 모두 과학계를 뒤흔들어놓은 논문으로, 노벨 물리학상을 받아도 이상할 게 없는 혁신적인 내용들이었다. 빛이 에너지 덩어리로 구성되어 있다는 광전효과, 물질이 원자구조로 이루어져 있다는 브라운 운동 이론, 그리고 물리적 시공간에 대한 기존 개념을 완전히 뒤엎은 특수 상대성 이론인《운동하는 물체들의 전기역학에 관하여》가 그것이다.

26살의 무명의 과학자가 발표한 이 3편의 논문은 현대물리학의 흐름을 바꾼 중요한 논문으로, 이런 연유로 1905년을 '기적의 해'로 부른다. 유엔

1934년 피츠버그의 카네기 공과대학에서 아인슈타인이 자신의 유명한 방정식인 $E=mc^2$을 설명하는 장면.

이 2005년을 '물리의 해'로 정한 것도 그 100주년을 맞아 아인슈타인을 기리기 위한 것이었다.

이때 발표된 논문들은 단 8주 만에 작성된 것이지만, 그중 특수 상대성 이론은 당시까지 지배적이었던 갈릴레이나 뉴턴의 역학을 송두리째 뒤흔들어 종래의 절대적 시간과 공간 개념을 근본적으로 변혁시켰을 뿐만 아니라 철학 사상에도 심대한 영향을 주었다.

아울러 몇 가지 뜻밖의 이론, 특히 질량과 에너지의 등가성을 보여주는 '$E=mc^2$'의 발견은 원자폭탄의 가능성을 예언한 것이었다. 특수 상대성 이론에 의하면 질량과 에너지는 존재의 2가지 형식으로, 양자는 동등하며 서로 변환할 수 있다. 곧, 물질은 얼어붙은 에너지다. 물체의 속도가 빨라지면 질량이 증가한다. 물체에 가해진 에너지의 일부는 속도를 높이는 데 사용되지만, 일부는 질량을 증가시키는 데 사용된다. 따라서 아무리 에너지를 높여 속도를 가속시키더라도 광속에는 이를 수가 없다. 광속에 가까울수록 질량이 무한대로 늘어나기 때문이다. 질량과 에너지의 등가 관계를 나타내는 것이 아래의 그 유명한 방정식이다.

$$E = mc^2$$

(E : 에너지 m : 질량 c : 진공 속에서의 빛의 속도)

원자폭탄의 원리는 여기서 나왔다. 방사성 물질이 핵분열하거나 수소가 핵융합한 후 질량은 반응 전에 비해 약간 감소한다. 이 질량 결손분이 광속도 제곱을 곱하는 공식에 따라 엄청난 에너지를 만들어낸다. 인류는 이 원자력 에너지의 위력을 이미 히로시마에 투하된 원자폭탄으로 실감한 바 있다.

또한 이 식에서 별의 비밀도 자연스럽게 풀렸다. 별의 내부에서 핵융합이 일어나 결손 질량이 막대한 에너지로 변환됨으로써 별이 오랜 기간 밝은 빛을 뿜어낼 수 있는 것이다. 에너지와 물질과 빛이 모두 들어 있는 저 놀라운 방정식. 아무리 수학이 싫더라도 저 방정식 하나만은 머리에 넣어 둘 가치가 있다. 이러한 특수 상대성 이론에 접한 어느 대학의 물리학 교수가 흥분한 나머지 손에 쥔 논문을 흔들며 복도를 내달리면서 "아르키메데스가 나타났다!"라고 외쳤다는 유명한 일화를 남겼을 정도였다.

3편의 논문은 과학계에 폭풍을 몰아왔고, 아인슈타인은 하급 공무원에서 일약 세계 최고의 물리학자로 우뚝 섰다. 각국의 대학과 연구소에서는 아인슈타인을 찾았고, 32살에 프라하 대학 교수, 33살에는 그에게 조교 자리도 주지 않았던 모교 스위스 연방공과대학 교수, 35살에는 베를린에 있는 프로이센 과학 아카데미의 회원이 된 데 이어 유럽 물리학의 총본산인 베를린 대학 교수, 37살에 독일 물리학회 회장에 선출되었다. 최초의 논문을 발표한 지 11년 만에 명실공히 세계 물리학계의 최고봉으로 우뚝 선 셈이다. 참으로 현기증 나도록 빠르고 현란한 출세로, 이런 사례는 과학계에서도 전무후무한 일이었다.

베를린 대학의 막스 플랑크가 제자 네른스트를 베른으로 보내 아인슈타인을 베를린 대학으로 초청했을 때 아인슈타인이 네른스트에게 던진 첫 마디가 "물리학자를 처음 보네요"였다고 한다. 그러자 네른스트는 재치 있게 이렇게 맞받았다고 한다. "아침마다 거울을 잘 안 보시는 모양이죠?"

아인슈타인에게 노벨상을 안긴 광전효과

광양자설로도 불리는 광전효과는 아인슈타인이 빛의 입자성을 이용하여 설명한 현상으로, 금속 등의 물질에 일정한 진동수 이상의 빛을 비추었을 때 물질의 표면에서 전자가 튀어나오는 현상이다. 전자는 금속 내에서 원자핵의 (+)전하와 전기력에 의해 속박되어 있는데, 여기에 빛을 쬐면 빛이 가진 이중성, 즉 파동성과 입자성 중 입자 성질에 의해 빛의 알갱이 광자가 전자와 충돌하게 된다. 이후 전자는 광자가 가진 에너지를 갖게 된다.

다시 말해, 한계 진동수 이상의 진동수를 가진 빛을 금속 물질에 쬐어주면, 광자가 물질의 자유전자와 충돌하면서 물질의 표면에서 전자가 튀어나온다. 높은 한계진동수를 가진 물질의 전자를 분리하기 위해서는 높은 진동수를 가진 광자가 필요하다. 광자의 진동수는 광자의 에너지와 관련이 있으며 이는 빛의 색을 결정한다.

아인슈타인의 광전효과로 인해 빛이 에너지 덩어리인 입자로 이루어져 있다는 사실이 증명됨으로써, 이후 양자역학으로 나아가는 길을 열었다. 아인슈타인에게 1921년 노벨 물리학상의 영예를 안긴 것은 바로 이 광전효과였다. 앞에서도 말했듯이 이때 받은 상금은 전 부인 밀레바에게 빚진 위자료를 갚는 데 들어갔다.

특수 상대성 이론의 두 기둥

아인슈타인을 가장 유명하게 만든 것은 역시 특수 상대성 이론이었다. 처음에는 자기 자신조차 받아들이기 힘들었다는 혁명적인 이론에 대해 뒷날 그는 이렇게 회상했다. "고백컨대, 특수 상대성 이론이 머리에 떠오른 바로 그 순간부터 나는 온갖 종류의 신경쇠약에 걸려 진땀을 흘려야 했다."

아인슈타인이 인생에서 최악의 시기를 넘긴 후 3년 만에 발표된 특수 상대성 이론은 2개의 기둥이 떠받치고 있다고 할 수 있다. 하나는 갈릴레오의 상대성 원리이고, 다른 하나는 광속도 불변의 원리이다.

아인슈타인 역시 먼 우주를 보기 위해서 다른 거인들의 어깨가 필요했다. 한 거인은 바로 아인슈타인이 태어나던 해인 1879년 우주로 떠난 제임스 클러크 맥스웰이었다. 그는 인류의 오랜 궁금증, 빛의 정체가 전자기파의 일종임을 밝혀냄으로써 새로운 과학의 한 시대를 열었던 것이다.

상대성 원리는 또 다른 거인 갈릴레오의 상대론을 가리키는데, 이에 따르면 관측자의 상태에 관계없이 속도를 제외한 모든 물리량은 같은 값으로 측정되어야 하고, 이들 사이의 관계를 나타내는 물리법칙도 같다는 것이다.

특수 상대성 이론은 운동은 절대적인 것이 아니라 상대적인 것이라는 관념을 전제하고 있다. 예컨대, A가 서 있는 기차역으로 B가 탄 기차가 등속으로 지나간다고 치자. 이때 A가 볼 때는 기차가 움직이지만, B가 볼 때는 기차역이 움직이는 것으로 보인다. 무대를 우주공간으로 옮겨보자. A가 있는 옆으로 B의 우주선이 지나간다고 치자. 이때도 A가 움직이는지 B가 움직이는지 판정할 방법은 전혀 없다는 사실이다.

아인슈타인이 받아들인 또 하나의 원리는 "빛의 속도는 누구에게나 항상 같은 값으로 측정된다"는 광속도 불변의 원리이다. 이는 곧, 빛은 어떤 기준도 필요로 하지 않으며 상대성 원리에 따르지 않는다는 뜻이다. 이에 대해 아인슈타인은 다음과 같이 말했다. "맥스웰 방정식에 기준이 도입되지 않았다는 것은 그런 것이 애초에 필요하지 않았다는 뜻이다. 빛은 이 세상 만물에 대해 언제나 초속 30만km다."

빛이 모든 기준계에서 똑같은 속도로 달린다는 것은 이들 기준계마다 시간과 거리가 다르기 때문이라고 추론할 수밖에 없다고 아인슈타인은 생각했다. 그는 또 빛의 파동이 앞으로 활발하게 진행할 때만 빛이 존재하며, 정지 상태에서는 존재할 수 없으므로 우리는 결코 빛을 따라잡지 못한다고 결론을 내렸다. 그렇다면 절대공간과 절대시간 위에 성립된 뉴턴 역학은 심각한 모순을 일으킨다고 아인슈타인은 생각했다. 맥스웰의 전자기파 방정식과 뉴턴 역학이 충돌하는 것이다.

만약 광속의 1/2 속도로 달리는 기차에서 앞쪽으로 빛을 쏘았다고 하자. 뉴턴 역학에 따르면 이때 빛의 속도는 기차 속도가 더해진 초당 45만km가 되어야 한다. 그러나 광속은 어떤 관찰자에게도 일정한 값을 보일 뿐이다. 빛을 앞으로 쏘든 뒤로 쏘든 여전히 초속 30만km인 것이다. 이는 200년 동안 가장 완전한 물리법칙으로 생각해온 뉴턴 역학이 틀렸음을 뜻하는 것이다.

이러한 모순을 바로잡기 위해 아인슈타인은 광속도 불변의 원리를 바탕으로 등속도로 움직이는 모든 관찰자들에게 새로운 시공 개념인 특수 상대성 이론을 제시했다. 이에 따르면 우주 어디에도 관찰자에 전혀 상관없는 '절대공간'과 '절대시간'이란 개념은 존재하지 않으며, 시간과 공간은 각각의 관찰자에 따라 정의될 뿐이라는 것이다.

아인슈타인의 특수 상대성 이론은 모든 관성계에서 같은 물리법칙이 성립하고(상대성 원리), 빛의 속도가 일정하기(광속 불변의 원칙) 위해서는 서로 다른 운동 상태에 있는 관찰자가 측정한 물리량이 달라야 한다는 이론이라고 할 수 있다. 말하자면 상대성 원리와 광속 불변 원리를 지키기 위해 아인슈타인은 기존의 시간과 공간 개념을 수정해야 한다고 생각했던 것이다. 이렇게 하여 아인슈타인은 시간과 공간을 시공간이라는 하나의 체계 속에 통합시켰다.

아인슈타인의 특수 상대성 이론은 이제껏 믿어왔던 우리의 경험세계의 상당 부분을 포기해야 한다고 말한다. 우리가 절대 변하지 않을 것이라고 생각했던 물리량도 관측자에 따라 변하는 상대적인 것임을 인정해야 한다는 뜻이다. 관측자의 상태에 따라 길이는 물론 시간과 질량마저 다른 값으로 측정되어야 한다는 것은 참으로 받아들이기 어려운 대목이 아닐 수 없다. 우리가 가지고 있는 기존의 시간과 공간 개념을 바꾸지 않으면 상대성 이론을 받아들일 수가 없다는 것을 뜻한다. 달리는 기차는 길이가 짧아지고 질량이 늘어나며, 시간은 느리게 간다.

중력과 가속도는 같다

1905년에 발표된 특수 상대성 이론은 기존의 상식과는 너무 다른 사실을 주장하고 있으므로 물리학자들을 납득시키기란 쉽지 않았다. 그것은 기존의 역학체계를 뒤흔드는 혁명적인 이론이었다. 아인슈타인은 여기에서 한 걸음 더 나아가 등속도로 운동하는 관성계에만 적용되는 특수 상대성 이론을 중력이론으로 확장, 가속운동을 하는 물체에까지 적용하려는 것이 그

목적으로 10년간 일반 상대성 이론의 연구에 매달렸다.

그러나 완성된 이 이론은 우주에 대해 근원적인 질문들, 곧 우주는 어떻게 태어났는가, 우주는 얼마나 큰가, 우주는 끝이 있는가 하는 문제들에 대한 답을 말해주는 이론임이 밝혀졌다. 그리하여 일반 상대성 이론은 단순히 뉴턴의 중력이론을 대체할 뿐 아니라 우주에 대한 이론, 즉 우주론의 모체가 되었다. 이로써 인류는 최초로 우주의 탄생과 진화에 대해 이해할 수 있는 수학적인 틀을 가지게 된 것이다.

1917년 초, 그는 마침내 《일반 상대성 이론에 대한 우주론적 고찰》이라는 제목의 논문을 발표해 과학계에 커다란 반향을 불러일으켰다. 특수 상대성 이론은 아인슈타인이 아니더라도 누군가가 그와 똑같은 결론에 다다랐을 것이라고 얘기한다. 그것도 5년 이내에. 그러나 일반 상대성 이론만큼은 그 시대의 어느 누구도 생각지 못했으며, 인류 역사상 가장 위대한 지적 산물의 하나라는 평가를 받고 있다.

특수 상대성 이론이 일정한 속도, 곧 등속으로 움직이는 물체에 적용되는 이론인 데 비해 일반 상대성 이론은 중력과 가속도가 작용하는 상황에서도 성립하도록 일반화한 상대성 이론이다. 그래서 흔히 중력이론으로도 불린다.

아인슈타인은 일반 상대성 이론에서 혁명적인 발상을 하나 선보였는데, 바로 "중력과 가속도는 같은 것이다"라는 개념이다.

아인슈타인의 특기 중 하나는 사고실험인데, 상상으로 실험을 하는 것을 가리킨다. 그는 어느 날 문득 "엘리베이터를 타고 자유낙하를 한다면 어떨까?" 하는 사고실험을 했다. 모든 물체는 질량에 관계없이 중력 아래에서 같은 속도로 떨어진다. 자유낙하하는 물체는 중력이 없는 것처럼 행동한다. 자유낙하하는 엘리베이터 속의 사람은 틀림없이 중력을 느끼지 못할 거라는 데 생각이 미치자, 하나의 통찰이 그를 찾아왔다. "아, 중력과 가속운동은 같은 거구나!" 곧, 중력은 물체의 성질이 아니라, 시공간의 성질이라고 아인슈타인은 생각했다.

뉴턴은 중력을 전제로 만유인력 방정식을 만들었지만, 중력의 정체에 대해서는 끝내 알 수 없었다. 역제곱 법칙으로 공간을 가로지르는 중력이란 무엇인가? 뉴턴을 비판하던 사람들은 이것을 중력의 '원격작용'이라고 하면서 '유령'이 그 전달 매개물이라고 비꼬았다. 이에 대해 뉴턴은 "나는 가설을 만들지 않는다"며 문제를 덮고 말았다. 따라서 만유인력의 법칙은 사실 원료가 밝혀지지 않은 제품의 사용 설명서에 다름 아닌 셈이다.

이렇게 뉴턴이 포기한 지점에서 아인슈타인은 시작했다. 도대체 중력이란 무엇일까? 눈으로 볼 수도 없고 감각으로 지각할 수도 없지만, 엄연히 존재하는 이 중력은 아인슈타인에게 커다란 신비이자 수수께끼였다.

그는 10년 동안 이 문제에 매달린 끝에 중력의 맨얼굴을 비로소 힐끗 본 것이다. 우리가 중력 때문이라고 믿는 효과와, 가속 때문이라고 믿는 효과는 모두 하나의 똑같은 구조에 의해 만들어진 것임을 깨달았다. 즉, 중력이란 물질이 휘어진 시공간을 타고 움직이게 하는 힘이라는 것이다.

일반 상대성 이론에 따르면, 큰 질량체는 주변 공간을 구부러뜨리고, 이 휘어진 공간을 물체가 통과할 때는 반드시 가속을 받게 되는데, 물체가 중력을 느끼는 것은 바로 이 공간의 곡률 때문이라고 해석했다. 말하자면, 중력이라는 힘을 시공간의 기하학적 성질로 바꿔버린 것이다. 이는 참으로 기발하고도 의표를 찌르는 해석이라 하지 않을 수 없다.

뉴턴은 떨어지는 사과를 보고 지구의 중력이 사과를 끌어당기는 것으로 풀이했다. 그러나 아인슈타인의 일반 상대성 이론은 지구가 우리를 둘러싼 시공간 연속체를 휘게 만들어, 휜 시공간의 비탈로 사과가 굴러떨어지고

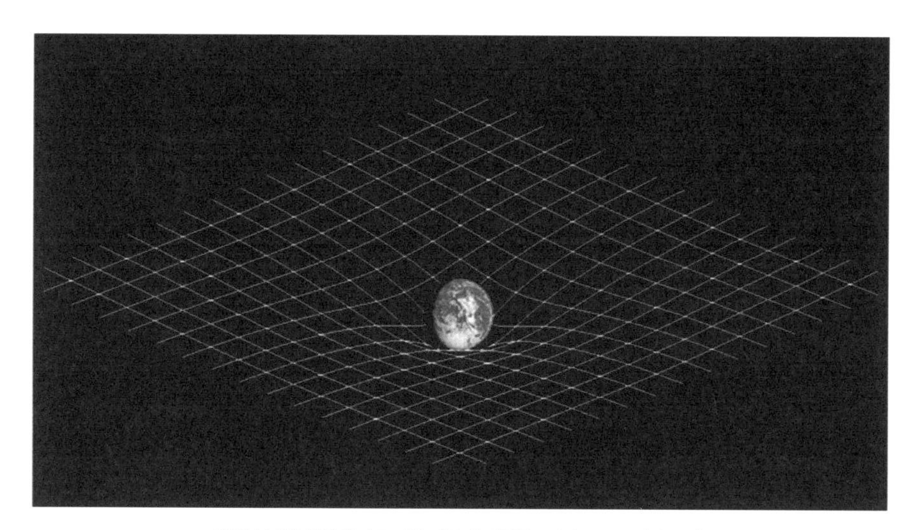

일반 상대성 이론에서 묘사된 시공의 곡률을 2차원으로 표현한 그림.
3차원 존재인 인간은 3차원 공간의 휘어짐은 상상할 수가 없다. © Wikimedia Commons

있다는 것이다.

휘어진 시공간의 개념을 쉽게 이해하기 위해 고무판처럼 휘어지는 평면 위에 쇠구슬을 올려놓아보자. 쇠구슬이 놓여 있는 평면은 쇠구슬 무게 때문에 조금 눌리는데, 이것은 바로 태양처럼 무거운 물체가 시공간에 미치는 영향과 비슷하다. 이제 작고 가벼운 구슬을 고무판 위로 굴린다면, 그 구슬은 뉴턴의 운동법칙에 따라 직선으로 움직일 것이다. 하지만 무거운 물체 가까이에서는 우묵한 비탈을 타고 아래쪽으로 휘어지면서 무거운 물체 쪽으로 끌리게 된다. 이처럼 무거운 물체는 시공간을 휘어지고 구부러지게 만든다는 것이다.

일반 상대성 이론에서 아인슈타인이 말하고자 하는 바는, 중력이란 두 물체 사이에 일어나는 원격작용의 힘이 아니라, 휘어진 시공간의 곡률 때문에 생겨나는 것이라는 결론이다.

시공간에서 물체의 존재는 시공간 구조와 물체 운동의 양방향으로 영향을 주고받는다. 곧, 물체는 시공간의 모양을 결정하고, 그와 동시에 시공간의 모양은 물체의 운동을 결정한다. 이를 두고 미국의 물리학자 존 휠러(1911~2008)는 "질량은 공간에게 어떻게 구부러지라고 얘기하고, 공간은 질량에게 어떻게 운동하라고 얘기한다"는 말로 표현했다.

아인슈타인의 상대성 이론으로 인류의 우주론은 크나큰 변혁을 겪게 되었다. 우주론이란 한마디로 정의하자면 우주의 탄생과 진화, 그리고 그 종말에 관한 이야기인 동시에 우리 인류의 우주 속 위치를 탐구하는 이론이라 할 수 있다. 20세기 초 아인슈타인의 출현으로 말미암아 우주론은 비로소 신화와 종교의 외투를 벗어젖히고 본격적인 과학의 영역으로 진입했다.

빛도 휘어진다

가속운동을 하는 사람이라면 누구든지 어떤 힘을 느낄 수 있다. 자동차의 가속페달을 밟으면 운전자는 몸이 뒤로 밀리는 듯한 느낌을 받고 커브길을 돌면 옆으로 쏠리는 힘을 받는다. 이런 힘을 관성력이라고 하는데, 이는 질량을 가진 물체 모두에 적용되는 힘이다.

중력질량이란 중력에 비례하는 물체의 질량을 말하지만, 관성질량의 개념은 좀 까다롭다. 어떤 물체에 힘을 가하면 가속도가 생기는데, 가속도는 물체의 질량에 반비례한다. 질량이 클수록 가속도는 작아진다는 말이다. 이 질량을 관성질량이라 한다. 중력을 얼마나 받는지는 중력질량에 비례하고, 관성이 얼마나 큰지는 관성질량에 비례한다. 따라서 두 질량은 각기 다른 것으로 같아야 할 이유가 없다. 그런데 갈릴레오의 낙하 실험에서 보듯이 무거운 물체와 가벼운 물체가 같은 가속도로 떨어진다는 것은 중력질량과

빛의 휘어짐으로 인한 중력렌즈 현상을 보여주는 '웃는 은하'. 커다란 두 눈처럼 보이는 것은 밝은 은하들이고, 미소를 짓는 것처럼 보이는 가는 선은 빛이 굴절되어 보이는 것이다. © NASA

관성질량이 같다는 것을 나타낸다.

여기서 아인슈타인은 본질적으로 중력과 관성력은 같은 것이라는 결론에 이르렀다. 이것이 바로 일반 상대성 이론의 핵심을 이루는 등가 원리이다. 그가 본 중력은 시공간의 휘어짐에서 비롯되는 힘이다. 결국 중력은 기하학이었다. 아인슈타인은 중력이 다른 힘들과는 달리 실제로 존재하는 힘이 아니며, 그 속에 들어 있는 질량과 에너지의 분포에 따라 시간과 공간이 평평하지 않고 휘어져 있기 때문에 발생하는 결과라고 주장했다.

이 등가 원리가 빚어내는 결과는 심대한 것이다. 단순히 중력질량과 관성질량이 같다는 것 이상의 의미를 지니고 있다. 가속도를 중력으로 바꾸어버림에 따라 가속계를 만들어내는 효과가 곧 중력효과가 되는 셈이다. 여기서 빛이 중력장에서 휘어간다는 결론이 나올 수 있게 된다.

일반적으로 빛은 최단 경로, 곧 가장 빠른 길을 따라 진행하는 성질이 있다. 이를 페르마가 발견하여 페르마의 원리, 또는 최단시간의 원리라 불린다. 반사나 굴절도 모두 이 원리로 풀이된다. 그런데 일반 상대성 이론에 따르면, 빛이 중력장을 지날 때는 빛 역시 휘어진 시공간 경로를 통과한다는 것이다.

아인슈타인은 빛의 경로가 직선이 아니고 휘어진다면 곧 공간이 휘어져 있기 때문이라고 보았다. 빛의 경로는 공간의 성질을 드러내준다. 그래서 아인슈타인은 "오직 빛만이 우주공간의 본질을 밝혀주는 지표"라고 말했다.

그리하여 가속도에서 출발한 일반 상대성 이론은 결국 중력이론으로 변신하여 우주 구조의 근본적인 문제에 대한 해석틀을 제공해줌으로써 모든 우주론의 모태가 되었던 것이다. 아인슈타인이 처음으로 일반 상대성 이론의 기초적인 아이디어를 생각해낸 것은 1907년이라고 알려져 있다. 그는 주로 사고실험으로 이런 아이디어와 개념을 만들어내곤 했는데, 나중에 일반 상대성 이론이 "내 인생의 가장 행복한 생각"이었다고 술회했다.

우주를 설명하는 새로운 이론

1915년 아인슈타인은 일반 상대성 이론 논문에서 태양 같은 거대 질량의 물체에 의해 휘어진 공간의 기하학을 나타내는 한 쌍의 방정식을 유도했다. 이 방정식들은 질량을 가진 물체에 의해 공간이 어떻게 휘어지는지를 정확히 기술한다.

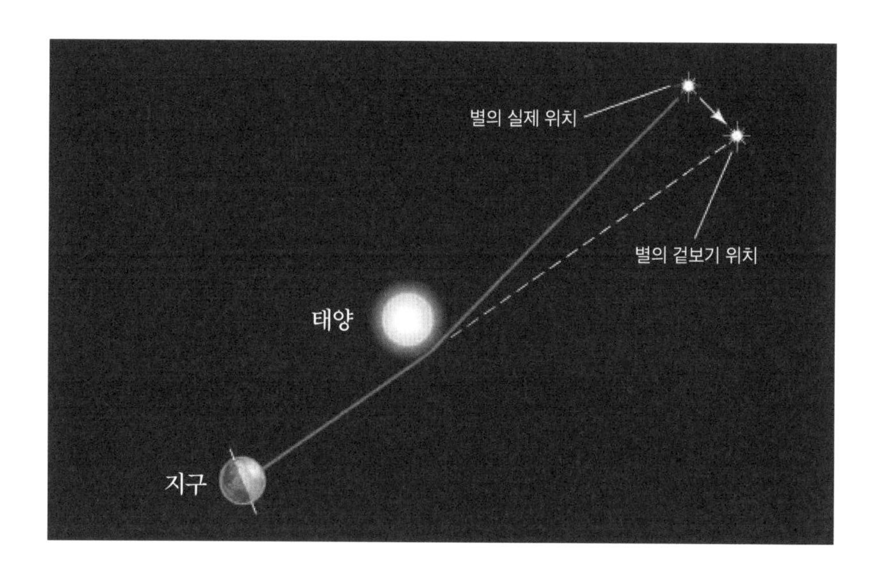

일반 상대성 이론에 의하면 큰 질량체는 주위의 시공간을 구부러뜨리고, 이 굽은 시공간은 빛의 경로에 영향을 미친다. 빛은 직진하려 하지만 굽은 공간 때문에 휘어진다는 것이다. 중력이 그리 크지 않는 경우에 뉴턴의 이론과 아인슈타인의 이론은 모두 똑같은 결과를 내놓지만, 중력장이 매우 센 경우에는 서로 다른 결과를 나타낸다. 따라서 일반 상대성 이론이 발표되자 많은 학자들이 그 진위를 밝히기 위해 갖가지 실험에 나섰다. 영국 케임브리지 천체연구소장이었던 에딩턴이 아프리카 서해안으로 개기일식 관측에 나섰던 것도 그러한 노력의 하나였다.

빛이 큰 중력장을 지날 때 경로가 구부러진다면, 그것을 가장 잘 관측할 수 있는 곳이 태양이다. 우리 주위에서 가장 큰 질량체이기 때문이다. 개기일식 때 태양 주위를 스쳐오는 먼 별빛을 관측하고, 태양이 그곳에 없을 때 오는 별빛의 위치와 비교해보면 된다. 만약 태양 주위의 공간이 굽어 있다면 태양 근처를 지나오는 별빛은 휘어져 별의 실제 위치가 다를 것이다.

1919년 개기일식이 일어날 때, 에딩턴은 팀을 이끌고 개기일식을 가장 잘 관측할 수 있는 아프리카 서해안의 한 섬으로 떠났다. 거기서 관측팀은 개기일식 중 태양 주위에 있는 별들의 사진을 찍은 후 몇 달 전에 찍었던 별들의 위치와 비교해보았다. 그 결과, 별들의 위치가 아인슈타인이 예측했던 만큼 이동해 있는 것이 확인되었다. 이는 일반 상대성 이론이 옳다는 것을 확인해주는 강력한 증거가 되었다.

에딩턴이 영국 왕립천문학회에서 이 사실을 발표했을 때 협회장인 노벨상 수상자 톰슨은 "이것은 인간 사고의 역사에서 가장 위대한 성과이며, 뉴턴의 중력이론을 발표한 이래 중력과 관련되어 이루어진 가장 위대한 발견이다"고 선언했다.

에딩턴의 관측 사실은 곧바로 언론에 보도되어 세계적으로 큰 화제를 불러일으켰다. 런던의 《타임스》는 "과학 혁명—우주를 설명하는 새로운 이론—뉴턴의 이론에 작별을 고하다"라는 톱기사로 보도했고, 《뉴욕타임스》는 "하늘에서 빛은 휘어진다—아인슈타인 이론의 승리"라고 대서특필했다. 그것은 뉴턴의 시대가 끝나고 아인슈타인의 시대가 시작되었음을 알리는 신호탄이었고, 이로써 아인슈타인은 일약 과학 천재로 명성을 얻게 되었다.

독일의 물리학자 막스 보른은 아인슈타인의 중력장 방정식에 다음과 같은 찬사를 바쳤다. "그의 연구는 한 편의 예술작품 같았다. 자연에 대한 인간 사고의 위대한 향연이며, 철학적 통찰과 물리학적 직관, 수학적 기술의 놀라운 결합이다."

아인슈타인의 일반 상대성 이론에 의해 우주론은 비로소 종교와 신화의 영역을 떠나 과학으로 넘어오게 되었다. 그리고 우리는 마침내 138억 년 전 빅뱅으로 우주가 시작되었다는 엄청난 비밀을 열어젖히기에 이른 것이다.

"뉴턴은 과학을 좋아했던 행복한 아이였다. 자연을 펼쳐진 책처럼 받아들였던 아이, 그리고 그것을 힘들이지 않고 읽을 수 있었던 아이였다"고 말한 뉴턴에 대한 아인슈타인의 평가는 그 자신에 대한 평가이기도 했다. 그는 풍부한 상상력과 특기인 사고실험으로 자연의 비밀을 파헤쳐 마침내 우주의 진실을 우리 앞에 펼쳐주었다.

아인슈타인의 상대성 이론으로 말미암아 200년간 부동의 진리로 군림해오던 뉴턴 역학은 좁은 영역에서만 진리일 뿐이라는 사실이 드러났다. 이는 곧 뉴턴의 극복을 의미하는 것이었다. 이런 점이 마음에 걸렸던지 훗날 아인슈타인은 영국 웨스트민스터 사원에 안장되어 있는 뉴턴의 묘지를 찾아가 한동안 조용히 응시한 후 꽃다발을 바쳐 경의를 표하고는 다음과 같은 헌사를 남겼다.

> "뉴턴 선생님, 용서하십시오. 당신은 당신의 시대에 가장 높은 사상과 창의력을 가진 사람에게만 허용되는 유일한 길을 찾으셨습니다."

우주는 유한하나 끝은 없다

중력장 방정식으로 우주의 구조를 기술했던 아인슈타인이 생각한 우주의 모습은 '유한하고 정적인 우주'였다. 그러나 아인슈타인은 자신의 중력장 방정식을 직접 풀어본 뒤 혼란 속에 빠지고 말았다. 유한한 우주는 팽창하거나 수축할 수 있을 뿐, 결코 안정된 상태를 유지할 수 없는 것으로 드러났다.

오래 고민하던 아인슈타인은 방정식에 '우주상수'라는 군더더기를 하나 덧붙였다. 우주를 일그러뜨리는 인력에 맞서는 척력이었다.

일반인이 이해하기는 어렵지만, 흥미 삼아 소개하자면 아인슈타인의 중력장 방정식은 다음과 같다. 마지막 항이 우주상수다. 우주상수가 0일 때는 이 식이 일반 상대성 이론의 중력장 방정식이 된다.

$$G_{\mu\nu} = \frac{8\pi G}{C^4} T_{\mu\nu} - \Lambda g_{\mu\nu}$$

($G_{\mu\nu}$: 아인슈타인 곡률 텐서 R : 스칼라 곡률 $g_{\mu\nu}$: 계량 텐서 Λ : 우주상수
G : 뉴턴 중력 상수 C : 진공에서의 빛의 속도 $T_{\mu\nu}$: 응력-에너지 텐서)

나중에 우주가 팽창한다는 사실이 명백히 밝혀졌을 때, 그는 우주상수가 '내 생애 최대의 실수'였노라고 고백했다. 그러나 그 우주상수는 오늘날 다시 부활하고 있다. 우주의 가속팽창을 추동하는 '암흑 에너지'가 바로 아인슈타인의 우주상수가 아닐까 하고 많은 우주론자들이 생각하고 있는 것이다. 그래서 어떤 사람은 천재의 실수는 범재의 성공보다 가치 있다는 자조 섞인 말을 하기도 한다.

아인슈타인이 오랜 모색 끝에 다다른 우주의 구조는 '유한하나 경계가 없는 우주'였다. 그는 무한한 우주가 불가능한 이유로, 중력이 무한대가 되고, 모든 방향에서 쏟아져 들어오는 빛의 양도 무한대가 되기 때문이라고 보았다. 그리고 공간의 한 위치에 떠 있는 유한한 우주는 별과 에너지가 우주에서 빠져나가는 것을 막아줄 아무런 것도 없기 때문에 역시 불가능하며, 오로지 유한하면서 경계가 없는 우주만이 가능하다고 생각했다.

우주에 존재하는 질량이 공간을 휘어지게 만들고, 그래서 우주 전체로 볼 때 우주는 그 자체로 완전히 휘어져 들어오는 닫힌 시스템이다. 따라서 유한하지만, 경계나 끝도 없고, 가장자리나 중심도 따로 없는 것이 우주다.

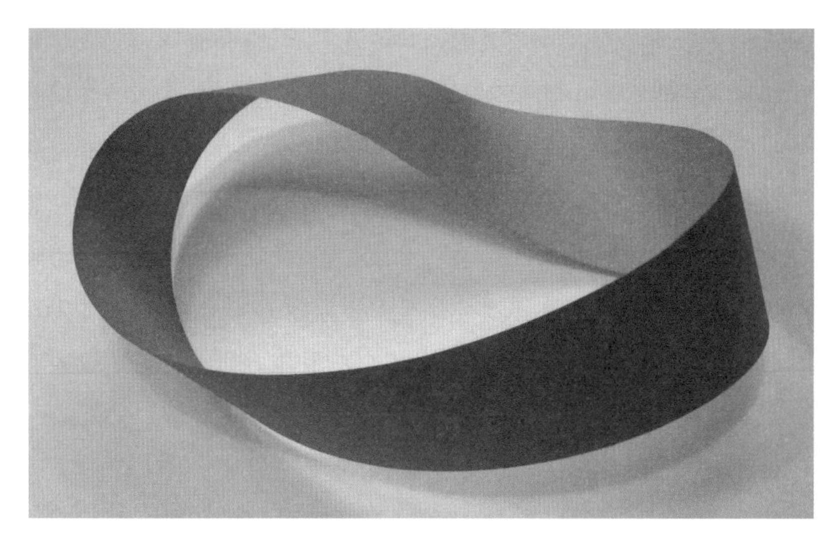

한 바퀴 틀어 서로 연결한 뫼비우스의 띠는 안과 밖이 따로 없다.
우주는 3차원의 뫼비우스 띠 구조를 하고 있다. © Wikipedia

이것이 바로 깊은 사유 끝에 아인슈타인이 도달한 우주의 모습이었다.

독일 물리학자 막스 보른은 "유한하지만 경계가 없는 우주의 개념은 지금까지 생각해왔던 세계의 본질에 대한 가장 위대한 아이디어의 하나"라고 평했다.

안과 밖이 따로 없는 우주의 구조

유한하나 경계가 없다는 뜻은 우주는 무한하다는 뜻인가? 그렇지는 않다. 현재 관측 가능한 우주의 크기는 약 930억 광년이란 계산서가 나와 있다. 우주의 나이가 138억 년밖에 안 되지만, 초기에 빛의 속도보다 빠르게 팽창했기 때문이다. 이를 인플레이션(급팽창)이라 한다. 아인슈타인의 특수 상대성 이론에 따르면 우주에서 빛보다 빠른 것은 없다고 하지만, 우주는 공간 자체가 팽창하는 것이기 때문에 그에 구애받지 않는다.

관측 가능한 우주의 경계를 우주 지평선이라고 한다. 우주 지평선 너머에는 과연 무엇이 있을까? 우주의 등방성等方性(공간이 방향에 따라 다르지 아니하고 같은 성질)과 균일성을 신념처럼 섬기는 천문학자들은 그곳의 풍경도 이쪽의 풍경과 별반 다르지 않을 거라고 생각하고 있다. 신은 공평하니까 거기라고 해서 여기와 크게 다르게 무엇을 창조해놓았을 리는 없다고 생각하는 것이다. 하지만 아무도 확신할 수는 없다. 우리는 영원히 그 너머의 풍경을 엿볼 수 없을 것이므로.

이런 사연으로 인해 우주의 끝 문제는 그리 간단하지가 않다. 우주의 구조가 우리가 일상적으로 겪고 보는 것들과는 전혀 다른 형태를 하고 있는 것도 또 한 가지 이유이기도 하다.

유한하지만 경계나 끝이 없다는 것은 곧 우주는 안과 밖이 따로 없는 구조라는 뜻이다. 뭐? 그런 게 어디 있어? 안이 있으면 바깥도 있고, 시작이 있으면 끝도 있는 거지. 사람들은 보통 상식적으로 그렇게들 생각하지만, 안 그런 사물들도 있다.

뫼비우스의 띠만 해도 그렇다. 한 줄의 긴 띠를 한 바퀴 틀어 서로 연결해보라. 그 띠에는 안과 밖이 따로 없다. 부분적으로는 안팎이 있지만, 전체적으로는 서로 연결된 구조다. 만약 개미가 그 띠 위를 계속 기어가면 자연 다른 면으로 이동하게 된다.

2차원 구면을 생각해보면 더 이해하기 쉽다. 지구 표면을 한없이 걸어가도 경계나 끝에 다다를 수 없다. 이러한 현상의 3차원 버전이 바로 우주라는 것이다. 따라서 우주에는 중심과 가장자리란 게 따로 없다. 내가 있는 이 공간이 우주의 중심이라 해도 틀린 얘기가 아니다. 우주의 모든 지점은 중심이기도 하고 가장자리이기도 하다는 뜻이다.

27. '별의 죽음'을 사색한 남자
- 찬드라세카르(1910~1995)

신은 민감하나, 악의는 없다.
아인슈타인 (독일 출신의 물리학자)

캄캄한 밤바다를 달리는 배 위에서 청년은 난간을 잡은 채 밤하늘을 올려다보았다. 쏟아질 듯한 별들이 하늘을 가득 채우고 있었다. 아니, 별들은 이미 바다 위로 쏟아져 머리 위로도 발 아래로도 천지가 거대한 별의 바다를 이루고 있었다.

그때까지 알려진 별의 일생은 태양 같은 별이 항성 진화의 막바지에 이르면, 겉층을 우주로 방출한 다음 속고갱이 같은 조그만 백색왜성만이 남게 된다는 것이었다. 청년은 밤바다 위에서 온갖 색과 밝기로 빛나는 별들을 우러러보며 저 모든 별들이 똑같이 그런 최후를 맞지는 않을 것이라고 생각했다.

별들은 어떻게 죽는가?

청년의 이름은 나중에 별의 죽음을 연구하여 노벨 물리학상을 받은 찬드라세카르이며, 최초로 별의 죽음에 관한 아이디어를 떠올린 것은 1930년 영국으로 가기 위해 인도양의 물살을 가르는 여객선 위에서였다. 찬드라세카르의 가장 대표적인 업적인 백색왜성 연구는 영국의 대학원에 가기 위해 기나긴 뱃길 여행을 막 시작한 시점에서 이렇게 시작되었다.

찬드라세카르는 1910년, 영국령 인도제국(지금은 파키스탄) 펀자브 주 라호르에서 태어났다. 아버지는 철도청 고위 관리였으며, 삼촌인 찬드라세카라 벵카타 라만은 1930년 라만 효과를 발견한 공로로 노벨 물리학상을 수상한 물리학자였다.

찬드라 역시 일찍이 천재성을 드러냈다. 마드라스 대학을 다닐 때 양자역학 논문 경연대회에서 1등을 차지해 상으로 아서 에딩턴의 저서 《항성의 내부구조》를 받았다. 에딩턴은 별이 핵융합에 의해 연소된다고 주장했다.

첸나이 프레지던시 대학에서 천문학을 전공해 학사 및 석사학위를 받은 찬드라세카르는 영국의 인도 학생을 위한 장학금을 받아 1930년부터 케임브리지 대학교 트리니티 칼리지에서 랠프 파울러의 지도 아래 별의 최후에 대한 연구로 1933년 23살의 나이에 박사학위를 받았다.

수소 구름 속을 자궁 삼아 태어난 별들은 타고난 질량에 따라 나름의 삶을 살아간다. 곧, 항성 진화의 경로를 따라가는 것이다. 수소를 융합하여 헬륨을 만드는 과정은 항성 진화의 역사에서 최초이자 최장의 단계를 차지한다. 항성의 생애 중 99%를 차지하는 이 긴 기간을 통해 별의 겉모습은 거의 변하지 않는다. 태양이 50억 년 동안 변함없이 빛나는 것도 그러한 이유에서다.

별의 연료로 쓰이는 중심부의 수소가 다 소진되면 어떻게 될까? 별의 중

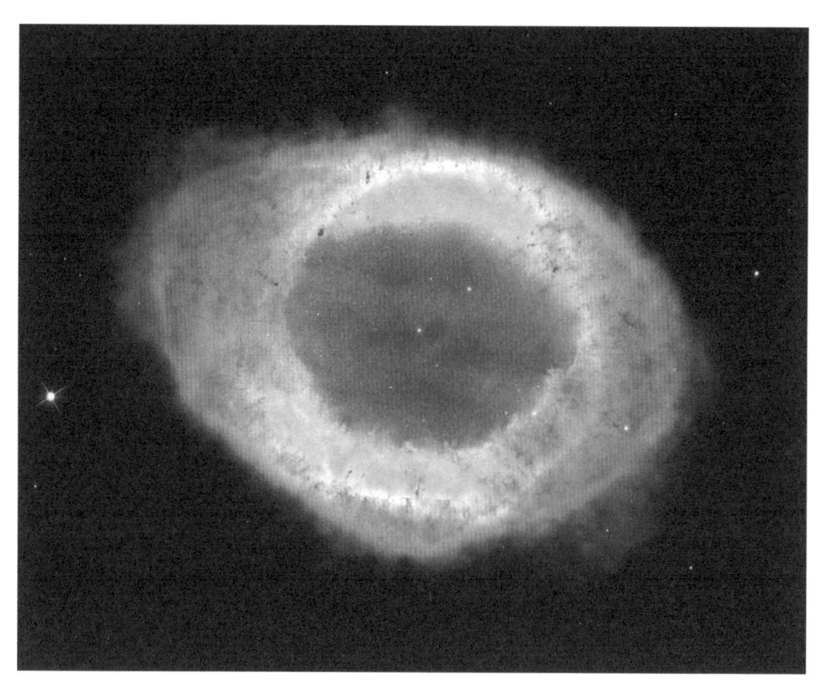

고리성운 M57. 행성상 성운의 하나로 우리 태양의 약 60억 년 후 모습과 같다. 가운데 별이 백색왜성. 지구로부터 2000광년 거리 거문고자리에 있으며, 반지름이 약 0.3광년이다. © Wikipedia

심핵 맨 안쪽에는 핵폐기물인 헬륨이 남고, 중심핵의 겉껍질에서는 수소가 계속 타게 된다. 이 수소 연소층은 서서히 바깥으로 번져나가고 헬륨 중심핵은 점점 더 커진다. 이 헬륨 핵이 커져 별 자체의 무게를 지탱하던 기체 압력보다 중력이 더 커지면 헬륨 핵이 수축하기 시작하고, 이 중력 에너지로부터 열이 나와 바깥 수소 연소층으로 보내지면 수소는 더욱 급격히 타게 된다. 이때 별은 비로소 나이가 든 첫 징후를 보이기 시작하는데, 별의 외곽부가 크게 부풀어오르면서 뻘겋게 변하기 시작하면서 원래 덩치의 100배 이상 팽창한다. 이것이 바로 적색거성이다.

일생의 반을 지나고 있는 우리 태양은 60억 년 후에는 이 단계에 이를 것이다. 그때 태양은 수성과 금성의 궤도에까지 팽창해 두 행성을 집어삼키겠지만, 지구가 어떻게 될지는 확실하지 않다. 태양은 지구 궤도까지 부풀 것으로 예상하지만, 적색거성 단계인 태양은 질량을 잃은 상태이므로 지구를 포함한 행성들은 현재 위치보다 뒤로 물러나게 된다. 하지만 지구 하늘의 반을 뒤덮고 지구 온도를 2,000도까지 끌어올릴 것이다. 하지만 걱정하지 않아도 된다. 그 전에 인류는 지구에서 사라질 테니까.

태양 크기의 항성이 헬륨을 태우는 단계는 약 1억 년 동안 계속된다. 이윽고 헬륨 저장량이 바닥나면 항성 내부에는 탄소로 가득 차게 된다. 모든 항성이 여기까지는 비슷한 삶의 여정을 밟는다. 하지만 그다음의 진화 경로와 마지막 모습은 다 같지 않다. 그것을 결정하는 것은 오로지 한 가지, 그 별이 갖고 있는 질량이다. 그 한계질량이 태양 질량의 1.44배(2.864×10^{30}kg)로, 이를 일컬어 '찬드라세카르 한계'라 한다.

찬드라세카르 한계로 본 태양의 최후

찬드라세카르 한계 이하인 작은 별은 두 번째의 수축으로 비롯된 온도 상승이 일어나지만, 탄소 원자핵의 융합에 필요한 3억 도의 온도에는 미치지 못한다. 하지만 두 번째의 중력 수축에 힘입어 얻은 고온으로 마지막 단계의 핵융합을 일으켜 별의 바깥 껍질을 우주공간으로 날려버린다.

이때 태양의 경우, 자기 질량의 거의 절반을 잃어버린다. 태양이 뱉어버린 이 허물들은 태양계의 먼 변두리, 해왕성 바깥까지 뿜어져나가 찬란한 쌍가락지를 만들어놓을 것이다. 이것이 바로 행성상 성운으로, 생의 마지막 단계에 들어선 별의 모습이다. 그런데 사실 행성상 성운과 행성은 아무런 관계도 없다. 옛날 망원경이 부실하던 시절 행성처럼 보인 데서 붙여진 이름에 불과하다.

마지막 팽창된 표피층을 잃어버리고 나면 고밀도의 뜨거운 빛을 내는 중심핵이 남게 되는데, 태양이 이 단계에 이른다면 중심별 근처에는 끔찍한 잔해들이 떠돌 것이다. 그 중에는 우리 인류가 살면서 문명을 일구고 희로애락을 누렸던 지구의 잔해들도 분명 포함되어 있을 것이다.

항성의 잔해인 중심별은 서서히 식으면서 수축을 계속해서 더 이상 찌그러들 여지가 없을 정도로까지 압축된다. 태양의 경우 크기가 거의 지구만 해지는데, 애초 항성 크기의 100만분의 1의 공간 안에 물질이 압축되는 것이다. 이 초밀도의 천체는 찻술 하나의 물질이 1톤이나 된다. 인간이 이 별 위에 착륙한다면 5만 톤의 중력으로 즉각 분쇄되고 말 것이다.

이 별의 중심부는 탄소를 핵융합시킬 만큼 뜨겁지는 않으나 표면의 온도는 아주 높기 때문에 희게 빛난다. 곧, 행성상 성운 한가운데 자리하는 백색왜성이 되는 것이다. 마치 큰스님의 다비식 후에 남는 사리와 같은 별이라고 할까. 이 백색왜성도 수십억 년 동안 계속 우주공간으로 열을 방출하면 끝내는 온기를 다 잃고 까맣게 탄 시체처럼 시들어버린다. 그리고 마지막에는 빛도 꺼지고 하나의 흑색왜성이 되어 우주 속으로 영원히 그 모습을 감추어버리는 것이다. 우리 태양의 최후 모습도 이럴 것이다.

중간 질량의 별에서는 중심핵 바깥쪽의 수소층에서 융합 작용이 빨라지면서 항성의 부피가 늘어나기 시작한다. 이로써 별의 외곽층은 항성 중심부로부터 멀어지게 되며 외곽층에 가해지는 중력이 약해지고, 빠르게 팽창하면서 수소의 밀도가 낮아져 핵융합 빈도가 줄어들면서 표면 온도가 내려가게 된다. 표면 온도가 내려가면서 항성은 주계열성 시절보다 붉게 보이게 된다.

항성 진화의 후기 단계에 있는 이런 별들을 적색거성으로 부른다. 태양의 수십에서 수백 배 정도의 반지름을 가지고 있는 밝고 거대한 적색거성은 외곽 껍질의 온도가 5,000K보다 낮아 색깔이 불그스름한 오렌지색을 띤다.

무거운 별은 수소가 다 탕진될 때까지 이런 적색거성으로 살아가다가, 이윽고 수소가 다 타버리고 나면 스스로의 중력에 의해 안으로 무너져내린다. 붕괴하는 별의 중심부에는 헬륨 중심핵이 존재한다. 중력 수축이 진행될수록 내부의 온도와 밀도가 계속 올라가고 헬륨 원자들 사이의 간격이 좁아진다. 마침내 1억 도가 되면 헬륨 핵자들이 밀착, 충돌하여 핵력이 발동한다. 수소가 타고 남은 재에 불과하던 헬륨에 다시 불이 붙는 셈이다. 이렇게 항성의 내부에 다시 불이 켜지면 진행되던 붕괴는 중단되고 항성은 헬륨을 태워 그 마지막 삶을 시작한다.

대표적 적색거성으로는 황소자리의 알데바란이나 목자자리의 아르크투루스를 꼽을 수 있다.

찬드라세카르와 에딩턴의 악연

우리에게 별의 죽음을 들려주는 찬드라세카르에게는 별에 얽힌 아픈 과거의 상처가 하나 있다. 찬드라가 백색왜성 연구에 매진해서 자신의 백색왜성 이론을 발표하자 스승인 에딩턴이 강력하게 반발하고 나섰던 것이다.

찬드라세카르는 태양 질량의 약 1.4배 이상 되는 질량을 가진 별은 백색왜성이 아닌 다른 종류의 마지막에 도달함을 보였다. 찬드라세카르는 순수하게 수학만을 사용하여 블랙홀의 존재를 암시하였는데, 에딩턴은 수학만을 사용해 유도된 실세계의 현상은 물리적이지 않고 불합리하다며 찬드라세카르의 업적을 인정하려 하지 않았다.

왕립 천문학회 모임에서 에딩턴 경(몇 년 전 작위를 받았다)은 찬드라의 이론에 대해 단호하게 반대했다. "죽어가고 있는 별이 일정 수준 이상으로 크다면 백색왜성이 되지 않을 것이라는 주장에 일절 동의하지 않는다. 별이 그런 불합리한 방식으로 행동하는 것을 막아주는 자연의 법칙이 반드시 있을 것이라고 생각한다."

에딩턴은 당시 세계 최고의 천문학자이자, 별의 내부구조에 있어서 제일인자였다. 그런 에딩턴의 노골적인 부정은 갓 학계에 명함을 내놓은 찬드라에게는 엄청난 타격이었다. 당시 지도적인 입장에 있던 에딩턴은 찬드라의 아이디어를 공개적으로 조롱하거나 그가 자기 이론을 방어할 충분한 시간을 주지 않은 채 몰아붙였다. 찬드라는 에딩턴의 반격으로 심한 상처를 받았다.

그는 결국 영국에서는 교직을 얻지 못하고, 이듬해 미국으로 건너가 시카고 대학의 교수가 되었다. 그리고 1930년대 후반이 지나면서 에딩턴을 제외한 대부분의 천체물리학자들은 그의 주장에 동조하기 시작한다. 시간이 흐름에 따라 그의 이론은 점차 학계에 널리 받아들여졌고 많은 상을 받게 되었다.

영국으로 가는 배 위에서 별의 죽음을 생각한 지 반세기가 넘은 1983년, 찬드라는 '별의 진화 연구'에 관한 업적으로 미국의 W. 파울러와 공동으로 노벨 물리학상을 받았다. 스승 에딩턴은 노벨상을 못 받았지만 배척당한 제자 찬드라는 노벨상을 받은 것이다.

에딩턴은 후에도 여러 차례 찬드라에게 화해를 시도했으나 찬드라는 끝내 응하지 않았다. 영국 유학 시절 두 사람은 같이 자전거 여행도 하는 등 더없이 친하게 지냈던 추억을 공유한 사이인데도 말이다. 한참 후 에딩턴의 사망 소식을 들은 찬드라는 회한에 찬 한마디를 내뱉었다. "아, 내가 그

때 왜 그랬던가?"

찬드라는 죽을 때까지 시카고 대학교에서 헌신적인 교육 활동을 멈추지 않았다. 단 2명의 대학원생을 지도하기 위해 160km 떨어진 대학까지 운전하며 다닌 적도 있었다. 1957년 리정다오와 양전닝으로 구성된 그의 지도 학급 전체가 노벨 물리학상을 받음으로써 찬드라의 그 같은 헌신은 보답받았다. 1995년 8월 21일 사망. 향년 85세.

그의 이름에서 '찬드라'Chandra는 '달' 또는 '빛을 내는'이란 뜻의 산스크리트 말로, 그의 공로를 기려 1999년 궤도권에서 직접 엑스선을 관측하기 위해 우주로 쏘아올려진 엑스선 망원경에 '찬드라 엑스선 관측선'이란 명칭이 붙여졌다.

인간은 별의 자녀들이다

태양보다 1.44배 이상 무거운 별들에게는 과연 어떤 운명이 기다리고 있을까? 거성의 최후를 따라가보도록 하자.

육중한 항성의 질량이 가져오는 붕괴는 엄청난 열을 발생시키고, 내부 온도가 3억 도를 넘어서면 탄소가 연소하기 시작한다. 이후 핵융합 반응이 한 단계씩 진행될 때마다 양성자와 중성자가 2개씩 더해지면서 별 속에는 네온, 마그네슘, 규소, 황 등의 순으로 여러 무거운 원소층이 양파껍질처럼 생긴다. 핵융합 반응은 마지막으로 별의 가장 깊은 중심에 원자번호 26번 철(Fe)을 남기고 끝난다. 철보다 더 무거운 원소를 만들어낼 수는 없기 때문이다.

마지막 핵폐기물인 철로 이루어진 중심핵이 점점 더 커지면 다시 자신의 무게를 지탱하지 못해 중력 수축이 일어난다. 이 최후의 붕괴는 참상을 빚어낸다. 중심부의 철 원자핵들은 중력 수축으로 생긴 에너지를 신속하게 빨아들임으로써 낙하하는 물질은 아무런 저항도 받지 않고 1분에 100만 km라는 엄청난 속도로 함몰해간다.

중심부에 초고밀도의 물질이 쌓여 압력이 충분히 커질 때 수축은 멈추어지고 잠시 잠잠하다가 이내 용수철처럼 튕겨서 격렬하게 폭발한다. 이것이 바로 초신성으로, 태양 밝기의 수십억 배나 되는 밝기로 우주공간을 밝혀, 우리은하 부근이라면 대낮에도 맨눈으로 볼 수 있을 정도다. 수축의 시작에서 대폭발까지의 시간은 겨우 몇 분에 지나지 않는다. 대천체의 임종으로서는 지극히 짧은 셈이다.

어쨌든 대폭발의 순간 몇조 도에 이르는 고온 상태가 만들어지고, 이 온도에서 붕괴되는 원자핵이 생기고 해방된 중성자들은 다른 원자핵에 잡혀 은, 금, 우라늄 같은 더 무거운 원소들을 만들게 된다. 이 같은 방법으로 주기율표에서 철을 넘는 다른 중원소들이 항성의 마지막 순간에 제조되는 것이다.

그리하여 항성은 일생 동안 제조했던 모든 원소들을 대폭발과 함께 우주공간으로 날려보내고 오직 작고 희미한 백열의 핵심만 남긴다. 이것이 바로 지름 20km 정도의 초고밀도 중성자별로, 각설탕 하나 크기의 양이 1억 톤이나 된다. 중성자별의 껍데기는 우주에서 알려진 것 중 가장 강한 물질로, 그 강도가 강철의 100억 배에 달한다.

한편, 중심핵이 태양의 2배보다 무거우면 중력 수축이 멈추어지지 않아 별의 물질이 한 점으로 떨어져 들어가면서 마침내 빛도 빠져나올 수 없는 블랙홀이 생겨난다. 거대 질량의 별이 최후로 블랙홀이 될 수 있는 조건은 태양 질량의 30배 이상으로 알려져 있다.

장대하고 찬란하며 격렬한 별의 여정은 대개 이쯤에서 끝나지만, 그 후

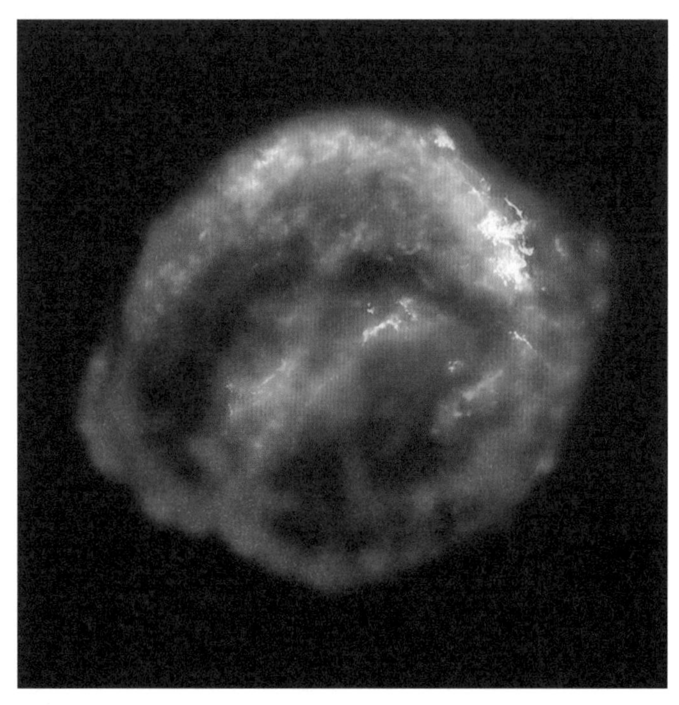

케플러 초신성. 1604년 폭발한 초신성으로, 인간이 목격한 우리은하의 초신성 중 최근에 폭발한 초신성이다. 폭발 장소는 지구에서 약 2만 광년 떨어진 뱀주인자리다. 철 이후의 중원소들은 초신성 폭발 때 만들어진다. © Wikipedia

일담이 어쩌면 우리에게 더욱 중요할지도 모른다. 적색거성이나 초신성이 최후를 장식하면서 우주공간으로 뿜어낸 별의 잔해들은 성간물질이 되어 떠돌다가 다시 같은 경로를 밟아 별로 환생하기를 거듭한다. 말하자면 별의 윤회다. 은하 탄생의 시초로 거슬러올라가면 수없이 많은 초신성 폭발의 찌꺼기들이 태양과 행성, 그리고 우리 지구를 만들었을 것이다.

이런 과정을 거쳐 우리 몸을 이루고 있는 원소들, 곧 피 속의 철, 치아 속의 칼슘, DNA의 질소, 갑상선의 요드 등 원자 알갱이 하나하나는 모두 별 속에서 만들어진 것이다. 이것은 비유가 아니라 그야말로 팩트다. 우리 몸은 대략 10^{28}개의 원자들로 이루어져 있다. 그리고 체중의 10%는 빅뱅 우주에서 만들어진 수소이고, 나머지 90%는 적색거성에서 만들어진 산소, 탄소, 질소, 인, 철 등이다. 그러므로 우리는 어버이 별에게서 몸을 받아 태어난 별의 자녀들인 것이다. 말하자면 우리는 '메이드 인 스타'인 셈이다.

창밖에는 바람이 불고 나뭇잎이 흔들리고 새들이 우짖는다. 별들이 빛나는 전 생애를 걸쳐 원소를 만들고, 그것들을 자신의 죽음과 함께 우주로 아낌없이 뿌리지 않았다면 나도 저 새도 없었을 것이다. 그래서 우리의 고은 시인은 이렇게 노래했나보다.

> 소쩍새가 온몸으로 우는 동안
> 별들도 온몸으로 빛나고 있다
> 이런 세상에서 내가 버젓이 잠을 청한다
>
> —고은, 《순간의 꽃》 중에서

오늘밤 바깥에 나가 하늘의 별을 보라. 저 아득한 높이에서 반짝이는 별들에 그리움과 사랑을 느낄 수 있다면, 당신은 진정 우주적인 사랑을 품은 사람이다.

28. '어제가 없는 오늘' 일어난 빅뱅
– 조르주 르메트르(1894~1966)

왜 세상에는 아무것도 없지 않고 무엇인가가 있는가?
고트프리트 라이프니츠 (독일 철학자, 수학자)

현대 우주론이 개화한 20세기

20만 년 전 인류가 처음으로 아프리카 대륙에 모습을 드러낸 이래, 인류를 에워싸고 있는 우주는 늘 하나의 거대한 신비이자 수수께끼였다.

해가 뜨고 달과 별이 뜨고, 그에 따라 계절이 순환하는 패턴을 지켜본 인류가 세계의 시작, 천지창조의 신화를 엮어낸 것은 너무나 당연한 일이었다. 과학이 없는 자리에는 인간의 상상력이 싹트게 마련이다. 세계의 거의 모든 지역과 민족들이 나름의 창조신화를 갖고 있는 것은 이런 이유 때문이었다.

이렇게 인간의 상상력이 빚어낸 우주론은 신화의 외투를 걸치고 수천, 수만 년 인류의 의식을 지배하고 종교를 생성했다. 중세를 지나고 17세기가 되어 천동설이 지동설에 의해 퇴출되고 난 후에도 우주론은 여전히 신화의 틀에서 벗어나지 못했다.

태양이 지구 둘레를 돈다고 믿어온 인류는 여전히 우주는 고요하고 정형적인 존재라는 믿음을 굳게 지니고 있었다. 우주는 원래 영원 이전부터 존재했던 것이고, 앞으로 영원 이후까지 이렇게 존재할 거라고 믿는 우주관이 19세기에 이르도록 지배적이었는데, 이를 정상 상태 우주론, 또는 줄여서 정상 우주론이라 한다.

이 우주관의 편리한 점은 골치 아프게 떠들썩한 시작이나 종말을 상정할 필요가 없다는 점이다. 이 우주관을 신앙처럼 믿고 있었던 사람들은 당연히 우주 자체가 어떤 변화의 과정을 끊임없이 밟고 있다는 생각은 꿈에도 하지 않고 있었다. 영원 이전부터 존재한 신이 영원 이전부터 우주를 존재케 했을 것임은 너무나 당연한 일이라고 믿었다.

우주론을 가두고 있는 이 같은 신화의 틀 한 모퉁이를 최초로 깨뜨린 사람은 다름 아닌 일반 상대성 이론을 들고 나온 아인슈타인이었다.

1915년 발표한 일반 상대성 이론에서 아인슈타인은 중력과 가속도를 동일한 것으로 보고, 시공간의 곡률을 통해 중력을 기하학적 성질로 바꿔놓았다. 나아가 아인슈타인은, 우주는 3차원 시공간에 시간 1차원이 더해진 4차원의 시공간 연속체라고 선언하고, 공간의 에너지 분포가 시공간 곡률을 결정함을 보여주는 중력장 방정식을 선보였다. 이로써 우주론은 비로소 낡은 신화의 외투를 벗어제끼고 과학의 장으로 진입하게 되었다. 그런데 아이러니하게도 아인슈타인 역시 정상 우주론이 주장하는 정적인 우주론을 믿고 있었다.

1920년대 대부분의 천문학자들 역시 우주가 정적이면서 균일하다고 믿고 있었다. 아인슈타인도 이 정적인 우주를 선호했다. 그런데 실망스럽게도 그의 일반 상대성 이론을 통하여 제시된 중력 방정식은 우주가 팽창하거나 수축해야 한다는 것을 보여주는 것이었다. 아인슈타인 역시 200년 전 발견된 벤틀리의 역설을 뛰어넘을 수가 없었다. 중력은 항상 인력으로만 작용하므로, 종국에는 모든 별들이 한 덩어리로 뭉칠 것이고 우주의 파국은 피할 수 없게 된다는 것이 벤틀리 역설의 핵심이다.

아인슈타인은 자신의 중력 방정식에서 정적인 우주를 유도하기 위해 우주상수라는 새로운 항을 덧붙여 이 문제를 피해갔다. 말하자면 반중력, 곧 척력에 해당하는 우주상수를 집어넣음으로써 인위적으로 정적 우주를 만들어냈던 것이다. 아인슈타인의 우주상수는 200년 전 뉴턴이 말한 '신의 손'에 다름 아니었다.

로만 칼라의 우주론자

아인슈타인이 장 방정식에 우주상수를 억지로 끼워넣음으로써 힘을 얻은 정상 우주론에 처음으로 도전장을 내민 사람이 20세기 초에 나타났다. 그런데 그 주인공이 상당히 의외의 인물이었다. 하얀 로만 칼라를 단정하게 착용한 가톨릭의 젊은 신부 천문학자로서, 이름은 조르주 르메트르였다.

1894년 벨기에에서 태어난 르메트르는 원래 천문학자도 아니었다. 17세에 루뱅 가톨릭 대학교에 입학해 열심히 토목공학을 전공하던 건실한 젊은이였다. 그런데 전쟁이 이 청년의 삶을 온통 뒤바꿔놓았다. 열심히 공부하던 학생에게 징집 영장이 날아든 것이다. 1914년 제1차 세계대전이 발발해 나라 안의 웬만한 남자들은 다 전쟁터로 달려가야 할 형편이었다. 르메트르의 병과는 포병이었다. 그는 종전 때까지 포병 장교로 복무했다.

포탄이라는 것은 사람이 직격하면 개체가 형태도 없이 완전 분해되는 무서운 병기다. 총을 가진 사람이 총에 맞을 확률이 가장 많듯이, 포를 다루는 사람은 포탄에 맞을 확률이 가장 높다. 이런 전쟁의 끔찍한 참상을 직접 눈으로 보고 겪은 르메트르는 야자수가 새겨진 벨기에 전쟁 십자훈장을 받았지만, 전후 복교하자 돌연 전공을 토목공학에서 천문학과 수학으로 바꾸고, 교구 사제직을 준비하기 시작했다. 살면서 큰일을 겪은 사람에게 흔히 일어나는 가치관의 변혁이었다.

르메트르는 1920년 수학 논문으로 박사학위를 취득한 데 이어 29살 때인 1923년에는 가톨릭 사제 서품을 받았다. 게다가 얼마 뒤에는 천문학으로 박사까지 받았다. 보통 사람이라면 한 가지도 어려운데 세 가지를 거뜬히 해낸 것을 보면 천재임이 틀림없다. 천재는 못 말린다.

1931년, 벨기에 천문학자이자 예수회 사제인 조르주 르메트르는 독자적인 연구 끝에 일반 상대성 이론의 장방정식을 깊이 연구한 끝에 우주가 팽창하고 있다는 대폭발 우주론을 발표했다. 현재 팽창 일로에 있는 우주는 사실 먼 과거 어느 한 시점에 실제로 있었던 대폭발의 결과물이라는 것이다.

르메트르는 《은하 외 성운의 반경 방향 속도를 설명하는 일정한 질량과 증가하는 반경의 균일한 우주》라는 제목의 논문에서 우주의 기원에 대한 '대폭발 이론'을 제안하면서 이를 '원시원자Primeval Atom 가설'이라고 불렀고, 나중에는 '세계의 시작'The Beginning of the World이라고 이름했다.

그가 제안한 원시원자는 우주의 모든 물질과 복사를 포함한 무한대의 밀도를 가진 지극히 작은 방울로, 내부 압력으로 말미암아 대폭발을 일으켜 급격히 팽창하기 시작했다. 이로부터 시간과 공간, 물질의 역사가 시작되었다는 것이다.

시간이 흘러감에 따라 우주의 물질은 더욱 냉각되고 은하로 응축되었으며, 은하 내부에서는 항성으로 응축되었다. 그리하여 몇십억 년이 흐른 후 대우주는 계속된 팽창과 함께 오늘날 존재하는 것과 같은 상태에 도달하기에 이른 것이다. 그러므로 이러한 팽창을 거슬러올라가면 우주의 기원, 즉 르메트르가 '어제가 없는 오늘'the day without yesterday이라고 불렀던 태초의 시공간에 도달한다는 것이다. 또한 우주 팽창 속도를 계산하면 우주의 나이를 알 수 있을 거라고 제안했다.

그러나 이 같은 혁신적인 르메트르의 우주론은 그다지 빛을 보지 못했다. 세상 물정 어두운 르메트르가 별로 유명하지 않은 조그만 학술지에 논문을 발표하는 바람에 보는 사람도 별로 없었을뿐더러, 그나마 읽은 과학자들도 그의 대폭발 우주론에 회의적이었기 때문이다. 회심의 역작을 내놓은 르메트르로서는 실망스러울 수밖에 없었다.

정상 우주론 대 빅뱅 우주론

우주 진화론을 주장하는 빅뱅 우주론에 맞서 우주가 한결같았다고 주장하는 정상 우주론은 은하가 진화해왔다고 생각하지 않는다.

1948년 영국 케임브리지 대학 트리니티 칼리지의 프레드 호일(1915~2001)은 허먼 본디, 토머스 골드와 함께 빅뱅 이론을 정면 반박하며 정상(상태) 우주론을 제안했다.

반세기 동안 대폭발 우주론과 선의의 경쟁을 벌인 정상 우주론은 우주는 영원 이전부터 존재했으므로 시작도 끝도 없으며, 따라서 진화도 없고 이대로 영원하다는 것이다. 또한 우주는 넓게 보았을 때 어느 쪽으로나 등방성과 균일성을 지니는 것처럼, 시간적으로도 과거와 현재와 미래에 변함없이 같다는 주장이다.

하지만 문제가 있었다. 허블이 발견한 우주의 팽창은 너무나 명백한 사실이므로 정적인 우주는 발붙일 자리가 없었다. 따라서 진화하면서도 변화하지 않는 우주 모델을 생각해야 했다. 우주가 팽창한다면 시간이 지남에 따라 우주의 물질 밀도는 낮아진다. 이 문제를 해결하기 위해 토머스 골드는 우주가 팽창함에 따라 늘어나는 은하 사이의 공간에서 새로운 물질이 나타난다는 착상을 했다. 그의 계산에 따르면, 우주의 팽창에 보충하기 위해서는 엠파이어스테이트 빌딩만 한 부피 속에서 100년에 원자 1개만 창조되면 충분하다는 것이다.

이렇게 해서 정상 우주론은 동적이면서도 무한한 우주라는 조건에 들어맞는다. 우주가 무한하다면 우주가 2배로 커져도 역시 무한하다. 은하 사이에 물질이 만들어지기만 하면 우주의 물질 밀도는 유지될 수 있으며, 우주 전체는 변하지 않고 그대로 남아 있게 된다. 이 이론은 이전의 영원하고 정적인 우주에 새로운 물질의 창조를 약간 덧보탠 수정판인 셈이다. 우주는 팽창하지만, 그 내용은 영원하며 근본적으로는 변하지 않는다. 별들은 수소 구름에서 태어난다. 별이 생을 마치고 죽으면 그 물질은 다시 우주공간으로 돌려지고, 그것을 밑천 삼아 다른 별로 재생한다.

이 아름다운 이론에 의하면, 대우주는 죽음과 재생의 무한한 순환으로 영원히 지속된다. 죽은 별들의 잔해는 그럼 어떻게 되는가? 정상 상태 우주론 역시 우주가 팽창한다고 보기 때문에 계속 생기는 공간으로 인해 죽은 별들로 꽉 찰 염려는 없다.

그러나 단 하나 불온한 사실이 있다. 새로운 별의 탄생에는 신선한 수소가 필요불가결하다. 만약 새로운 수소가 공급되지 않는다면, 빛의 속도로 팽창해가는 우주는 언젠가는 물질의 밀도가 0의 상태로 떨어지고, 마지막 항성의 빛이 꺼진 후에는 어떤 빛도 생명도 존재하지 않는 대공허로 변해갈 것이다. 그러나 정상 우주론은 대우주를 통해서 신선한 수소가 무에서부터 끊임없이 창조된다고 주장한다. 이는 질량불변의 법칙에 위배된다고

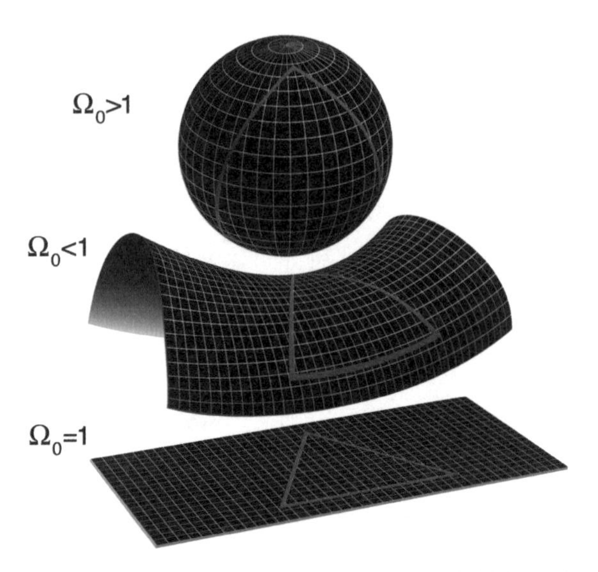

우주의 구조는 그 안에 물질이 얼마나 담겨 있느냐에 따라 결정된다. 우주에 담긴 질량이 임계밀도보다 크다면 닫힌 우주(위), 임계밀도보다 작다면 열린 우주(가운데), 임계밀도가 같다면 평탄우주(아래)가 된다. © Wikipedia

생각할지 모르지만, 태초에 물질이 창조되었다면 지금 그러지 말란 법은 없지 않은가 하고 반박한다.

그러면 물질은 어떻게 무에서부터 창조되는가? 우주가 팽창하면서 온도가 떨어지면 우주를 가득 채우고 있는 양자장이 음의 압력을 내고 물질 사이에 밀어내는 힘(척력, 반중력)을 일으켜 우주공간이 급팽창한다. 공간이 팽창한 만큼 우주의 에너지가 증가하는데, 이 에너지가 급팽창이 끝나면서 물질로 바뀐다.

이 이론대로라면 대우주는 태초도 없고 종말도 없이 영구적으로 일정한 물질 밀도를 가지며 정상인 상태로 남아 있을 수 있다. 이처럼 정상 우주론은 떠들썩한 탄생이나 음울한 종말이 없다는 점에서 강한 매력을 지닌 우주론이었다.

인간은 우주가 팽창한다는 사실이 발견되고, 우주의 팽창에는 중심이 없으며 모든 은하는 서로 멀어지고 있다는 사실로부터 우주에는 특별한 중심이 없고 어떤 방향으로도 동일하다는 등방성을 '우주원리'로 받아들이게 되었다. 이 원리는 우리은하가 있는 우주공간이나 수십억 광년 떨어진 다른 곳의 우주공간이나 근본적으로 별반 다를 게 없으며, 우리가 사는 곳이 우주의 어떤 특별한 장소가 아니라는 것이다.

그리하여 대립되는 전선은 구축되었고, 당시의 과학자들은 두 그룹으로 나뉘어져 격렬한 논쟁을 벌였다. 이러한 과정에서 가모프 팀의 연구 결과에 '빅뱅'Bing Bang이라는 이름이 붙여졌다. 프레드 호일이 1950년에 BBC 라디오 방송에 출연해서 자신과 대립되는 이론을 비꼬는 투로 "그렇다면 태초에 빅뱅이라도 있었다는 건가?" 하고 말했는데, 이 말이 자살골이었다. 임팩트 강한 이 단어는 즉각 대폭발 우주론자들에게 받아들여져, 이후로는 빅뱅 우주론이라는 그럴듯한 이름으로 널리 회자되기에 이르렀다.

창조에 대한 가장 아름다운 이론

르메트르가 그의 우주론 모델을 발표한 1927년, 때마침 벨기에의 브뤼셀에서 3년마다 열리는 세계 물리학자들의 솔베이 회의가 열렸다. 세계에서 내로라하는 물리학자와 천문학자들이 참석하는 회의니만큼 아인슈타인도 참석했다.

르메트르는 이때다 싶어 자신의 우주론 모델을 소개하기 위해 솔베이 학회에 참석하여 아인슈타인을 만났다. 로만 칼라의 신부복을 입은 르메트르는 아인슈타인을 한쪽으로 데리고 가서 자신의 이론을 열심히 설명했다. 그러나 그의 설명을 다 듣고 난 뒤 아인슈타인은 "당신의 수학은 정확하지만 당신의 물리학은 끔찍합니다"라는 정말이지 끔찍한 말을 했다.

당시 아인슈타인은 과학계의 지존이었다. 그가 '예스'라고 하면 세계 과학계가 '예스'고, 그가 '노'라고 하면 세계 과학계가 '노'라고 했다고 보면 될 정도였다. 그러니 젊은 르메트르로서는 여간 충격이 아닐 수 없었다. 낙담이 너무 큰 나머지 그는 자신의 논문을 서랍 안에 쑤셔넣고는 잊어버렸다.

그러나 대폭발에서 시작된 시간은 르메트르의 편이었다. 그로부터 6년 후인 1933년, 미국의 신출내기 천문학자인 에드윈 허블이 당시 세계 최대인 윌슨산 천문대의 100인치 후커 망원경으로 우주가 팽창하고 있다는 충격적인 관찰 결과를 발표했다. 인류는 수천 년 동안 지구가 부동의 우주 중심이라고 믿어왔지만 17세기에 들어 이 믿음은 코페르니쿠스의 천동설로 인해 산산조각이 났다. 그런데 이제는 하늘조차도 불안정하기 짝이 없다는 소식에 아연실색할 수밖에 없었다.

우주도 팽창한다는 이 발견은 500년 현대 천문학사에서 가장 위대한 발견으로 꼽힌다. 그것은 인류가 처음 출발한 근원으로 우리를 데려가주는 것이기 때문이다. 이 발견 하나로 허블은 20세기 천문학의 최고 영웅으로 등극했다. 그의 이름을 붙인 우주 망원경이 지금도 지구 둘레를 90분에 한 바퀴씩 돌면서 놀라운 우주 풍경을 보여주고 있다.

1933년 캘리포니아 공과대학에서 팽창 우주를 주제로 한 세미나가 열렸다. 이미 6년 전 이론으로 우주 팽창을 예견했던 르메트르는 여기에 발제자로 초청받았다. 세계적인 물리학자와 천문학자들이 모인 그 세미나에는 아인슈타인도 참석했다. 르메트르는 자신의 대폭발 우주론을 자세히 설명한 후 현재의 시간에 대해 다음과 같은 시적인 표현으로 강연을 마무리했다.

"모든 것의 최초에 상상할 수 없을 만큼 아름다운 불꽃놀이가 있었습니

밀리컨(왼쪽), 르메트르(가운데)와 아인슈타인(오른쪽).
캘리포니아 공과대학에서 강의 후(1933년 1월) © Wikipedia

다. 그런 후 폭발이 있었고, 폭발 후엔 하늘이 연기로 가득 찼습니다. 우리는 우주가 창조된 장관을 보기엔 너무 늦게 도착했습니다. 이 세상의 진화는 이제 막 끝난 불꽃놀이에 비유될 수 있습니다. 지금의 이 우주는 약간의 빨간 재와 연기인 것입니다. 우리는 식어빠진 잿더미 위에 서서 별들이 서서히 꺼져가는 광경을 지켜보면서, 이제는 이미 사라져버린 태초의 찬란한 빛을 회상하려 애쓰고 있는 것입니다."

르메트르의 발표를 다 들은 아인슈타인은 일어서서 박수를 치면서 "이것은 내가 들어본 것 중에서 가장 아름답고 만족스러운 창조에 대한 설명"이라고 그의 개척자적인 노력을 높이 평가했다. 아마도 르메트르는 그

제서야 6년 전 아인슈타인에게서 받았던 '끔찍한' 혹평을 충분히 보상받았다고 생각했을 것이다.

1934년 르메트르는 벨기에 국왕 레오폴 3세로부터 벨기에 최고의 과학상인 프랑키 상을 수상했다. 그 제안자들 속에는 알베르트 아인슈타인도 끼어 있었다.

빅뱅 이론의 첫 신호를 감지하다

상황이 이렇게 되니 빅뱅 이론과 정상 우주론의 승부는 빅뱅 쪽으로 기울었다. 하지만 문제가 없지 않았다. 빅뱅의 확실한 물증이 없다는 것이다. 관측 증거만으로 빅뱅 이론을 완전히 설명할 수는 없었다. 하지만 138년도 아니고 138억 년 전 사건의 물증이 과연 지금까지 남아 있을까?

그런데 놀랍게도 그 '물증'이 남아 있었다. 빅뱅 이론이 나온 지 약 30년 뒤인 1965년, 두 물리학자가 참으로 우연찮은 계기로 빅뱅의 물증을 발견하는 행운을 거머쥔 것이다.

행운의 주인공은 미국 벨 연구소의 두 물리학자인 아노 펜지어스와 로버트 윌슨으로, 그들은 거대한 연구용 안테나에서 끊임없이 나는 잡음으로 골머리를 썩이고 있었다. 두 사람이 사다리를 타고 올라가보니 안테나 안쪽에 비둘기가 둥지를 틀었을 뿐만 아니라 배설물로 하얗게 뒤덮여 있었다. 두 사람은 둥지를 걷어내고 물걸레로 깨끗이 닦아냈다. 그러나 안테나의 잡음은 마찬가지였다. 그것도 하루를 주기로 변화하는 양상을 보였다.

그것은 바로 '빅뱅의 화석'이라 불리는 우주배경복사[CBR]였다. 태초의 빅뱅에서 나온 엄청난 에너지의 전자기파가 138억 년 동안 우주를 떠돌면서 식어 마이크로파가 되어 안테나에 잡혔던 것이다. 절대온도 3K(우주의 온도.

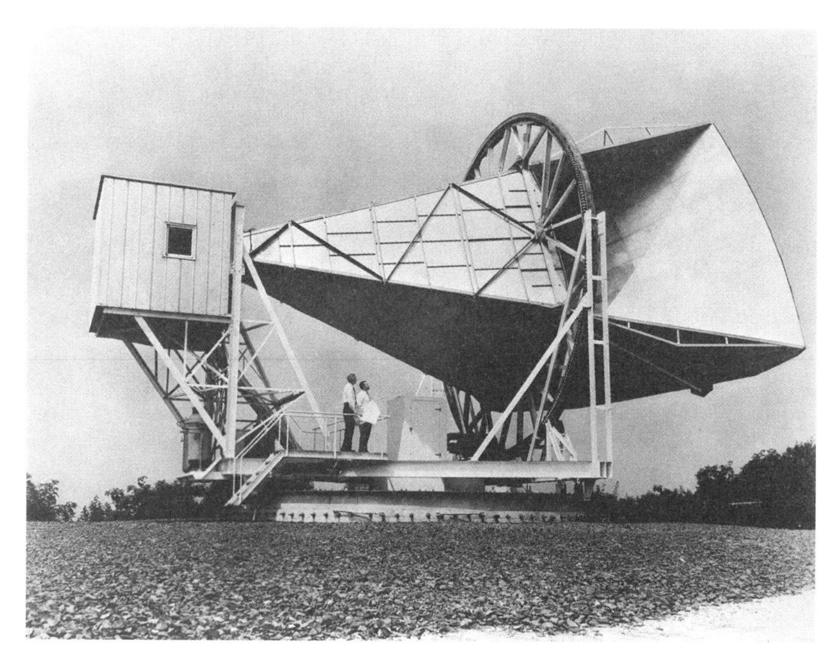

펜지어스와 윌슨이 우주 마이크로 배경 복사를 발견한 홀름델 혼 안테나 © Wikipedia

섭씨 -270도). 이론치에 일치하는 값이었다.

펜지어스와 윌슨의 발견에 대해 기라성 같은 천문학자와 물리학자 그룹이 찬사를 쏟아냈다. 미항공우주국의 저명한 천문학자 로버트 재스트로는 펜지어스와 윌슨이 "500년 현대 천문학사에서 가장 위대한 발견을 했다"고 칭송했으며, 하버드 대학 물리학자 에드워드 퍼셀은 "그것은 지금까지 인류가 본 것 중에서 가장 중요한 것이다"라고 최상의 찬사를 보냈다. 또한 《뉴욕타임스》는 1965년 5월 21일자 톱뉴스로 "신호는 빅뱅 우주를 의미했다"는 제목으로 세상에 우주 탄생의 메아리를 전했다.

펜지어스와 윌슨은 우주배경복사에 관한 짤막한 논문 한 편을 발표했고, 그것이 몇 년 뒤 그들에게 노벨 물리학상을 안겨주었다. 주변의 과학자들은 그들을 너무나 부러워한 나머지, "저 친구들, 비둘기똥을 치우다 금덩이를 주웠군" 하면서 질투 어린 말들을 했다. 어쨌든 이로써 빅뱅 우주론과 정상 우주론의 승부는 빅뱅 쪽의 완벽한 승리로 끝났다.

빅뱅 우주론에 공헌한 아인슈타인, 프리드만, 허블은 이미 세상을 떠나 승리의 환희를 맛볼 수 없었지만, 그 기초를 놓은 조르주 르메트르는 병상에서 제자로부터 그 소식을 듣고는 무척 기뻐했다. "우주도 생일이 있다"는 우주 탄생의 비밀을 인류에게 최초로 알려주었던 빅뱅의 아버지 르메트르는 이듬해 1966년 우주로 떠났다. 향년 72세. 르메트르를 위한 추도사 삼아 우주배경복사를 발견한 펜지어스의 소감을 내려놓는다.

"오늘밤 바깥으로 나가 모자를 벗고 당신의 머리 위로 떨어지는 빅뱅의 열기를 한번 느껴보라. 만약 당신에게 아주 성능 좋은 FM 라디오가 있고 방송국에서 멀리 떨어져 있다면, 라디오에서 쉬쉬 하는 소리를 들을 수 있을 것이다. 이미 이런 소리를 들은 사람도 많을 것이다. 때로는 파도 소리 비슷한 그 소리는 우리의 마음을 달래준다. 우리가 듣는 그 소리에는 백수십 억 년 전부터 우주에서 밀려오고 있는 잡음의 0.5% 정도가 섞여 있다."

지금도 우리는 이 우주배경복사를 직접 볼 수 있다. 어떻게? 방송이 없는 채널의 텔레비전에 지글거리는 줄무늬 중 1%는 바로 우주배경복사다. 138억 년이란 억겁의 세월 저편에서 달려온 빅뱅의 잔재인 빛알갱이, 광자가 내 눈의 망막을 때리면서 그 긴 여행을 끝낸 거라고 생각해도 결코 틀린 말은 아니다.

여담이지만, 르메트르가 빅뱅 이론 때문에 교황과 얼굴을 붉혔던 적이 있다. 그때 교황은 비오 12세였는데 그는 르메트르의 빅뱅 이론이 "창세기의 창조 이야기를 과학적으로 입증해주었다"라고 호기롭게 선언했다. 르메트르는 이 말에 크게 화를 내며 "개인적으로 종교와 과학을 섞는 것을 반대한다"라고 밝혔다. 그도 그럴 것이, 빅뱅 이론을 반대하는 쪽에 "신부니까 그런 이론을 만들었겠지" 하고 깎아내릴 빌미를 줄 수 있었기 때문이다. 게다가 종교와 과학을 섞어서 좋은 꼴을 본 적이 없다는 것은 갈릴레오의 예가 잘 보여주고 있지 않은가.

일개 신부의 신분이었지만 르메트르는 빅뱅 이론을 종교적으로 언급하는 것을 삼가줄 것을 교황에게 건의했고, 그후 비오 12세는 다시는 빅뱅이 창세기의 천지창조라고 주장하지 않았다. 르메트르는 과학계에서는 지존인 아인슈타인에게 항복을 받아내고 종교에서는 교황에게 다짐을 받아낸 슈퍼맨이었다. 그렇지만 르메트르는 끝까지 신앙의 끈을 놓지 않은 과학자였다. 그는 젊은 시절 이렇게 말했다. "진리에 이르는 데는 두 길이 있다. 나는 그 두 길을 다 가기로 결심했다."

팽창 우주를 밝힌 에드윈 허블의 획기적인 소논문보다 2년 앞서 1927년의 논문에서 허블의 법칙으로 알려지게 된 허블 상수의 수치를 최초로 추정한 르메트르는 1세기 가까이 지난 후에야 그 보상을 받게 되었다. 2018년 10월 26일, 국제천문연맹은 회원들의 투표를 거쳐 78%의 찬성으로 '허블 법칙'의 이름을 '허블-르메트르 법칙'으로 변경할 것을 결정했던 것이다. 그 밖에도 달의 크레이트와 소행성 1565에 르메트르의 이름이 붙었다.

29. 과학사 최대의 발견, 우주는 팽창하고 있다!
– 에드윈 허블(1889~1953)

천문학의 역사는 멀어지는 지평선의 역사다.

에드윈 허블 (미국 천문학자)

20세기 초의 사람들은 우주를 어떻게 생각했을까? 지금 보면 믿기지 않은 일이지만, 그때까지만 해도 인류는 태양계라는 개념 자체가 없었다. 왜냐하면 지금 우리가 부르는 태양계가 우주의 전부라고 믿었기 때문이다. 태양을 중심으로 수, 금, 지, 화, 목, 토, 천, 해 그리고 밤하늘을 가로지르는 미리내(은하수의 우리말)까지가 우주의 모든 것이었다.

이 뿌연 미리내가 우유를 엎지른 것도 아니요, 강도 아니라는 것은 17세기 갈릴레오 덕분에 알게 되었다. 갈릴레오가 자신이 만든 망원경으로 들여다보고는, 어마어마한 별무리들이 뭉쳐 있는 게 은하수라고 인류에게 고한 바가 있었다.

그로부터 100년 뒤 임마누엘 칸트라는 18세기 독일의 철학자는 태양계의 형성과 은하수에 대해 놀라운 추론을 내놓았다. 회전하는 거대한 성운이 수축하면서 원반 모양이 되고, 원반에서 별과 태양계가 탄생했으며, 은하수가 길게 한 줄로 보이는 것은 우리가 원반 위에서 보고 있기 때문이라는 것이다. 오늘날 들어보아도 입이 딱 벌어지는 놀라운 해석 아닌가.

칸트는 여기에서 그치지 않았다. 우리은하 바깥으로도 무수한 은하들이 섬처럼 흩어져 있으며, 우리은하는 그 수많은 은하 중의 하나일 뿐이라는 섬우주론을 내놓았다.

대논쟁, '우주는 얼마나 큰가?'

칸트가 성운을 우리은하 바깥에 있는 다른 은하라고 주장한 데는 관측 사실뿐 아니라 자신의 철학 및 종교와도 깊은 관계가 있었다. 신은 전지전능하고 무한하다. 따라서 우주는 영원하고 무한할 수밖에 없다고 그는 생각했던 것이다. 그래서 은하수까지가 우주의 전부라고 믿었던 윌리엄 허셜처럼 유한 우주론을 믿는 사람은 어리석게 보였다. 두 사람은 비록 서로 얼굴을 맞대고 토론하지는 않았지만, 이러한 토론이 100년 뒤에 실제로 두 진영으로 나뉘어진 천문학자들에 의해 공식적으로 벌어지게 되었다.

제1차 세계대전의 포연이 채 가시기도 전인 1920년 4월, 우주를 사색하는 한 무리의 사람들이 한 장소에 모여 역사적인 대논쟁을 벌였다. 장소는 연례회의가 열린 미국 워싱턴의 국립 과학아카데미였고, 주제는 '우주의 크기', 키워드는 '성운'이었다.

과연 우리은하가 우주의 전부인가, 아니면 우리은하 바깥에 다른 섬우주가 또 있는가? 우주는 과연 끝이 있는가, 무한한가? 어떤 신문은 기사에서 "우주가 어디선가 끝이 난다고 주장하는 과학자들은 우리에게 그 바깥에 무엇이 있는지 알려줄 의무가 있다"라고 쓰기도 했다.

우주의 크기를 결정하는 시금석은 안드로메다 성운이었는데, 그 성운이 우리은하 안에 있는가, 아니면 바깥에 있는가 하는 것이 문제의 핵심이었다. 논쟁은 두 사람을 중심으로 불꽃을 튀겼는데, 하버드 대학의 할로 섀플리와 릭 천문대의 허버 커티스였다. 둘 다 우주론에 대해서는 내로라하는 일급 천문학자였다.

섀플리는 1919년 구상성단 속의 세페이드형 변광성 관측을 통해 우리은하는 거대한 구상성단이며, 그 지름이 30만 광년이고, 태양은 그 중심으로부터 4만 5,000광년 떨어진 곳에 있다는 결론을 내렸다. 이는 최초로 우리은하계의 구조와 크기를 밝히고, 우리 태양계가 은하계 속에서 자리하는 위치를 찾아낸 것으로, 태양계가 은하 중심에 있을 거라는 종전의 생각을 뒤집어놓았다. 그리고 섀플리는 안드로메다 성운이 우리은하 안에 있는 것이 틀림없다고 선언했다.

태양계가 우리은하의 중심에 있지 않다는 섀플리의 우리은하 모형은 학계에 큰 파문을 일으켰고 우주관에 큰 변혁을 가져왔다. 이는 지구중심설을 몰아낸 코페르니쿠스의 업적에 버금가는 것이었다.

미주리 주 가난한 농가 출신인 섀플리는 특이한 이력을 지닌 사람인데, 그가 천문학을 공부하게 된 것도 꽤나 터무니없는 이유에서였다. 언론학을 전공하려고 대학에 갔는데, 그 학과 개설이 1년 지연되는 바람에 다른 과를 찾기 위해 전공 분야 안내 책자를 뒤적였다. 처음에 'archaeology'고고학가 나왔지만 무슨 단어인지 읽을 수가 없었다. 책장을 넘기니 'astronomy'가 나왔다. 그건 읽을 수 있었다. "이게 내가 천문학자가 된 이유다." 그는 나중에 천문대장이 되어 관측을 하지 않는 낮에는 천문대 밖에 나와 앉아 개미를 관찰하는 일에 열중하다가 개미에 관한 논문을 쓰기도 한 괴짜였다.

반대편에 선 커티스는 허셜-캅테인 모형을 받아들여 칸트의 섬우주론을 지지하는 쪽이었다. 허셜-캅테인 모형이란 우리은하 구조를 최초로 연구한 허셜의 이론과 캅테인의 이론에서 나온 우리은하 모형으로, 우리은하의 모양은 타원체이며 태양은 그 중심에 가까운 곳에 위치한다는 것이다. 네덜란드의 천문학자 캅테인(1851~1922)은 별들의 분포를 연구한 결과 우리은하는 렌즈형이며, 지름은 4만 광년, 두께는 6,500광년, 태양은 중심으로부터 3,000광년 떨어진 곳에 있다고 주장했다.

이 모형을 받아들인 커티스는 안드로메다 성운까지의 거리를 50만 광년이라고 계산했다. 이것은 안드로메다 성운 안의 초신성과 우리은하 안 초신성의 밝기를 비교해 산정한 값이었다. 이는 섀플리 모형이 주장하는 우리은하 크기를 훌쩍 넘어서는 거리였다. 즉, 커티스는 안드로메다 성운은 우리은하 안에 있는 성운이 아니라, 밖의 외부 은하임이 틀림없다고 결론을 내린 것이다. 그러나 당시 학계는 성운이 우리은하의 일부라는 쪽이 다수였다.

대논쟁은 한마디로 우주에서 인류가 차지하고 있는 위치에 관한 것이었다. 만약 이 문제의 해답을 찾는다면 천문학에서 가장 위대한 업적이 될 것이다. 그러나 많은 사람들은 답을 찾는 것은 불가능할 거라고 생각했다.

논쟁은 열기로 달아올랐다. 청중 속에는 아인슈타인도 끼어 앉아 "최근에 영원에 대해 새로운 이론을 발견했소"라고 옆사람에게 속삭이고 있었다. 결론적으로 대논쟁은 승부가 나지 않았다. 판정을 내려줄 만한 잣대가 없었던 것이다. 해결의 핵심은 별까지의 거리를 결정하는 문제로, 예나 지금이나 천문학에서 가장 골머리를 앓던 난제였다.

그런데 판정은 엉뚱한 곳에서 내려졌다. 3년 뒤, 혜성처럼 나타난 신출내기 천문학자 에드윈 허블에 의해 승패가 가려졌던 것이다. 그의 관측에 의해 안드로메다 성운은 우리은하 밖에 있는 또 다른 은하임이 밝혀졌다. 이로써 칸트의 섬우주론은 150년 만에 다시 화려하게 등장하게 되었다. 논쟁의 진정한 승자는 칸트였던 셈이다.

허블로부터 안드로메다 성운까지의 거리를 결정한 편지를 받았을 때 섀플리는 "이것이 내 우주를 파괴한 편지다"라고 주위 사람들에게 말했다. 그러고는 이렇게 덧붙였다. "나는 판 마넌의 관측 결과를 믿었지. 어쨌든 그는 내 친구니까." 섀플리는 당시 윌슨산 천문대에 있던 동료이자 친구인 판 마넌의 관측값에 근거해서 논문을 썼던 것이다.

여담이지만, 섀플리는 학문적으로 반대편에 섰던 허블에게 여러 차례 거친 말로 모욕당한 적이 있었지만 끝까지 허블에게 관대하게 대했다. 뿐더러, "허블은 뛰어난 관측자다. 나보다도 몇 배는 더 훌륭하다"고 칭찬했다니 대인배였던 모양이다. 평생을 은하 연구에 바쳤던 섀플리는 1972년 콜로라도 주의 한 노인 요양원에서 영면했다. 향년 87세. 그는 다음과 같은 명언을 남기기도 했다.

"우리는 뒹구는 돌들의 형제요, 떠도는 구름의 사촌이다."

20세기 천문학의 최고 영웅 '엄친아'

허블 법칙, 허블 상수로 너무나 잘 알려진 에드윈 허블은 여러 가지 면에서 문제적 인물이었다.

1889년 미국 미주리 주의 마시필드에서 태어난 허블은 한마디로 온갖 행운을 타고난 사람이었다. 아버지는 변호사이자 보험 대리인으로 돈 잘 버는 가장이어서 허블은 풍족한 어린 시절을 보냈다. 그는 부모로부터 높은 지능과 강건한 체질까지 물려받은 데다 미남형이라 매력이 주체하지 못할 정도로 철철 흘렀다. 이는 전혀 과장이 아니다. 그를 아도니스(그리스 신화 속의 미소년)라고 부르는 사람도 있었다. 말하자면 허블은 '엄친아'의 대표선수였다. 공부도 잘했다. 천문학을 하고 싶었지만 아버지의 반대로 포기하고 명문 시카고 대학 법학과에 어렵잖게 진학했다.

대학에서도 발군의 성적을 보인 그는 로즈 장학금을 받고 영국 옥스퍼드 대학으로 유학을 갔다. 이 유학 기간 3년이 허블에게 큰 영향을 미친 듯하다. 이때부터 허블은 늘 정장 차림에다 파이프를 입에 물고 멋을 부리기 시작했다. 그리고 허풍스러운 영국식 억양을 쓰기 시작했는데, 이 버릇은 평생 바뀌지 않았다. 그는 곧잘 그런 억양으로 결투에서 얻었다는 상처를 자랑하곤 했는데, 소문에 의하면 자해한 것이라고 한다. 그는 상습적인 거짓말쟁이기도 했다.

1913년 귀국해서 잠시 변호사 협회에 이름을 걸어놓은 허블은 얼마 후 돌연 하던 일을 접고 시카고 대학 천문학과에 들어갔다. 이에 대해 훗날 허블은 다음과 같이 말했다. "천문학은 성직과도 같다. 소명을 받아야 하기 때문이다. 나는 루이스빌에서 1년 동안 법률 업무에 종사한 다음에야 비로소 그 소명을 받았다." 하지만 이 말은 사실이 아니었다. 그는 고등학교 교사와 농구팀 코치로 잠시 일했을 뿐이다.

하지만 이 발언이 허블의 전향을 정확히 표현한 말임에는 틀림없다. 뒤늦게 시작한 천문학이었지만 그는 뛰어난 머리와 약간의 노력으로 밀린 공부를 따라잡아 1917년 천문학 박사학위를 손에 쥐었다.

허블의 어록 중에는 또 이런 말이 있다. "인간은 오감을 사용해 자기 주변의 우주를 탐험한다. 우리는 이 모험을 과학이라 부른다." 오감 중 천문학자에게 가장 중요한 감각은 시각이며, 따라서 가장 좋은 망원경을 사용하는 사람이 경쟁에서 이길 확률이 가장 높다고 생각한 허블은 당시 최대의 망원경을 가진 윌슨산 천문대를 다음 정복지로 삼았다.

박사학위를 받은 허블은 대학 은사인 조지 헤일(1868~1938)의 추천으로 윌슨산 천문대에서 일하려고 했으나 뜻하지 않은 일로 취소되었다. 미국이 뒤늦게 제1차 세계대전에 뛰어들었던 탓이다. 이 전쟁에 육군 장교로 참전한 허블은 전투에서 오른팔에 부상을 입은 덕으로 소령으로 특진되었다. 이것 역시 허블에게는 자랑거리였다. 그는 평생 소령 칭호를 입에 달고 살았다니까.

전선에서 돌아온 허블은 1919년 8월, 30살의 나이로 짐을 꾸려서 로스앤젤레스에서 북동쪽으로 약 50km 떨어진 윌슨산으로 들어갔다. 말 그대로 입산이었다. 해발 1,742m 산꼭대기에 있는 윌슨산 천문대에는 당시 세계 최대인 구경 2.5m 반사망원경이 설치되어 있었다. 그러나 그곳은 노새가 이끄는 수레를 타고 한나절이나 걸려서야 도착할 수 있는 외진 곳이라, 산중의 생활은 고생이었고 나날의 일과는 고행이었다. 그럼에도 수십 명의 천문학자들이 오로지 연구를 위해 이곳에 둥지를 틀었다.

흔히 천문학자들은 우아하게 사색과 연구를 하는 존재로 알고 있지만, 당시 관측 천문학자인 경우엔 이 말이 전혀 해당되지 않는다. 오히려 3D 업종에 가깝다. 그들은 추운 겨울에도 관측대 위에 앉아 온밤을 지새운다. 거대한 반사망원경을 조그마한 손잡이를 돌려 조절하며, 렌즈의 십자선을 응시하면서 최장 12시간을 버텨야 한다. 그야말로 면경수행面鏡修行이었다. 간혹 그들의 눈물이 접안렌즈에 얼어붙는 적도 있었다. 그러나 따뜻한 커피를 마실 수도, 난방기구를 이용할 수도 없다. 망원경 렌즈에 안 좋은 영향을 끼치기 때문이다.

이런 고행이 보람이 있는지는 다음 날 유리 사진건판이 현상되어 봐야

캘리포니아 주 윌슨산 천문대에 위치한 100인치(2.5m) 후커 망원경은 1917년 완공됐으며,
1917년부터 1949년까지 세계에서 가장 큰 망원경이었다.

알 수 있었다. 하지만 요즘 천문학자들은 자기 사무실에 앉아 망원경이 보내는 데이터를 컴퓨터 모니터로 보면서 다 한다. 하지만 낭만과 열정이 예전 같지는 않을 것이다.

천문대에서는 여러 가지 제약도 많았다. 연구원 숙소에 여자가 머무는 것은 금지되어 있었기 때문에 연구원들은 그곳을 수도원이라 불렀다. 이 '수도원 원장' 조지 헤일은 천체물리학은 모든 잡념을 버린 '남자'만이 전념할 수 있는 분야라고 설파했다.

안드로메다는 은하인가, 성운인가

윌슨산 천문대에는 섀플리도 근무하고 있었다. 섀플리와 허블은 여러 가지

면에서 대조적인 인간형이었다. 늘 겸손하며 자기 과시를 싫어하는 섀플리에 반해 허블은 과시적이고 자기 현시욕이 강한 유형이었다. 더욱이 미국의 세계대전 참전을 반대했던 섀플리에게 있어 허블이 가장 눈꼴사나운 점은 천문대에서 고집스레 군용 트렌치코트를 펄럭이며 다니는 모습이었다. 우주관도 두 사람은 대척점에 있었다. 섀플리와는 반대로 허블은 성운이 독립적인 은하라는 생각을 가지고 있었다. 다행히 1921년 섀플리가 하버드 천문대장이 되어 윌슨산을 떠나면서 두 사람의 마찰은 끝났다.

다른 분야도 비슷하겠지만, 특히 관측천문학은 열정 없이는 하기 힘든 학문이다. 그런데 열정이라면 허블을 따를 사람이 많지 않았다. 관측 일정이 잡혀 있을 때면 1,742 고지인 윌슨산의 가파른 길을 바람을 맞으며 걸어 올라가 밤새 거대한 후커 망원경과 작업했다.

그는 마치 거대한 배의 함교에 올라선 선장처럼 우렁찬 목소리로 각도와 시간을 지시했다. 뒤이어 육중한 소리와 함께 금속제 커튼 레일이 열리고, 이윽고 세계 최대의 100인치 후커 반사망원경이 빅토리아 시대의 거대한 장치처럼 천천히 움직이며 희미하게 빛나는 성운들을 향해 주경을 겨누었다. 허블과 그의 조수는 사진을 찍고 스펙트럼을 찍는 데 온 열정을 쏟아부었다. 그것은 때로는 열흘 밤을 꼬박 지새워야 하는 고된 작업이었다. 정신적으로나 육체적으로 강하게 단련되지 않은 사람이라면 감당해내기 힘들었다. 중요한 촬영 순간 몸을 떨지 않고 장비가 흔들리지 않게 버틸 수 있는 힘도 필수적이었다. 허블의 타고난 체력이 없이는 해내기 어려웠으리라.

또 무엇보다 그의 폭넓은 지성은 관측 사실로부터 무엇을 알아내거나 추측할 수 있을지 끊임없이 추구하고 사색했다. 이를 지켜보는 사람들의 눈에는 허블에게 있어서 관측한다는 것은 곧 개념화 과정과 동일한 것으로 비쳤다. 비록 허블의 잘난체하는 태도에는 못마땅해하는 동료들도 허블의 이런 장점만은 인정하지 않을 수 없었다. 허블은 결코 사기꾼은 아니었다. 소년 시절 그는 할아버지의 망원경으로 별보기를 좋아했다. 그리고 할아버지가 좋아했던 퍼시벌 로웰*의 화성 이야기를 들으며 우주로의 꿈을 키워왔던 것이다.

허블의 박사논문 주제는 '희미한 성운'이었다. 주류 천문학자들은 밝은 별과 행성, 혜성에 연구할 주제가 얼마든지 있는데 무엇 하러 그런 희미한 빛뭉치를 연구한다는 말인가 하고 의아해했다. 하지만 허블의 깊은 관심은 늘 그 희미한 빛뭉치인 성운에 있었다. 천문대에 들어온 허블은 밤이면 밤마다 성운 산책에 나섰다. 지독한 추위와 고독을 트렌치코트 한 장으로 견뎌내며 머나먼 성운의 모래톱 사이를 오가는 외로운 파수꾼, 그가 바로 에드윈 허블이었다. 천문대를 방문한 은행가의 딸 그레이스 버크는 이런 허블의 모습을 보고 매료되어 사랑에 빠졌고, 유부녀인 그녀는 남편과 사별하자 곧 허블과 결혼하게 된다.

성운에 대해 최초로 체계적으로 관심 깊게 접근한 사람은 프랑스의 천문학자 샤를 메시에(1730~1817)였다. 원래 혜성 사냥꾼이었던 그는 혜성을 발견하는 데 방해가 되는 천체들을 정리할 필요가 있다고 생각해서 성운-성단을 100개 이상 수집해서 목록으로 펴냈다. 다른 혜성 사냥꾼들에게 도움이 되기 위함이었다. 《메시에 목록》으로 알려진 여기에 수록된 천체들은 지금도 메시에의 머리글자 M에 목록 번호를 붙여 M1, M2 등으로 나타낸

* 퍼시벌 로웰(Percival Lawrence Lowell, 1855~1916) : 미국의 천문학자. 하버드 대학을 졸업한 후 극동에 대한 호기심으로 일본을 방문하여 체류하던 중 1883년 조선 고종이 미국으로 파견한 보빙사가 도중에 잠시 일본에 들렀을 때 주일 미국 공사의 요청으로 보빙사 일행과 동행해서 미국 방문을 인도하는 역할을 맡았다가 무사히 임무를 마치고 일본으로 되돌아왔다. 이후 보빙사 일행이 조선으로 귀국하자 그 공로를 인정받아 1883년 12월 고종 임금의 초청으로 조선을 방문하여 이듬해 3월까지 체류했다. 이때의 체험을 바탕으로 쓴 책이 유명한 《고요한 아침의 나라, 조선》(Choson : the Land of the Morning Calm)이다. 이후 미국으로 돌아간 로웰은 천문학자로 변신, 로웰 천문대를 설립해서 천문학계에 많은 업적을 남겼다. 1930년에 명왕성을 발견한 클라이드 톰보는 이 로웰 천문대 연구원 중 한 사람이었고, 명왕성의 이름 플루토(Pluto)와 그 천문 기호는 퍼시벌 로웰의 머릿글자 PL에서 따온 것이다.

다. 안드로메다 성운은 M31이다.

현재 M110까지 확장된 이 목록의 천체들을 공식적인 '메시에 천체'라 부르며, 아마추어 천문가들에게 영원한 베스트셀러로 자리 잡아 천체 관측에 애용하고 있다. 우리나라에도 매년 춘분 때쯤 메시에 천체 110개를 하룻밤에 다 관측하는 대회가 열리는데, 이를 일컬어 '메시에 마라톤'이라고 한다.

"저 가스 구름들은 과연 우리은하 안에 있는 것인가, 아니면 은하 바깥을 떠도는 별들의 도시인가?" 하는 의문이 허블의 머리에서 떠나질 않았다. 라틴어로 '안개'를 뜻하는 성운nebula은 20세기 초만 해도 정말 안개 속에 가려진 천체였다. 허블이 윌슨산 천문대에 오자마자 대망원경의 주경을 성운 쪽으로 돌린 것은 당연한 노릇이었다.

천문학자로 변신한 건달 노름꾼

20세기 초 허블이 이룩한 위대한 업적에 대해 토를 다는 사람은 별로 없지만, 그것이 오로지 허블 혼자만의 업적이라는 데는 더러 이견이 있다. 그 업적을 나누어야 하는 사람이 있다는데, 그가 바로 허블의 조수라는 것이다.

지금은 천문학사에서는 전설이 되어 있는 존재인 그는 원래 본업이 노새 몰이꾼이었다. 이름은 밀턴 휴메이슨(1891~1972), 나이는 허블보다 2살 아래였다. 윌슨산 천문대로 장비나 생필품을 운반하는 노새 몰이꾼으로 일했던 휴메이슨은 한마디로 전직 건달이었다. 늘 씹는 담배를 질겅거리며 다니던 그는 학교는 일찌감치 중2 때 때려치우고 당구와 도박, 여자 꼬시기에 한가락 하던 사내로 좋게 말하면 한량, 대충 말하면 건달이었다.

그런데 휴메이슨은 영리한 머리에 호기심도 풍부한 데다가 도박으로 다져진 눈썰미와 손재주, 머리 회전 속도에 힘입어 천문대의 각종 장비와 기계에 대해 질문하고 익히고 하다가 어느덧 엔지니어 비슷한 수준까지 되었다. 더욱이 천문대 소속의 한 연구원의 딸을 꼬셔서 목하 열애 중이었다. 그 연구원 박사님은 노새 몰이꾼 사위감에 배알이 뒤틀렸겠지만 어쩌랴, 자고로 남녀상열지사는 아무도 못 말리는 법 아닌가. 이래저래 휴메이슨은 천문대에 말뚝을 박는 형국이 되었고, 천문대 수위가 되어 온갖 허드렛일을 도맡아 하기에 이르렀다.

그러던 어느 날, 야사가 전하는 바에 따르면 휴메이슨의 놀라운 변신이 전개된다. 야간 관측 보조원이 병으로 결근을 했는데 대신 투입할 인원이 없었다. 그렇다고 귀한 망원경을 놀릴 수도 없는 노릇이라, 천문대에서는 하룻밤 공칠 요량을 하고 휴메이슨을 대신 투입했다. 그의 업무는 거대한 덩치인 망원경을 다룰 뿐만 아니라 천체사진까지 찍어야 하는 일이었다.

그날 밤 휴메이슨은 임시직 관측 보조원이 되어 왕년에 트럼프 카드 다루듯이 거대 망원경을 능숙하게 다루는 솜씨를 자랑했다. 그뿐인가, 천문대 연구원들은 휴메이슨이 찍어놓은 은하 스펙트럼들을 보고는 입을 다물지 못했다. 선명한 화질이 일급 전문가 뺨치는 수준이었던 것이다. 이 일로 그는 천문대 정식 직원으로 채용되어 허블의 조수 자리를 꿰찼다.

희한하게도 중학 중퇴 건달과 허풍기 있는 천문학 박사는 만나자마자 악동들처럼 서로 죽이 잘 맞았다. 그들은 이후 오래도록 공동 관측자로서 같이 일했다. 휴메이슨은 일을 시작하자마자 이내 양질의 은하 스펙트럼을 얻는 데 어떤 천문학자보다 뛰어난 역량을 발휘했고, 나중엔 훌륭한 업적을 많이 남겨 완벽한 천문학자로 인정받게 되었다. 건달에서 천문학자로의 놀라운 변신이었다. 그 연구원의 딸이 남자 보는 눈이 있었다고 해야 하나?

1923년 10월 어느 날 밤, 허블은 생애 최고의 사진을 찍었다. 그는 100인치 후커 반사망원경을 이용해 안드로메다 대성운으로 알려진 M31과 삼각형자리 나선은하 M33의 사진을 찍었다.

며칠 후 안드로메다 성운 사진건판을 분석하던 허블은 갑자기 "유레카!" 하고 큰 소리로 외쳤다. 성운 안에 찍혀 있는 변광성을 발견한 것이다. 흥분한 허블은 건판 가장자리에다 활기찬 필체로 'VAR!'라고 적어넣었다. 곧, 'variable star'변광성라는 뜻이다. 이것이 성운에서 발견된 첫 번째 세페이드형 변광성이었다.

그로부터 10여 년 전인 1912년 헨리에타 리비트가 변광성의 주기와 밝기가 밀접한 관계가 있음을 발견하고 이를 우주를 재는 표준 촛불로 삼아, 그때까지 알려지지 않았던 우주의 자를 제공했던 것이다.

"참으로 아름다운 연구입니다"

리비트가 평생을 바쳐 만들어놓았던 우주의 잣대를 잘 알고 있었던 허블은 안드로메다 변광성의 주기를 측정해본 결과 31.4일이라는 주기를 알아냈다. 여기에다 리비트의 자를 들이대어 그 별의 절대 밝기를 계산할 수 있었다.

이 세페이드형 변광성의 절대 밝기는 무려 태양의 7,000배나 되었다. 절대 밝기와 겉보기 밝기를 비교하면 성운에서 지구까지의 거리를 계산할 수 있다. 계산서를 뽑아본 결과, 놀랍게도 93만 광년이란 답이 나왔다!

당시 섀플리가 추정한 우리은하의 지름 크기는 30만 광년이었다(실제로는 10만 광년). 그렇다면 안드로메다 대성운이 우리은하 크기보다 3배나 멀리 떨어져 있다는 계산이 나온다. 이는 명백히 우리은하 바깥에 위치한다는 증거다. 이로써 대논쟁의 승부는 결정되었다. 섀플리의 패배였다.

단순히 나선 모양의 성운으로 알고 있었던 안드로메다 성운은 사실 우리

후커 망원경으로 천체를 관측하는 에드윈 허블. 그는 이 망원경으로 우리은하 밖에도 다른 은하가 있으며,
우주는 팽창한다는 사실을 발견하여 20세기 천문학의 영웅이 되었다.

은하를 까마득히 넘어선 우주공간에 있는 나선은하였다. 칸트의 섬우주론이 200년 만에 완벽히 증명된 셈이었다. 이로써 인류 역사상 가장 먼 거리를 측정했던 허블은 새로운 우주공간의 문을 열어젖혔던 것이다.

허블의 위대한 발견이 알려지자 천문학계는 천문학 역사상 가장 오래 지속되었던 논쟁을 해결한 그의 업적에 일제히 환호와 박수를 보냈다. 헤르츠스프룽-러셀 그림표를 만든 헨리 러셀 프린스턴 천문대장은 허블에게 편지를 썼다. "그것은 참으로 아름다운 연구입니다. 당신은 모든 찬사를 받을 자격이 있습니다."

허블의 연구 결과는 1924년 워싱턴에서 열린 미국 과학진흥협회 회의에서 발표되었고, 가장 뛰어난 논문으로 선정되어 1,000달러의 상금을 받았다. 그의 업적이 가지는 의미는 미국천문학회의 한 위원회에서 이렇게 요약했다.

"그것은 전에는 조사할 수 없었던 공간의 깊이를 열었고, 가까운 미래에 더 큰 진전이 있을 거라는 약속을 주었다. 그의 측정은 기왕에 알려진 물질 세계의 크기를 100배나 확장시켰고, 성운이 우리은하와 거의 같은 크기의 별들의 집단임을 보여줌으로써 오랫동안 쟁점이 되어온 성운의 성격을 명확히 밝혀냈다."

허블의 놀라운 발견은 인류에게 우주 속에서 우리의 위치를 다시금 생각하도록 만들었다. 우리은하는 유일한 은하도 아니요, 그렇다고 우주의 중심도 아니었다. 밤하늘에서 빛나는 모든 것들이 우리은하 안에 속해 있다고 믿고 있던 사람들에게 이 발견은 청천벽력과도 같은 것이었다. 갑자기 우리 태양계는 잘디잔 티끌 같은 것으로 축소돼버리고, 지구상에 살아 있는 모든 것들에게 빛을 주는 태양은 우주라는 드넓은 바닷가의 한 알갱이 모래에 지나지 않은 것이 되었다.

이 발견 하나로 허블은 일약 천문학계의 영웅으로 떠올랐다. 후발주자의 눈부신 추월이었다. 나중에 알려진 사실이지만, 허블의 계산은 참값보다 큰 차이가 나는 것이었다. 현재 알려진 안드로메다 은하까지의 거리는 그 2배가 넘는 250만 광년이다.

우리은하가 우주의 전부라고 믿었던 섀플리는 우주의 물질이 모두 우리은하 속에 포함되어 있다고 주장했다. 그러나 허블은 우리은하 바깥으로 수백만 광년 거리에 존재하는 은하를 보여주었다. 은하 사이의 막대한 공간이 인류에게 비로소 모습을 드러내게 된 것이다.

허블은 자신의 관측을 이용해 우주에 퍼져 있는 물질의 밀도를 계산해보았다. 그러자 지구 크기의 1,000배 되는 공간 속에 1그램의 물질이 들어 있는 꼴이었다. 우주는 거의 전부라고 할 정도로 텅 비어 있었다.

은하들이 달아나고 있다!

은하를 추적하는 허블의 망원경은 여기서 멈추지 않았다. 그후 6년 동안 허블과 그의 조수 휴메이슨은 은하들의 거리에 관한 데이터들을 모으느라 춥고 긴 밤을 지새우기 일쑤였다.

과학자들은 은하들이 제자리에 고정되어 있지 않다는 사실을 알고 있었다. 1912년, 로웰 천문대의 베스토 슬라이퍼는 은하 스펙트럼에서 적색이동을 발견하고, 은하들이 엄청난 속도로 지구로부터 멀어지고 있다는 사실을 처음으로 알아냈다. 우주는 뉴턴이나 아인슈타인이 생각했던 것처럼 정적이지 않다는 사실을 처음 발견한 것이다.

허블은 슬라이퍼의 연구를 기초로 삼고, 그동안 24개의 은하를 집요하게 추적해서 얻은 자신의 관측자료를 정리하여 거리와 속도를 반비례시킨 표에다가 은하들을 집어넣었다. 그 결과 놀라운 사실이 하나 드러났다. 멀리 있는 은하일수록 더 빠른 속도로 멀어져가고 있는 것이다!

이게 무슨 일인가? 사방의 은하들이 우리로부터 도망가고 있었다. 우리가 무슨 몹쓸 것에 오염되었거나 큰 잘못이라도 저질렀다는 건가? 그래서 우리와는 다시는 상종하지 않으려고 저렇게 허겁지겁 달아나는 건가? 훗날 어떤 천문학자는 우리은하가 인간이라는 물질로 오염되어서 다른 은하들이 도망가는 거라는 우스갯소리도 했다.

은하들이 맹렬한 속도로 멀어져가고 있다는 허블의 발견은 사람들에게 충격과 흥분을 가져다주었다. 이는 곧 우주가 이제껏 생각하던 고정된 우주가 아니라 팽창하는 우주라는 것을 뜻하며, 나아가 우주 자체가 진화하고 있다는 것을 뜻하기 때문이었다. 어찌 보면 이것은 지동설보다 더한 우주관의 대변혁을 요구하는 실로 날벼락 같은 일이었다.

은하는 후퇴하고 있다. 먼 은하일수록 후퇴 속도는 더 빠르다. 그리고 은

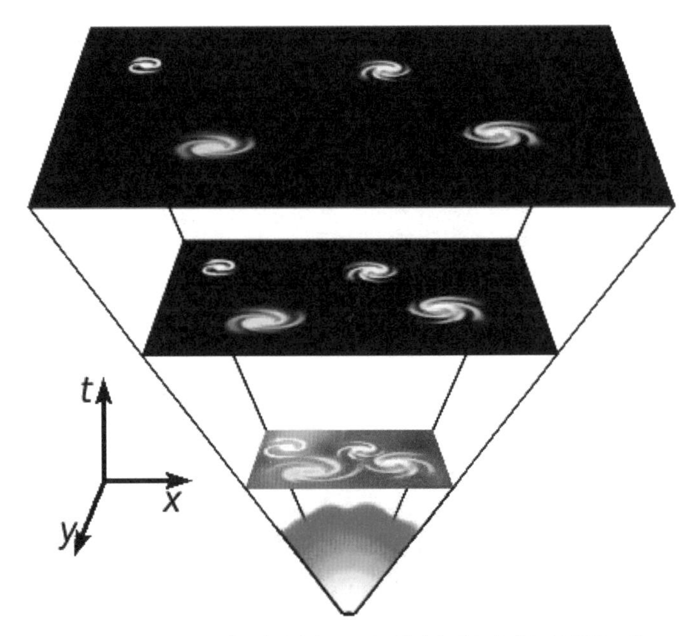

원시의 알이 대폭발을 일으켜 탄생한 우주가 현재까지 이른 과정을 단순화한 그림.
허블에 의해 우주가 팽창한다는 것이 확인되었다. © Wikipedia

하의 이동 속도를 거리로 나눈 값은 항상 일정하다. 이것이 허블의 법칙이다. 허블-휴메이슨 법칙으로 불러야 공정하다고 주장하는 학자들도 다수 있다. 그러나 공동 연구자인 휴메이슨은 한 번도 자기 몫을 주장한 적이 없다고 한다.

훗날 이 상수는 허블 상수로 불리며, H로 표시된다. 허블 상수는 우주의 팽창 속도를 알려주는 지표로서, 이것만 정확히 알아낸다면 우주의 크기와 나이를 구할 수 있다. 그래서 허블 상수는 우주의 로제타석에 비유되기도 한다. 허블은 그 값을 550km/s/Mpc(100만pc만큼 떨어진 천체는 1초에 550km의 속도로 멀어진다는 뜻)이라고 구했다. 이것을 적용하면 우주의 나이가 20억 년밖에 안 되는 것으로 나온다.

지난 70년 동안 과학자들은 허블 상수의 정확한 값을 놓고 열띤 논쟁을 벌였다. 이를 두고 '허블 전쟁'이라고까지 했다. 최근 플랑크 우주 망원경의 2013년 관측을 기반으로 허블 상수가 67.8(km/s/Mpc) 근처라는 것이 확인되었다.

여기서 Mpc는 약 325만 9,000광년이고, 이만 한 거리가 늘어날 때마다 지구에서 본 후퇴 속도가 초속 67.8km씩 늘어난다는 뜻이다. 이 허블 상수의 역수는 약 140억 년으로, 이것이 우주의 나이가 된다. 그러나 이러한 우주시간 척도는 우주의 나이에 대한 대략적인 측정치일 뿐이다. 태양계 나이가 약 46억 년이니까, 우주 나이의 3분의 1 정도 되는 셈이다. 지금도 허블 상수는 천문학에서 가장 중요한 상수로 다뤄지고 있다. 허블의 법칙을 식으로 나타내면 다음과 같다.

$$Vr = H \times r$$

(Vr : 은하 후퇴 속도[km/s] H : 허블 상수[km/s/Mpc] r : 은하까지의 거리[Mpc])

허블과 휴메이슨의 발견은 우주가 팽창하고 있음을 명백히 보여주는 것이었다. 또한 여러 세기 동안 과학자들을 괴롭혀왔던 벤틀리의 역설과 올베르스의 역설도 이로써 우주 팽창이라는 정답을 얻은 셈이었다.

그러나 당시에는 허블 자신까지 포함해서 이것이 우주의 기원과 연관되어 있으며, 모든 것의 근본을 건드리는 심오한 문제라고 예감하는 사람은 아무도 없었다. 이상하게도 죽이 잘 맞았던 이 커플이 인류를 우주 기원의 순간으로 데려갈 이론적 토대를 닦았던 것이다. 팽창 우주는 20세기 천문학사에서 가장 중요한 발견이자, 위대한 지식 혁명의 하나로 받아들여졌다. 허블의 제자인 앨런 샌디지는 우주의 팽창을 역사상 가장 놀라운 과학적 발견이라 불렸다.

2018년 국제천문학연맹은 허블 법칙을 '허블-르메트르 법칙'으로 변경하기로 결정하고, "법칙의 물리적 설명과 증거는 허블이 제시했지만, 르메트르 역시 관련 연구를 비슷한 시기에 수행하고 우주 팽창론을 수학적으로 유도했던 그의 업적을 다시 기리기 위한 것"이라고 설명했다.

우리는 중심도, 심지어 가장자리도 아니다

허블의 발견에 따르면, 우주 팽창은 나를 중심으로 진행되고 있다고도 볼 수 있다. 내가 만약 이웃 안드로메다 은하로 가더라도 마찬가지다. 그곳을 중심으로 모든 은하들은 나로부터 멀어져가고 있을 것이다. 우주의 모든 은하들은 이처럼 서로 후퇴하고 있는 것이다.

이 경우 은하들이 스스로 이동하는 것은 아니다. 우주 팽창은 공간 자체가 팽창하는 것이기 때문에 은하 간 공간이 늘어나고 있는 것이다. 따라서 은하들은 늘어나는 우주의 카펫을 타고 서로 멀어져가고 있는 셈이다.

풍선을 생각해보면 이해하기가 한결 쉽다. 풍선 위에 무수한 점들을 찍어놓고 풍선에 바람을 불어넣는다고 치자. 풍선이 무한대로 부풀어간다면 그 표면에 찍힌 점들은 서로에게서 무한히 멀어져갈 것이다. 우주의 팽창이 3차원적으로 이와 같다는 말이다.

허블의 일은 일단 여기에서 끝났다. 사상가이기보다 관측가였던 그는 자신의 발견이 지닌 의미를 완전히 이해하지는 못했다. 그의 발견은 우주의 근원을 건드리는 것으로 우주 팽창설의 기초가 되었지만, 대폭발(빅뱅)로 이어지는 큰 이야기에는 참여하지 못했다. 그것은 또 다른 천재들을 기다려야 했다.

불과 100년 전만 해도 천문학자들은 항성 목록을 만들고 태양계에 대해 연구했지만, 그들의 생각은 대체로 우리은하를 넘어서지 못했다. 그러던 중 허블이 나타나 손바닥만 하던 인류의 우주를 무한 공간으로 확대시켜놓은 것이다. 허블은 다른 은하들의 존재를 밝히고 은하들을 형태에 따라 분류했으며, 정밀한 관측자료를 바탕으로 팽창 우주의 개념을 자리 잡게 했다. 허블의 법칙은 은하의 기원과 진화에 관한 이론의 중요한 길잡이가 된 것이다.

허블은 자신의 연구 결과를 정리해서 1934년에 《성운 스펙트럼의 적색 이동》을 출간했으며, 천문학에 대한 업적으로 많은 영예와 상을 받았다. 그가 죽은 후 1961년에 앨런 샌디지가 편집·출판한 《허블 은하도감》이 나왔다.

천문학 영웅의 좌절

인생의 정점에 있던 허블에게 뜻하지 않은 좌절이 찾아왔다. 1944년 윌슨 산 천문대장 애덤스는 은퇴를 결심하고 업적이나 지명도를 고려하여 후임으로 허블을 추천했다. 그러나 천문대 연구원과 직원들의 반대에 부딪혔다. 거기에는 그럴 만한 이유가 있었다. 워낙 독단적인 데다가 과시욕이 심한 허블은 주위 사람들과 자주 마찰을 일으켜 동료들에게 인심을 잃어버린 때문이었다.

코페르니쿠스 이후 천문학 발전에 최대의 공헌을 한 허블의 업적은 노벨상을 뛰어넘는 것이지만, 허블은 그 상을 받지도 못했다. 노벨 물리학상이 천문학을 배제했기 때문이다. 그러나 뒤늦게 규정이 바뀌어 허블에게도 상을 주기로 했지만, 이번엔 상을 받을 사람이 없었다. 허블이 죽은 지 3개월

뒤였던 것이다. 노벨상 규정이 일찍 바뀌었다면 아마 허블은 두 번쯤 받았을 것이다. 안드로메다 은하 거리 결정과 팽창 우주가 각각 충분히 수상 자격이 될 것이기 때문이다.

1948년 2월 9일자 《타임》 표지를 장식한 에드윈 허블

허블은 노벨상만 받지 못했을 뿐, 과학자로서는 최고의 영예와 인기를 누렸다. 영화 배우나 작가들과 모임을 가졌으며, 1937년 아카데미 영화상 수상식에 주빈으로 참석하기도 했다. 그뿐 아니다. 1948년에는 허블의 초상화가 《타임》지 표지를 장식했다. 천문학자로서는 최초의 일이었다. 그후 반세기 동안 《타임》지 표지에 얼굴을 올린 천문학자는 퀘이사를 발견한 마틴 슈미트와 유명작가이자 천문학자인 칼 세이건뿐이었다.

허블은 유명해진 뒤에도 망원경 앞을 떠나지 않고 죽을 때까지 열성적으로 은하를 관측했다. 1953년 허블은 캘리포니아 팔로마 산 천문대의 지름 5m의 거대망원경 앞에서 며칠째 밤을 새워 관측 준비를 하던 중 심장마비로 숨졌다. 대천문학자다운 죽음이었다. 향년 64세.

죽은 뒤에도 허블은 세간의 관심을 모았다. 분명한 이유는 밝혀지지 않았지만, 그의 부인 그레이스는 남편의 장례식과 추도회를 모두 거부했다. 그리고 남편의 유해를 어떻게 처리했는지에 대해서도 끝내 입을 열지 않았다. 그래서 20세기의 가장 위대한 천문학자였던 허블의 마지막 행로는 반세기가 지난 지금까지도 풀리지 않은 미스터리로 남아 있다. 스탠포드 대학 영문학과 출신으로서 허블에게 '성운 항해자'라는 별명을 붙여준 그의 부인 그레이스는 유려한 문장의 소유자이기도 해서 남편을 추억하며 쓴 회고록을 남겼다.

하지만 허블 부부에게도 하나의 위안이 있었다. 허블이 죽은 후 얼마 안 되어 노벨 물리학상 수상자이자 위원인 찬드라세카르와 페르미가 허블이 인류에게 끼친 공헌이 무시돼서는 안 된다고 생각한 끝에 그레이스를 찾아가 허블이 수상자로 선정되었다는 비밀사항을 전했던 것이다. 법학을 전공했다가 뒤늦게 천문학으로 전향하여 늘 남의 인정과 칭찬에 목말라했던 허블이 지하에서나마 그 소식을 들었다면 크게 기뻐했을 것임에 틀림없다.

1990년 우주로 쏘아올려진 우주 망원경에 허블의 업적을 기리는 뜻에서 그의 이름이 붙여졌다. 이것은 지금도 지구 중심 궤도를 95분마다 한 바퀴씩 돌면서 먼 우주를 담아 보내고 있다. 허블 부부의 굴곡진 사연으로 인해 우리는 20세기 천문학 최고의 영웅이 어디에 묻혀 있는지 아직도 모르며, 허블을 추념하려면 1990년 우주로 올라간 허블 우주 망원경을 바라보는 수밖에 없게 되었다.

30. 별이 반짝이는 이유를 최초로 알아낸 남자
– 한스 베테(1906~2005)

우주는 신의 몸이요, 신은 우주의 정신이다.

바뤼흐 스피노자(네덜란드 철학자)

지금으로부터 약 20만 년 전 인류가 이 지구상에 출현한 이래 가졌던 가장 큰 의문 중 하나는 밤하늘의 별이 무엇으로 저렇게 반짝이는가 하는 물음이었을 것이다.

태양이 밤하늘에서 무수히 반짝이는 별들과 같은 형제라는 사실을 인류가 안 것도 겨우 17세기의 일이었다. 지금 우리는 태양이 우리은하의 4,000억 개 별 중에서 중간 정도 크기의 평범한 별이라는 사실을 알고 있다. 그래서 《월든》을 쓴 미국의 데이비드 소로는 "태양은 아침에 뜨는 별이다"라고 말했다.

하지만 태양이 무엇으로 저렇게 뜨거운 에너지를 뿜어내고 있는가 하는 문제는 19세기가 다 지나도록 전혀 풀릴 기미를 보이지 않았다. 심지어 어떤 과학자는 태양이 엄청난 석탄을 태우기 때문이라는 웃지 못할 가설을 내놓기도 했다.

별이 반짝이는 이유를 인류가 최초로 알아낸 것은 20세기 중반에 이르러서였다. 제2차 세계대전 발발 직전인 1938년, 미국 코넬 대학 물리학자인 한스 베테에 의해 비로소 인류는 별이 빛나는 이유를 알아내기에 이르렀다. 반짝이는 별들은 그 중심에서 4개의 수소가 융합하여 1개의 헬륨이 되는 과정을 통해 엄청난 에너지를 생성한다는 사실이 알려졌던 것이다. 말하자면 별은 우주의 핵발전소였던 것이다.

'별의 에너지원 연구'로 1967년 노벨 물리학상 수상

인류가 수만 년 동안 궁금해하던 별이 빛나는 이유를 밝혀낸 배경에는 재미있는 일화가 있다.

32살의 노총각 교수 베테가 이 사실을 논문으로 발표하기 하루 전날 그는 연인과 바닷가에서 데이트를 즐기고 있었는데, 그녀가 서녘 하늘을 가리키며 말했다. "어머, 저 별 좀 보세요. 오늘 밤 별이 참 예쁘네요." 사랑에 빠진 사람에게 뭔들 예쁘게 보이지 않을까만, 그녀가 가리킨 별이 특히 예뻤던 모양이다. 그러자 베테는 자랑스럽다는 투로 이렇게 말했다. "흠, 그런데 저 별이 빛나는 이유를 아는 사람은 이 세상에서 나밖에 없답니다."

베테가 밝혀낸 별의 에너지 생성 방법은 수소 원자 4개가 융합하여 헬륨 원자 하나를 만드는 과정에 나타나는 결손 질량이 아인슈타인의 그 유명한 공식 '$E=mc^2$'에 따라 핵 에너지를 품어내는 핵융합 반응이다. 방정식의 m은 결손 질량, c는 광속이다. 초속 30만km라는 엄청난 광속에 제곱까지 붙어 있으므로 그것으로부터 생성되는 핵 에너지는 그야말로 어마무시한 것으로서, 그 위력은 1945년 8월 히로시마와 나가사키에서 참혹한 방법으로 입증되었다.

어쨌든 그날 저녁 베테와 별 데이트를 한 젊은 아가씨는 인류 중에서 별이 빛나는 이유를 안 두 번째 사람이 되었고, '별이 빛나는 이유'를 아는 유일한 남자였던 한스 베테는 그로부터 30년 뒤인 1967년 별의 에너지원에 관한 연구로 노벨 물리학상도 거머쥐는 행운을 쥐게 되었다. 노벨상 선정 위원회의 선정 이유는 다음과 같았다.

"항성 에너지의 근원에 대한 교수님의 해법은 우리 시대 기초물리학의 가장 중요한 응용 가운데 하나로서 우리를 둘러싼 우주에 대한 이해를 더욱 깊게 해주었습니다."

원래 독일 태생인 한스 베테는 아버지가 프러시아 출신의 개신교 신자로서 생리학 교수였고, 어머니는 유대인이었다. 뮌헨 대학에서 물리학 박사학위를 받고 잠시 대학에서 교편을 잡았던 베테는 1933년 나치가 정권을 잡자 어머니가 유대인이라는 이유로 대학에서 쫓겨났다. 그후 영국을 거쳐 미국으로 망명한 베테는 1935년 코넬 대학에 둥지를 튼 후 정년까지 그곳을 떠나지 않고 연구를 계속했다.

그 무렵 베테는 당시까지 알려진 원자핵 물리학에 관한 이론 및 실험의 내용을 집대성하여 《현대물리학 리뷰》에 3차례에 걸쳐 발표했다. 이 리뷰 논문은 모든 원자핵 물리학을 공부하는 사람들의 교과서가 되어 원자핵 물리학에 대한 '베테의 성경'이라는 별명을 얻을 정도로 높은 평가를 받았다. 심지어 나치 독일이 미국에 준 가장 큰 선물이 바로 베테라는 말까지 나돌 정도였다.

젊은 시절의 한스 베테와 1967년 노벨 물리학상을 받는 장면.
나치의 박해를 피해 1933년 미국으로 망명한 그는 2년 뒤 코넬대학 교수가 되었다.
리처드 파인만, 칼 세이건 등이 그의 후배 교수로서 코넬대학에서 가르쳤다. © Wikipedia

맨해튼 프로젝트에 이론 담당으로 참여

제2차 세계대전이 발발하자 미 국방부는 원자폭탄 제조를 위한 맨해튼 프로젝트를 가동했고, 베테는 이론 부분 감독직을 맡게 되었다. 베테는 뉴멕시코 주 로스앨러모스 비밀 연구소에서 리처드 파인만과 함께 원자폭탄의 효율을 계산하는 '베테-파인만 방정식'을 만들었고, 그것은 1945년에 실시된 원자폭탄 폭발 실험에서 계산의 정확성이 입증되었다. 그러나 베테는 종전 후 반핵 운동 진영에 서서 세계 평화를 위해 헌신했다.

스키나 등산을 좋아한 베테는 로스앨러모스 시절에도 휴일이면 자주 동료 물리학자들과 함께 어울려 주변의 산을 등산했다. 머리를 짧게 깎고 다녔으므로 강한 인상을 풍겼으나 말씨는 부드러웠고, 항상 웃음을 잃지 않는 온화한 인물이었다. 등산을 좋아한 그는 생전에 알프스와 로키 등 세계

만년의 한스 베테와 로즈 베테 부부. © Nuclear Museum

의 유명한 산은 거의 다 올랐다고 한다.

그는 10자리 이상의 숫자 곱하기와 나누기 암산에도 능해서 가끔 리처드 파인만과 암산 배틀을 벌이기도 했는데, 서너 번 중 한 차례 정도만 파인만에게 지는 정도였고, 그럴 때면 젊은 파인만에게 대견하다는 듯 빙긋 미소를 지어 보이기도 했다. 파인만은 아인슈타인 이후 최고의 천재라는 말을 들을 정도로 뛰어난 두뇌의 소유자로 양자역학에 기여한 업적으로 노벨 물리학상을 받은 천재 물리학자였다. 1999년 영국 저널 《물리학 세계》가 전 세계의 저명한 물리학자 130명을 대상으로 실시한 설문조사에서 파인만은 역대 7번째로 위대한 물리학자로 선정되기도 했다.

별은 무엇으로 빛나는가? 수만 년에 걸친 인류의 오랜 궁금증을 풀어준 한스 베테, 그는 100살에서 딱 1살 빠지는 99살이 되던 2005년에 세상을 떠났다. 주변 사람들이 전하는 얘기에 따르면 만년에는 꼭 성자의 풍모를 풍겼다고 한다.

마지막으로 여담 하나. 99살의 베테가 운명할 때 그의 옆에서 부인이 임종을 지켰다는데, 과연 그녀가 1938년 바닷가에서 베테로부터 별이 반짝이는 이유를 들었던 그 아가씨가 맞을까? 필자도 그것이 꽤나 궁금했기에 해보는 질문이다. 만약 당신이 그 아가씨가 아닐 거라는 데 손을 든다면 당신은 인간에 대한 신뢰가 부족하다는 말을 들을지도 모르겠다.

필자도 나중에 안 일이지만, 어느 책에서 바로 그녀가 맞다는 사실을 확인했다. 그녀는 튀빙겐 대학 물리학 교수를 역임한 폴 에발트의 딸인 로즈 에발트라는 아가씨로, 두 사람은 이듬해인 1939년 결혼식을 올렸다. 그러니까 그 아가씨는 로즈 베테라는 이름으로 한스 베테와 무려 66년이나 해로한 셈이다.

31. 빅뱅 이론에서 원소들을 뽑아내다
- 조지 가모프(1904~1968)

혹시, 정말 우리는 우주가 의식을 가지기 위한
수단으로서 만들어진 것은 아닐까?
닐 투룩 (남아공 물리학자)

허블의 팽창 우주 발견이 있은 지 2년 후인 1931년, 아인슈타인은 부인과 함께 세기의 발견이 이루어진 윌슨산 천문대를 방문해 허블과 역사적인 만남을 가졌다. 아인슈타인은 윌슨산 천문대 도서관에 모인 기자들에게 자신의 정적인 우주를 부정하고 팽창하는 우주 모델을 받아들인다고 선언했다. 르메트르가 옳았음을 인정한 것이다. 그리고 자신이 우주상수를 도입했던 것은 생애의 가장 큰 실수였다고 말했다.

이처럼 우주의 팽창이 거역할 수 없는 대세가 되자 어떤 천문학자들은 최초의 순간에 대해 생각하기 시작했다. 은하들이 서로 멀어져가는 과정을 기록 필름 돌리듯이 거꾸로 되돌린다면 우주의 시작 지점까지 되돌아갈 수 있을 거라고 생각한 것이다.

1931년 윌슨산 천문대를 방문해 망원경을 보는 아인슈타인.
뒤에 파이프 문 사람이 허블, 오른쪽이 천문대장 월터 애덤스다.

아내와 함께 흑해에 카약을 띄우다

여기에 대해 가장 선구적인 연구를 주도한 과학자는 러시아 출신의 미국 천문학자 조지 가모프였다. 그가 발전시킨 빅뱅 이론의 핵심은 우주의 모든 질량과 에너지가 한 점에 모여 있는 극한의 밀도와 에너지가 응축된 특이점이 급격히 폭발, 팽창한 후 어떤 일들이 일어났는가 하는 문제였다.

가모프는 여러 면에서 흥미로운 이력을 가진 물리학자로, 1904년 러시아의 항구도시 오데사에서 태어났다. 어렸을 때부터 천재성을 드러낸 그는 국내외의 대학과 연구소에서 공부하다가 1931년 봄, 레닌그라드에 있는 라듐 연구소의 연구원으로 일했다. 같은 해 27세의 가모프는 역사상 최연소 회원으로 소련 과학아카데미 회원으로 선출되었다.

그러나 천성이 자유주의자인 그는 개인의 자유를 억누르는 소련의 사회적 분위기에 진력이 난 나머지 1932년, 마침내 조국을 탈출하여 터키로 가기 위해 아내와 함께 너비 250km의 흑해에 작은 카약을 띄웠다. 두 사람은 하루 반을 교대로 열심히 노를 저었으나, 날씨가 나빠지는 바람에 결국 되돌아올 수밖에 없었다.

기회는 이듬해 다시 찾아왔다. 브뤼셀에서 열리는 솔베이 학회에 참석하게 된 것이다. 더욱이 같은 물리학자인 아내와 동행하게 되었다. 가모프 부부는 이때 조국을 떠난 뒤 두 번 다시 돌아가지 않았다. 그가 망명한 후 소련은 궐석재판에서 그에게 사형을 선고했다.

솔베이 회의가 끝난 후 동료 학자들의 도움을 받으며 유럽을 전전하던 가모프 부부는 미국 조지 워싱턴 대학의 교수직을 제안받고, 1934년 4월 뉴욕으로 출항하는 덴마크 선박에 몸을 실었다. 그리하여 워싱턴 대학에서 20년 동안 빅뱅 가설을 연구하고 이론을 가다듬었다.

"세상은 5분 만에 이루어졌다"

1945년 가모프는 랠프 앨퍼를 박사과정 학생으로 받아들인 후 초기 우주에 대해 연구하기 시작했다. 초기 우주가 초고온·초고밀도 상태였고, 급격하게 팽창하면서 온도가 내려갔다고 생각한 그는 우주 초기에는 너무 뜨거워 무거운 원자들은 존재할 수 없었기 때문에 중성자와 양성자, 전자가 뒤섞인 수프 형태였을 것으로 보았다.

그후 우주가 차차 식어감에 따라 양성자가 전자를 잡을 수 있게 되었다. 이것이 바로 원자번호 1 수소의 탄생이다. 이윽고 원자번호 2 헬륨이 생겨났고, 우주가 너무 식는 바람에 더 이상의 원소들은 만들어질 수 없었다. 이것이 가모프가 구상한 원소 탄생의 시나리오였다.

가모프는 이때 생겨난 수소와 헬륨이 오늘날 우주의 대부분을 차지한다고 주장했다. 특히 그들은 빅뱅 후 5분 동안에 10개의 수소 원자핵에 1개꼴로 헬륨 원자핵이 만들어졌다는 계산서를 뽑아냈는데, 그것은 관측 천문학자들이 측정한 값과 일치했다.

가모프는 한 걸음 더 나아가 이때 생긴 마이크로파가 우주에 널리 퍼져 있을 것이라고 예견했는데, 이는 1965년 아노 펜지어스와 로버트 윌슨이 우주배경복사를 발견함으로써 그의 예언은 훌륭하게 증명되었다.

1948년 4월 1일, 빅뱅 이론의 출발점이 되는 논문《화학 원소의 기원》은 가모프와 앨퍼의 이름에다가 한스 베테를 추가하여 앨퍼, 베테, 가모프의 이름으로《피지컬 리뷰》에 발표되었다. 베테는 1938년 항성의 에너지원을 밝힘으로써 별이 빛나는 이유를 최초로 인류에게 알린 쟁쟁한 물리학자였지만, 막상 이 논문과는 별 상관이 없었다. 그럼에도 베테의 이름을 끼워넣은 것은 평소 유머와 장난기가 많았던 가모프가 사람들로 하여금 이 논문을 보면서 자연스레 그리스어인 알파, 베타, 감마를 떠올리며 재미있어 하기를 바라는 마음에서였다. 그의 바람대로 이 논문은 '알파-베타-감마 논문'으로 불리게 되었다.

가모프 팀의 연구는 계속되었다. 앨퍼는 새롭게 합류한 로버트 허먼과 함께 우주의 진화 과정을 추적한 끝에, 우주가 팽창과 냉각을 계속해서 전자들이 원자핵과 결합해 중성 원자인 수소와 헬륨을 형성할 때의 온도가 대략 3,000도이며, 그 빛이 오늘날에도 우주를 달리고 있어야 한다는 결론에 이르렀다. 이 빛의 파장은 약 6K(절대온도)인 물체가 내는 복사선의 파장인 1mm 정도가 될 것이라 예측되었다.

랠프 앨퍼는 뒤에 자신의 박사논문으로 빅뱅 직후 수소와 헬륨이 정확한 비율로 합성되었음을 증명하는 논문을 발표했다. 심사위원들과 신문기자

빅뱅 우주론의 개척자 가모프. 태초의 빛이 우주에 퍼져 있으며, 그 온도는 6K일 거라고 예측했다.
© Wikipedia

들을 포함한 300여 명의 청중 앞에서 앨퍼는 논문을 발표하고 질문에 대한 답변을 한 후 심사위원들로부터 박사학위 자격을 인정받았다. 다음 날인 1948년 4월 14일자 《워싱턴포스트》는 "세상은 5분 만에 이루어졌다"는 기사에서 수소와 헬륨을 만든 원시 원자핵 합성이 300초 만에 이루어졌다는 앨퍼의 논문 내용을 소개했다.

정상 우주론자 프레드 호일은 또 다른 면에서는 빅뱅 이론에 기여한 과학자이기도 했다. 가모프 등의 빅뱅 이론이 완전히 규명해내지 못한 중원소 합성을 완전하게 밝혀냈던 것이다. 호일을 비롯하여 4명의 연구자가 참여한 《별의 원소 합성》에서 별의 각 단계의 역할과 핵반응 과정들이 밝혀졌다. 빅뱅 모델이 정상 우주론에 승리했지만, 그 승리를 완벽하게 만들어준 사람은 정상 우주론자 호일이었던 셈이다.

가모프는 그런 점에서 호일을 존경했다. 그는 짐짓 창세기에 빗댄 시를 지어 말하길 "그리고 하나님이 말씀하셨다. 호일이 있으라. 호일이 있었다. 하나님은 호일을 보시고 그에게 좋아하는 방법으로 무거운 원소들을 만들라고 하셨다"라고 하며 호일에게 경의를 바쳤다.

노벨 위원회의 뒤끝 작렬

20세기 과학의 위대한 업적으로 평가받았던 《별의 원소 합성》이지만,

1983년 노벨 물리학상은 논문에 주도적 역할을 한 호일이 아니라 공동 연구자인 윌리엄 파울러에게 돌아갔다. 노벨 위원회가 호일을 배제한 것은 과거 위원회의 처사에 대한 호일의 날카로운 비판 때문이었다.

사연인즉슨, 1974년 노벨 물리학상은 고속으로 자전하는 중성자별 펄서pulsar를 발견한 영국의 A. 휴이시에게 주어졌는데, 사실 펄서의 최초 발견자는 그의 대학원생 제자인 조슬린 벨이었다. 그렇다면 최소한 공동 수상이라도 하는 게 마땅함에도 휴이시 단독 수상으로 한 것에 대해 호일은 분통을 터뜨렸고, 이것이 화근이 되어 호일이 노벨상 수상에서 배제되었던 것이다. 이는 노벨상 역사에서 가장 불공정한 처사이자 치사한 뒤끝 작렬로 평가받고 있다.

펜지어스와 윌슨은 우주배경복사에 대해 짤막한 논문 한 편을 썼을 뿐인데도 1978년 노벨 물리학상을 받았다. 그러나 최초로 우주배경복사를 예언했던 가모프는 10년 전 이미 세상을 떠났기 때문에 상을 받을 수 없었다. 살아 있었다면 틀림없이 같이 상을 받았겠지만, 그러나 그는 자신들이 예언한 우주배경복사가 실제로 관측되었다는 사실을 알기만 해도 크게 기뻐했을 것이다. 펜지어스는 노벨상 수상 기념 강연에서 가모프, 앨퍼, 허먼의 공로에 경의를 표했다.

우주에 나타난 '신의 얼굴'

빅뱅 우주론자에 따르면, 빅뱅 이후 급팽창한 우주는 우주 시간으로는 거의 순식간이라고 할 수 있는 38만 년 만에 물질의 시대에 들어서서 현재의 모습을 갖춘 것이라 한다. 또 우주배경복사를 분석한 결과, 우주의 나이는 오차 범위 1% 수준에서 137억 년으로 밝혀졌다.

여기서 하나의 문제점은 '원시의 알'에서 출발한 우주가 오늘날과 같은 별과 은하 구조를 갖추려면 최초의 폭발 국면에 그 씨앗이 있어야 한다는 점이다. 만약 최초의 팽창 국면이 완벽하게 균일하다면 우주의 건더기라고 할 수 있는 별이나 성간 물질, 은하 등은 생겨날 수 없었을 것이기 때문이다. 말하자면 우주는 여전히 맹탕인 채로 있었을 것이란 뜻이다.

그러나 현재의 우주 상황은 전혀 그렇지가 않다. 수많은 별과 은하들이 무서운 속도로 내달리고, 그들끼리 충돌하거나 폭발하며, 지금 이 시간에도 별들이 탄생하는 등 천변만화의 변화를 보여주는 약동하는 우주인 것이다. 그러므로 최초의 팽창 국면에 별과 은하의 씨앗이 될 만한 불균일성이 반드시 있었어야 한다는 결론이 나온다.

태초의 불균일성을 찾기 위한 노력의 일환으로 1989년 11월 18일, 코비(COBE : Cosmic Microwave Background Explorer) 위성을 실은 로켓이 우주 공간으로 발사되었다. 코비의 우주배경복사 관측 결과, 우주의 온도는 정확히 2.728±0.002K라는 것을 알아냈다. 이 온도를 만들고 있는 것이 바로 광자로서, 우주 공간 $1cm^3$당 광자가 약 400개 들어 있었다. 온도와 광자 사이에는 간단한 관계식이 성립하는데, 그 계산에 따르면 멋지게도 위와 같은 광자 개수가 나온다. 우주배경복사에서 나타난 불균일성은 10만분의 1이었다.

1992년 4월, 조지 스무트 버클리 대학 교수는 코비 위성이 우주배경복사에서 미세한 온도 변화를 관측했다는 발표를 했다. 그는 초기 우주 사진을 들고 기자회견장에 나와서 "만일 여러분이 신앙이 있다면, 이것은 신의 얼굴을 본 것과 같습니다"라고 감회에 찬 말로 입을 열었다.

이튿날 주요 언론은 코비의 기사를 싣는 데 1면 전부를 할애했고, 《뉴스위크》는 "신의 필체를 찾았다!"는 제목으로 이 기사를 다루었다. 스티븐 호

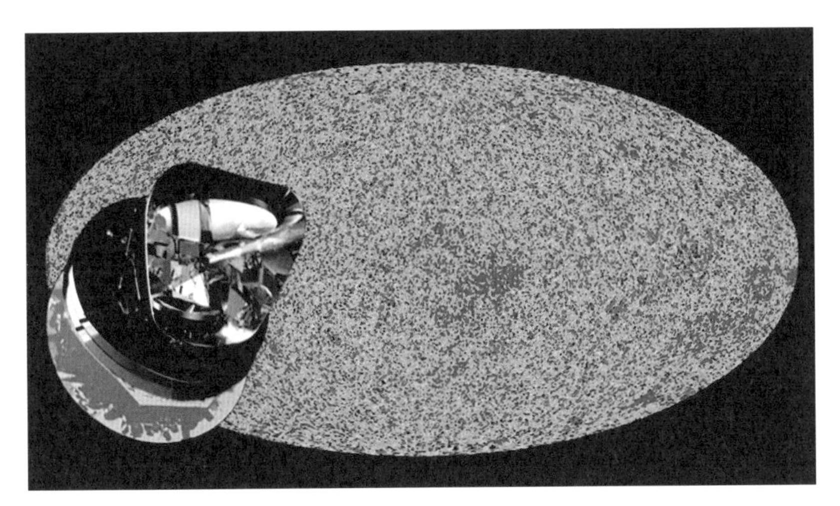

플랑크 관측 위성이 찍은 우주배경복사. 약간의 불균일성이 오늘의 우주를 만들었다.

킹도 "이 발견은 역사상 최고는 아닐지 모르지만, 금세기 최고의 발견임에는 틀림없다"라고 평가했다. 이로써 초단파 잡음이 빅뱅의 잔재라는 것을 더는 의심할 수 없게 되었고, 위기에 빠진 빅뱅 우주론은 화려하게 부활했다. 그 공로로 조지 스무트와 존 마셔는 2006년도 노벨 물리학상을 받았다. 우주배경복사로 두 차례나 노벨상이 주어졌다는 것은 빅뱅 우주론의 최종적인 승리를 뜻하는 것이었다.

이렇게 해서 빅뱅 모델은 견고한 증거들 위에 세 발을 걸치고 서게 되었다. 한 발은 은하들의 후퇴로 입증된 '우주 팽창' 위에, 또 한 발은 온도가 1,000만 도에 육박했던 최초의 3분 사이 우주 오븐에서 구워진 가벼운 원소들의 생성 비율 위에, 그리고 마지막으로 우주배경복사 위에 그 세 번째 발을 딛고 굳건히 서게 된 것이다.

돌아보면 1915년 아인슈타인의 일반 상대성 이론, 1922년 프리드만의 진화하는 우주, 1927년 르메트르의 원시 원자 가설, 1929년 허블의 팽창 우주 발견으로부터 70년의 세월이 흘렀다. 짧다면 짧다고 할 수 있는 그 시간 동안 세계와 우주는 그토록 무섭게 변했던 것이다. 우주의 '근원'과 '현재'를 알게 됐다는 점에서 이 시대 사람들은 행복한 사람들이라 할 수 있을 것이다.

이로써 인류는 빅뱅 이론으로 원초적인 창조의 문제를 해결하는 데 성공했으며, 진화하는 우주의 미래로 고개를 돌리게 되었다.

일체무상의 대우주

우주는 앞으로 어떻게 될까? 그것은 전적으로 이 우주에 물질이 얼마나 있는가에 달려 있다. 곧, 우주밀도와 임계밀도의 관계에 따라 그 가능성은 3가지다. 참고로, 우주의 임계밀도는 $1m^3$당 수소 원자 10개 정도다. 이것은 인간이 만들 수 있는 어떤 진공 상태보다도 완벽한 진공이다. 우주는 이처럼 텅 빈 공간이다.

우주의 미래는, 우주밀도가 임계밀도보다 작다면 우주는 영원히 팽창하고(열린 우주), 그보다 크다면 언젠가는 팽창을 멈추고 수축하기 시작할 것이다(닫힌 우주). 또 다른 가능성은 팽창과 수축을 반복하며 끝없이 순환하는 것이다(진동 우주). 우주밀도와 임계밀도가 같아 곡률이 없는 평평한 우주라면, 언젠가 우주 팽창이 끝나지만 그 시점은 무한대이다.

그러나 어느 쪽의 우주가 되든, 우주는 열평형과 엔트로피*의 극한을 향해 서서히 무너져가는 것은 우울하지만 피할 수 없는 운명으로 보인다. 이른바 열사망이라는 상태다. 몇백조 년이 흐르면 모든 별들은 에너지를 탕진하고 더 이상 빛을 내지 못할 것이며, 은하들은 점점 흐려지고 차가워질

* 엔트로피(entropy) : 물체의 열적 상태를 나타내는 물리량의 하나로 '무질서도(無秩序度)'라고도 한다. 열역학 제2법칙에 따르면, 자연적인 현상은 비가역적이며 이는 무질서도가 증가하는 방향으로 일어난다는 것이다. 이를 수치적으로 보여주는 것이 엔트로피로, 무질서도의 척도이다.

빅뱅 우주의 원소 탄생을 밝혀낸 조지 가모프가 초기 우주의 잔열 흔적에 관해 연구했던 동료들과 함께 찍은 재치 있는 사진. 아일럼 술병에서 귀신처럼 나오는 얼굴이 가모프다. 가모프가 1949년 로스앨러모스에서 진행한 강연에서 처음 공개한 사진이다.

것이다.

은하 속을 운행하는 죽은 별들은 은하 중심으로 소용돌이쳐 들어가 최후를 맞을 것이며, 10^{19}년 뒤에 은하들은 뭉쳐져 커다란 블랙홀이 될 것이다. 하지만 몇몇 죽은 별들은 다른 별들과의 우연한 만남을 통해 은하계 밖으로 내던져짐으로써 이러한 운명에서 벗어나 막막한 우주 공간 속을 외로이 떠돌 것이다. 우주론자 에드워드 해리슨은 서서히 진행되는 우주의 파멸을 다음과 같이 실감나게 묘사한다.

"별들은 깜박이는 양초처럼 서서히 흐려지기 시작하면서 하나씩 꺼져가고 있다. 거대한 천체의 도시인 은하계들은 서서히 죽어가고 있다. 수십억 년이 지나면서 어둠이 깊어져가고 있다. 이따금씩 깜박이는 빛 하나가 우주의 밤을 잠시 빛내며, 어디선가 활동이 생겨나 은하계의 무덤이라는 최종선고를 약간 연기시킨다."

그러나 오랜 시간이 또 지나면 우주의 모든 물질들은 결국 블랙홀로 빨려들어가고, 그로부터 다시 10^{108}년이 지나 모든 블랙홀들도 결국 빛으로 증발해 사라지고 나면 우주에는 약간의 빛과 중성미자, 중력파만이 떠돌아다니게 된다. 종국에는 모든 물질의 소동은 사라지고, 물질도 반물질도 없으며, 우주의 엔트로피를 높이는 어떠한 반응도 일어나지 않는다. 곧, 시간도 방향성을 잃게 되어 시간 자체가 사라지고, 우주는 영원하고도 완전한 무덤 속이 되는 것이다. 이것이 바로 영광과 활동으로 가득 찼던 대우주의 우울하면서도 장엄한 종말이다.

32. 암흑물질을 잡은 남녀

- 츠비키(1898~1974) & 루빈(1928~2016)

우주 만물은 기(氣)의 뭉쳐짐과 흩어짐에 따라 생멸하고 변화하는 것이며,
기의 본체는 태허(太虛)이고, 태허가 곧 기이다.

장횡거 (북송의 성리학자)

허블이 발견한 팽창 우주가 모든 사람들의 지지를 얻어낸 것은 아니었다. 우주는 영원하고 변함이 없다는 정상 우주론이 여전히 주류를 이루고 있었다. 하지만 그들은 허블의 관측이 명백히 밝혀낸 은하들의 적색이동을 나름대로 설명해야 할 필요성을 느꼈다. 곧, 우주의 팽창이 과거 우주의 탄생이 있었다는 것을 의미하지는 않는다는 이론을 개발해야만 했다.

빅뱅 이론의 반대자들이 개발한 이론은 '동적 상대론'이란 이름표를 붙인 것으로, 은하가 거리에 비례하는 속도로 후퇴하는 것은 원시 원자의 폭발 때문이 아니라, 임의의 방향으로 자유스럽게 움직이는 사물의 자연스러운 현상이라고 주장했다. 그리고 멀리 있는 은하는 빠른 속도 때문에 멀리 있는 것이므로 그 역시 당연한 노릇이라는 것이다. 이 같은 주장은 은하 자체가 고유한 속도로 운동한다는 전제를 바탕으로 한 것으로 많은 논리적 모순을 갖고 있다.

천문학계의 막말꾼

빅뱅 우주론은 은하 간 공간 자체가 팽창하고 있다고 보고 있다. 예컨대, 풍선 표면에 매직펜으로 많은 점들을 찍어놓은 다음 바람을 불어넣으면 풍선 표면이 부풀면서 점들이 서로 멀어져간다. 이것이 바로 빅뱅 우주론에서 말하는 공간 팽창인 것이다. 그리고 이 팽창을 거슬러올라가면 한 점에 수렴하는데, 그것이 바로 원시 원자이다.

또 다른 빅뱅 모델의 반대 이론은 '피곤한 빛 이론'이라 불리는 것으로, 스위스 출신의 칼텍 교수 프리츠 츠비키가 내놓은 것이었다. 그는 허블의 자료를 검토한 끝에 은하가 실제로 움직이고 있다는 것을 미심쩍게 생각했다. 그렇다면 적색이동은 무엇인가? 그것을 츠비키는 '빛이 피곤해진 것'이라고 해석했다. 별에서 나오는 것은 무엇이든 시간이 지남에 따라 에너지를 잃는다는 생각에서 은하에서 출발한 빛도 은하의 중력에 에너지를 빼앗기는데, 빛의 속도는 일정하므로 대신 파장이 늘어나 적색이동을 보인다는 이론이다.

중력이 빛에 영향을 주어 약간의 적색이동을 일으키기는 하지만, 그 정도는 미미하여 허블의 데이터에는 크게 미치지 못하는 수준이다. 이 점에 대해 츠비키는 또 허블의 데이터가 과장되었거나 조작되었을 거라는 악평을 내놓았다. 하긴 그는 천문학계에서 둘째가라면 서러워할 막말꾼이기는 했다. 그에게 막말을 듣지 않은 동료가 없을 정도였다.

전자의 무게를 재어 노벨상을 받은 밀리컨의 초청으로 칼텍과 윌슨산 천문대를 방문했음에도 그는 밀리컨에 대해 평생 한 번도 훌륭한 아이디어를 낸 적이 없다고 악평하고, 주변 동료들에게는 '원형 도둑놈'이라고 막말을 퍼부었다. 자기 아이디어를 훔쳐갔다는 것이다. 여기서 '원형'이란 형용사는 어느 방향으로 보든 똑같다는 뜻이다.

암흑물질의 아버지, 프리츠 츠비키

츠비키의 이런 독불장군식 처세는 많은 동료들을 떠나게 했지만, 초신성과 중성자별에 관한 연구로 탁월한 업적을 남기기도 했다. 그는 1931년 발터 바데와 함께 '초신성'supernova이라는 용어를 처음으로 만들었고, 1937년에는 "초신성은 정상적인 별에서 죽은 별의 최종 단계인 중성자별로의 전이를 의미한다"고 중성자별의 존재를 예견하기도 했다. 그로부터 30년 후인 1967년 영국 전파 천문학자 앤터니 휴이시의 조수 조슬린 벨이 고속으로 자전하는 중성자별 펄서를 발견했다.

우주 최대의 미스터리 발견

괴팍한 성격으로 많은 일화와 함께 큰 업적을 남긴 츠비키지만, 그의 결정적인 업적은 최초로 암흑물질을 감지했다는 것이다.

1933년, 윌슨산 천문대의 츠비키는 머리털자리 은하단에 있는 은하들의 움직임을 관측하던 중 놀라운 사실 하나를 잡아냈다. 은하들의 운동 속도가 뉴턴의 중력 법칙을 비웃듯이 엄청난 속도로 움직이고 있었다. 머리털 은하단 질량이 가진 자체 중력만으로는 도저히 붙들어둘 수 없는 은하의 속도였다. 뉴턴의 중력 방정식에 대입하면 저 은하들은 즉시 바깥으로 튕겨져나가고 은하단은 해체되어야 한다는 계산이 나왔다.

온 우주를 관통하는 뉴턴의 중력 법칙이 저 머리털 은하단에서만 불통된다고는 도저히 생각할 수 없는 만큼, 우리 눈에 보이지 않는 그 무엇이 은하단을 움켜잡고 있다고 볼 수밖에 없었다. 분명 암흑물질이 있어! 계산서를 뽑아보니 머리털 은하단이 현상태를 유지하려면 은하단 질량보다 무려 7배나 많은 질량이 있어야 한다는 걸로 나왔다.

여기서 츠비키는 이렇게 결론낼 수밖에 없었다. "우주에는 정체 불명의 암흑물질이 대부분을 차지하고 있다!"

참으로 파격적이고 황당한 주장이었다. 츠비키의 주장은 16세기 코페르니쿠스의 지동설보다 더한 냉대를 받았다. 아무도 그의 주장에 귀 기울여주지 않았다. 그리하여 그의 암흑물질은 암흑 속으로 묻혀졌고, 세상 사람들의 뇌리에서 사라졌다.

그렇다면 90년이 지난 지금의 상황은 어떠한가? 국면은 대역전되었다. 현재 암흑물질의 존재를 부정하는 과학자는 거의 없다. 여기에는 미국의 여성 천문학자 베라 루빈이 등장한다. 그녀는 1962년 《은하 회전에 관한 연구》에서 은하의 회전 곡선이 케플러의 법칙을 따르지 않는다는 사실을 발견하고 암흑물질 이론의 바탕을 구축했다. 그녀가 계산해낸 암흑물질의 비중은 은하 질량의 6배였다.

그러나 루빈의 논문도 학계의 관심을 끌지 못했다. 이번에는 성별이 문제였다. 성차별은 천문학계의 뿌리 깊은 악습이었다. 그러나 루빈의 경우는 츠비키와는 달리 때늦었지만 보상을 받았다. 1994년, 암흑물질 연구 업적으로 미국 천문학회가 주는 최고상인 헨리 노리스 러셀 상을 받았다. 그녀가 수상식장에서 '은하수를 여행하는 히치하이커를 위한 안내서'의 주제가를 부르자 참석자들도 다 같이 합창했다고 한다.

대체 암흑물질은 무엇으로 구성된 존재인가? 중력하고만 작용할 뿐, 전기적으로는 중성이며 빛과 전혀 상호 작용을 하지 않는 암흑물질의 정체를 파헤치기 위해 물리학자들은 지금도 악전고투를 거듭하고 있다. 이 전투에서 승리하는 사람에게는 당연히 노벨상이 기다리고 있을 것이다.

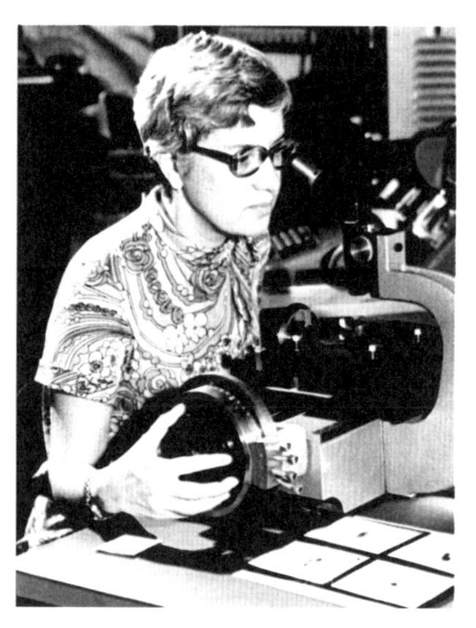

암흑물질의 증거를 발견한 베라 루빈

그런데 어려운 과제가 하나 더 늘었다. '암흑 에너지'란 존재도 모습을 드러냈던 것이다. 이 에너지는 우주 공간 자체가 가진 것으로 알려져 있다. 따라서 우주가 팽창하면 그에 비례해 암흑 에너지도 늘어난다. 현재 우주를 가속 팽창시키고 있는 유력한 용의자로 바로 이 암흑 에너지가 지목되고 있다.

암흑물질을 보여주는 중력 렌즈

최근 자료에 따르면, 암흑 물질은 우주의 총 에너지의 대략 22%를 차지하며, 암흑 에너지가 74%, 나머지 4% 중에서 성간 가스가 3.6%를 차지하고, 우리가 눈으로 보는 가시적인 우주는 0.4%에 지나지 않은 것으로 밝혀졌다. 우리는 이 0.4%의 가시 물질 위에 까치발을 하고 서서 우주를 바라보

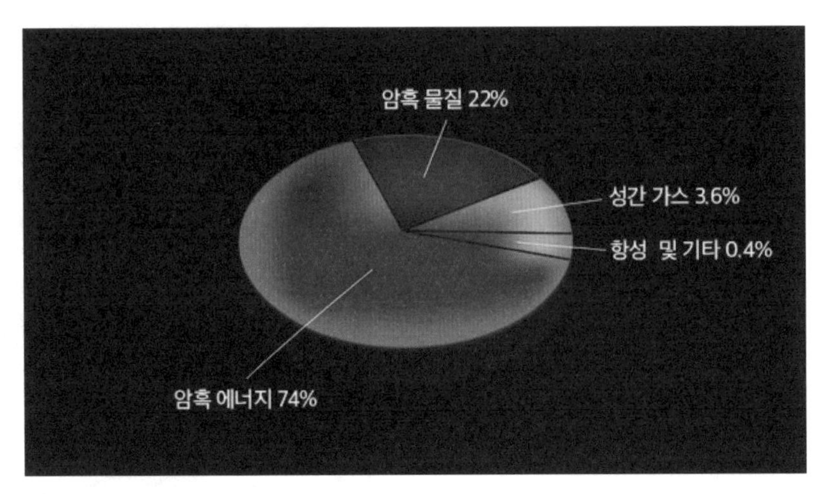

우주를 구성하는 물질의 비율

는 형국인 셈이다. 어느 천문학자의 말처럼 우리는 우리가 상상하는 이상으로 기괴한 우주에서 살고 있는 것이다.

아직 발견되지 않은 입자일 것으로 추정되는 암흑물질은 우주의 미래를 결정지을 요인으로 등장하고 있다. 우리가 빛으로 관찰할 수 있는 일반 물질의 양으로는 현재 팽창하고 있는 우주를 멈출 만한 충분한 중력이 없는 만큼 암흑물질이 적거나 없다면 팽창은 영원히 계속될 것이다. 반대로 암흑물질이 충분히 있다면 우주는 팽창을 멈추는 시점에서 수축하여 최후에 대붕괴로 끝나게 될 것이다. 실제로는 우주의 팽창이나 수축 여부는 암흑물질과는 다른 암흑 에너지에 의해 결정될 것이라는 것이 일반적인 관측이다.

암흑물질의 존재를 보여주는 또 다른 증거는 중력 렌즈로 확인할 수 있다. 중력 렌즈 효과로 인해 퀘이사와 같은 매우 먼 광원에서 온 빛이 은하단 따위를 거치면서 그 중력장에 의해 굴절되어 지구에서 관측된다. 이에 따라, 은하단의 상이 은하단에 포함된 질량에 비례하여 왜곡되게 된다. 이를

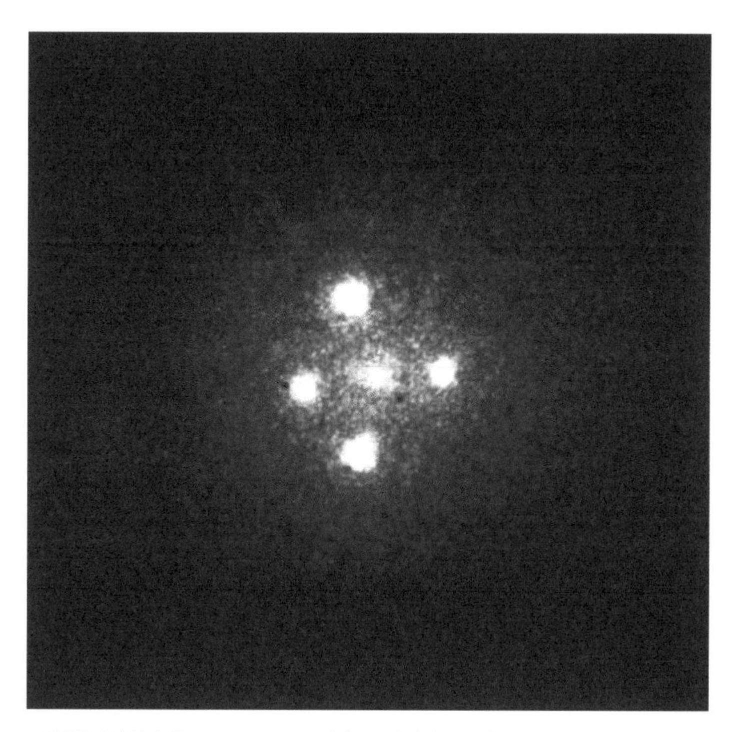

아인슈타인 십자가(Einstein Cross)는 페가수스 자리에 있는 퀘이사다. 이 천체는 실제로는 80억 광년 떨어진 퀘이사 하나와 4억 광년 떨어진 은하 하나로 이루어져 있다. 퀘이사는 은하 뒤에 놓여 있으며, 은하의 중력 렌즈 효과로 4개로 보여 십자가처럼 보인다. © Wikipedia

통해 유추한 은하단의 질량은 직접적으로 관측되는 질량보다 더 크므로, 은하단에 포함된 암흑물질의 존재를 알 수 있다. 이 중력 렌즈 효과를 이용해 우주의 암흑물질 분포 지도가 만들어지고 있다.

우주 팽창이 점점 더 가속되고 있다

우주 공간이 계속 팽창해 가더라도, 물질의 속성인 만유인력에 의해 점차 속도가 늦추어지거나 최종적으로는 수축할 것이라고 예상해왔는데, 그게 아니었다. 우주의 팽창 속도가 점차 빨라져가고 있다는 관측 보고가 다시 나왔다. 1998년, 허블 우주 망원경은 아주 먼 거리에서 폭발한 초신성을 면밀히 관측한 결과, 오랜 과거에는 우주가 지금보다 느리게 팽창했다는 사실을 발견했던 것이다.

그렇다면 무엇이 우주의 팽창을 가속시키고 있다는 말인가? 과학자들은 그 범인을 암흑 에너지라고 지목했다. 이 정체를 알 수 없는 암흑 에너지가 우주 공간을 점점 더 빨리 잡아 늘이고 있다는 것이다. 미스터리에 싸인 암흑 에너지의 존재가 우주를 단순히 팽창시키는 것이 아니라, 더욱 가속 팽창시키고 있다는 사실이 밝혀져 천문학자들을 당혹 속에 빠뜨렸다.

1998년, 두 팀의 천문학자 연구진이 그동안의 관측 데이터를 분석한 결과 똑같이 이러한 결론에 이르렀다. 이들 연구에 따르면, 더 먼 은하일수록 더 빠른 속도로 멀어져가고 있다고 한다. 우주의 가속 팽창은 아인슈타인의 일반 상대성 이론을 확인시켜주는 것으로, 과학자들은 중력에 반하는 척력으로서 아인슈타인의 중력 방정식의 우주상수를 부활시켰다. 우주의 가속 팽창을 발견하여 인류에게 보고한 3명의 과학자들은 2011년 노벨 물리학상을 받았다.

우주의 최대 미스터리이자 천문학의 최대 화두인 암흑물질과 암흑 에너지에 대해 그 존재 자체에 회의를 나타내는 과학자들도 아직 없지는 않다. 우리가 혹시 중력의 성질을 완전히 파악하지 못한 나머지 그런 가정을 하게 된 것은 아닐까 하는 의심이다.

암흑물질 22%, 암흑 에너지 74%, 일반 물질 4%의 우주를 설명하기 위해 '암흑' 속을 헤매고 있는 과학자들은 1,800년 전 프톨레마이오스가 천동설을 구축하기 위해 무리하게 주전원들을 끼워맞추었던 것과 같은 헛된 노력을 하고 있는지도 모른다고 생각한다. 하지만 아직 판정은 내려지지 않았다.

33. 휠체어에서 우주를 가장 멀리 본 남자
– 스티븐 호킹(1942~2018)

우주는 왜 존재하는가? 인간은 왜 존재하는가? 그 해답을 발견할 수 있다면,
그것은 인간 이성의 궁극적인 승리가 될 것이다.

스티븐 호킹 (영국 물리학자)

20세기 물리학자 중에서 가장 인상적인 사람을 꼽으라면 단연 스티븐 호킹일 것이다. 가장 위대한 우주물리학자 중 한 사람이기도 한 호킹은 일반에게는 '휠체어의 물리학자'로 더 잘 알려져 있다.

연구 분야는 블랙홀이었으며, 우주론과 양자 중력의 연구에 크게 기여했을 뿐 아니라, 자신의 이론과 일반적인 우주론에 대해 쓴 대중 과학 서적들로 인해 세계에서 가장 유명한 과학자의 한 사람이 되었다. 그가 1988년에 펴낸 책 《시간의 역사》는 영국 《런던 선데이 타임스》 베스트셀러 목록에 최고 기록인 237주 동안이나 실려서 화제가 되기도 했다. 2009년까지 케임브리지 대학교 루커스 수학 석좌교수로 재직했다. 18세기 아이작 뉴턴이 바로 이 루카스 석좌교수였다.

21살에 찾아온 루게릭병

옥스퍼드 대학교와 케임브리지 대학교에서 학업을 이어간 호킹은 대학에서 조정 선수로 활동할 정도로 건강했으나, 케임브리지 대학교에서 계단을 내려가던 중 중심을 못 잡고 쓰러졌고 병원으로 이송되었다. 그리고는 루게릭병 진단을 받게 되었다.

근위축성 측삭경화증이라는 병명을 가진 이 병은 수의근을 제어하는 신경세포가 소멸되는 병으로, 근육이 딱딱해지고, 경련을 일으키며, 점차적으로 약해져서 그 크기가 줄어드는 불치병이다. 양키스팀 야구선수 루 게릭이 걸린 병이라 하여 '루게릭병'으로 불린다.

의사에게 앞으로 2년밖에 못 산다는 시한부 선고를 받은 호킹은 그럼에도 좌절하지 않고 연구를 계속했다. 삶이 너무나 소중하여 연구를 멈출 수 없었다는 게 그 이유다. 병이 악화하는 중에도 대학시절 사귀었던 미술학도 제인 와일드와 결혼하게 되고, 이러한 제인의 내조 덕분인지 그는 놀라울 정도의 집중력을 발휘하며 세계가 놀랄 연구 성과를 줄줄이 발표하기 시작했다.

병으로 인해 근육이 점점 마비되어 책 한 페이지조차 넘기기 힘들고 한 줄의 공식도 종이에 쓸 수 없는 상태가 되었지만, 그는 암산으로 수식을 푸는 등 혼신의 노력을 다해 결국 박사학위를 따냈다. 그러나 병세가 점점 악화되어 기관지 절제 수술을 받은 후 얼굴의 움직임을 이용해 문장을 만들어 말로 전달하는 음성합성기를 사용해 의사소통을 하게 되었다.

호킹은 블랙홀 특이점 연구 업적으로 32살이던 1974년 5월 2일 영국 왕립학회에 역사상 가장 젊은 회원으로 추대되었다. 영국 왕립학회에는 새로 선출된 회원들이 직접 걸어 나가 명부에 자신의 이름을 적는 전통이 있었다. 하지만 이미 걷기는 물론 글씨도 제대로 쓸 수 없었던 스티븐 호킹에게

2015년 8월 24일 스톡홀름 워터프론트 컨벤션 센터에서
공개 강연을 하는 호킹 박사의 모습.

는 매우 힘든 일이었는데, 당시 노벨 생리학·의학상 수상자이자 학회장이었던 앨런 로이드 호지킨이 명부를 호킹의 손 밑으로 가져간 후, 스티븐 호킹이 힘겹게 서명을 하자, 우레 같은 함성이 터져 나왔다고 한다.

호킹 복사, 블랙홀도 영원하지 않다

스티븐 호킹의 중요한 과학적 업적으로는 로저 펜로즈와 함께 일반상대론적 특이점에 대한 여러 정리를 증명한 것과 함께, 블랙홀이 열복사를 방출한다는 사실을 밝혀냈다는 것이 있다. 이는 '호킹 복사' 혹은 '베켄슈타인-호킹 복사'로 불린다.

여기서 특이점이란 일반 상대성 이론에서 중력 특이점을 가리키는 것으로, 블랙홀 중심부에 에너지 밀도가 무한대로 커지는 지점으로, 천재 수학자 로저 펜로즈 영국 옥스퍼드대 교수가 제안했던 것이다.

중력이 무한대인 시공간의 영역인 특이점은 물리학의 모든 법칙이 작동하지 않는 시공간으로 블랙홀 한가운데와 같은 곳이다. 간단히 설명하면, 공간 속에 뚫린 배출구와 같다. 엄청난 중력 때문에 시공간을 포함한 모든 것이 이곳에 떨어지면 사라진다. 호킹은 블랙홀의 특이점에서 시공간이 사라지는 것처럼, 반대로 아무것도 없는 점 하나에서 폭발이 일어나 공간, 물질, 시간이 뿜어져 나올 수 있다고 생각했다.

호킹에 따르면 양자역학적 효과 때문에 블랙홀 주변의 진공 상태에선 입자와 반입자 쌍이 끊임없이 생성과 소멸의 과정을 거듭하게 된다. 이러한 요동으로 인해 블랙홀이 입자를 내뿜으며 질량과 에너지를 잃어버릴 수 있으며, 결국 블랙홀이 증발해 사라질 수 있다는 것이었다. 이때 나오는 빛입자(에너지)를 '호킹 복사'라 부르고 있다. 이 호킹 복사를 제외하고 블랙홀에서 나오는 것은 없다. 호킹 복사로 인해 블랙홀은 궁극적으로 완전히 증발해 사라지는 운명을 갖고 태어난다는 주장이다.

블랙홀은 모든 것을 빨아들이는 천체이므로 질량보존 법칙에 의해 어디선가는 사라진 물질이 나오는 화이트홀이 존재할 것이라는 가설이 한때 유행한 적이 있었다. 그러나 1974년 이후부터는 이런 이야기가 사라졌다. 32살에 불과했던 젊은 과학자 스티븐 호킹이 박사학위 논문에서 블랙홀이 에너지를 방출하기도 한다는 사실을 수학적으로 증명했기 때문이다.

아인슈타인의 일반 상대성 이론에 따르면, 중력의 영향으로 에너지인 빛이 휘어진다. 중력이 너무 클 경우, 빛이 너무 많이 휘어서 빠져 나올 수가 없게 된다. 이런 이론을 통해 블랙홀의 존재가 예측됐으며, 이는 수십 년 전

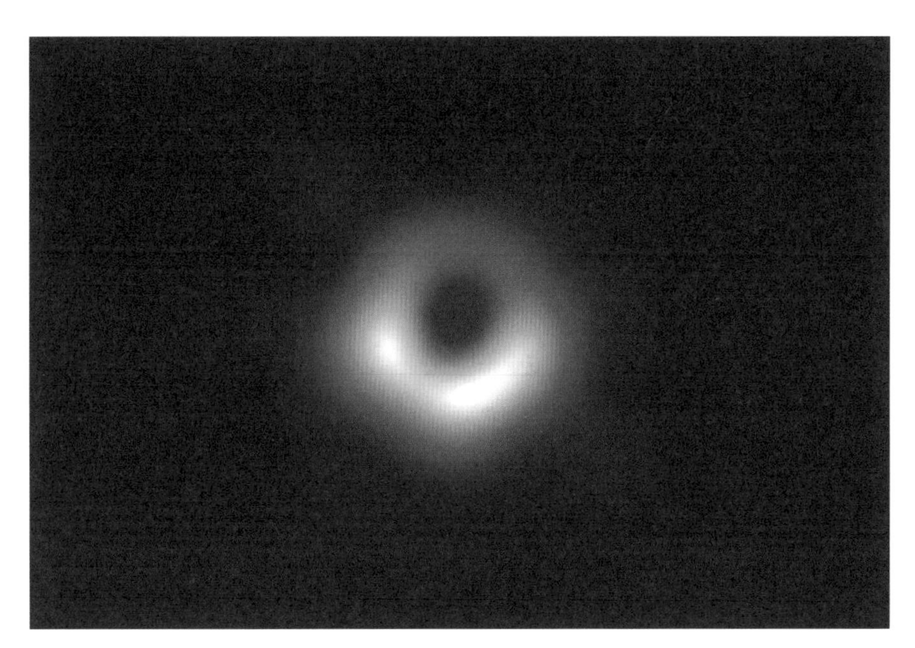

2019년 최초로 촬영된 블랙홀 사진. 초대질량 블랙홀 M87의 모습. 중심의 검은 부분은 사건의 지평선과 블랙홀을 포함하는 그림자이고, 고리의 빛나는 부분은 블랙홀의 중력에 의해 휘어진 빛이다.

실제로 확인됐다. 그리고 블랙홀 중심에는 중력이 무한대인 특이점이 존재하며, 모든 물질이 빠져나올 수 없는 경계면을 '사건의 지평선'이라 부른다.

1964년 과학자들은 우주는 과거부터 현재까지 항상 같은 형태를 유지하고 있다는 정상 우주론과, 뜨겁고 밀도가 높은 하나의 점이 폭발하면서 우주가 만들어졌다는 빅뱅 이론을 두고 한창 논쟁 중이었다. 호킹은《특이점과 시공간의 기하학》이라는 박사논문을 통해 정상 우주론을 주장하는 대표주자였던 프레드 호일을 정면으로 반박했다.

호킹은 특이점을 수학적으로 증명했으나 여전히 빅뱅의 순간을 포착할 수는 없었다. 특이점 정리(1960년대)와 무경계 우주론(1980년대)을 내놓는 사이의 시간인 1970년대 호킹이 전념했던 연구는 블랙홀이다. 특이점의 상황이 블랙홀의 중심에서 벌어질 것으로 예측됐기 때문이다.

하지만 30년이 지난 2004년 7월, 호킹은 스스로 블랙홀 이론을 수정했다. 양자역학적 원칙은 정보는 완전히 소멸될 수 없으며 에너지는 보존돼야 한다. 그런데 앞서 설명한 호킹의 블랙홀 이론에서는 정보(입자 등)가 블랙홀 속 특이점으로 빨려들어가 그 속에서 사라질 수 있다고 본 것이다. 양자역학적 기본 원칙과의 모순이 생긴 것으로 과학자들 간에 많은 논쟁이 생겨났다.

중력 이론과 양자 이론이 서로 연결될 수 있는지 여부는 지금까지도 풀리지 않은 물리학의 난제이지만, 호킹 복사는 맞고 틀리고를 떠나서 이 문제의 해결 가능성을 타진해 물리학계에 근원적이고 거대한 화두를 던진 것이었다.

여담이지만, 1974년 12월 10일 호킹과 미국의 물리학자 킵손이 블랙홀에 대해서 내기를 했다고 한다. 백조자리 X-1의 전파원이 블랙홀인지 아닌지에 대해서 호킹은 "블랙홀은 없다", 킵손은 "블랙홀은 있다"고 주장했고, "킵손이 이기면 펜트하우스 잡지를 호킹이 사주고, 호킹이 이기면 킵손이 프라이빗 아이를 사주기로 한다"는 내용이었다. 국적이 다른 두 사람은 서로 자신이 지면 상대방 나라의 성인 잡지를 사주기로 한 것이다.

하지만 호킹의 저서 《시간의 역사》에 의하면, 이것은 사실 호킹 자신의 연구 결과가 틀렸을 때, 다시 말해서 블랙홀이 존재하지 않는다는 결과에 대비한 보험책이었다고 한다. 결과는 호킹의 패배였고, 그는 킵손에게 펜트하우스 1년 구독권을 사주었다고 한다.

또한 호킹은 "아인슈타인의 신은 주사위 놀이를 하지 않는다는 말은 틀렸다. 블랙홀을 생각해보면 신은 주사위를 던질 뿐만 아니라, 어쩌면 신은 가끔 우리를 혼동시키기 위해 주사위를 안 보이는 곳으로 던지는지도 모른다"는 어록을 남기기도 했다.

'갤럭시 송'을 부르는 스티븐 호킹 동영상 속의 한 장면. 호킹은 블랙홀의 특이점에서 시공간이 사라지는 것처럼, 반대로 아무것도 없는 점 하나에서 폭발이 일어나 공간, 물질, 시간이 뿜어져 나올 수 있다고 생각했다.

스티븐 호킹의 무경계 제안

"무엇인가가 있기 전에는 무엇이 있었는가?"라는 질문에 대한 호킹 박사의 대답은 '무경계 제안'no-boundary proposal이라고 알려진 이론에 의존한다. 즉, 우주의 경계 조건은 경계가 없다는 것이다. 그의 설명에 따르면, 우주의 경계 조건 이론을 더 잘 이해하려면 유니버설 리모컨(우주를 제어하는 리모컨)을 잡고 되감기를 누르는 것이 하나의 방법이다. 오늘날 과학자들이 알고 있듯이 우주는 끊임없이 팽창하고 있기 때문에 이렇게 시간을 과거로 되돌리면 그에 따라 우주는 축소된다. 되감기를 끝까지 하면(약 138억 년) 전체 우주가 단일 원자의 크기로 줄어든다.

이 만물의 원시 원자가 바로 특이점으로 알려져 있는 그것이다. 무한대의 밀도와 극한의 온도가 한 점에 농축돼 있는 이 특이점에서는 우리가 알고 있는 모든 물리 법칙은 작동을 멈춘다. 다른 말로 하면, 우주가 팽창하기 전에는 시간 자체가 존재하지 않았다는 뜻이다. 시간의 화살은 우주가 점점 작아지면서 무한히 한 점으로 축소되는 출발점에는 도달하지 않으며, 시간이나 공간, 물질은 빅뱅과 함께 비로소 존재하게 되었다는 것이다.

호킹의 무경계 제안은 빅뱅 이전에는 아무런 일도 일어나지 않았으므로 빅뱅 이전의 사건은 단순히 정의되지 않으며, 따라서 빅뱅 이전의 사건들에는 아무런 관찰 결과가 없으므로 이론으로 추구할 대상에서 벗어나며, 시간은 빅뱅에서 비로소 시작되었다고 말할 수 있다는 것이다. 따라서 '빅뱅 이전'이란 말 자체가 성립하지 않는다는 것이다.

1990년 9월 한국에도 한 차례 방문해서 강연한 적이 있는 스티븐 호킹은 20대 때 의사가 몇 년 못 살 거라고 했는데 지금까지 산 것이 자신의 가장 큰 업적이라고 농담 삼아 말하기도 했다.

우주의 창조에 신은 관여하지 않았다

스티븐 호킹은 2010년 미국의 물리학자 레너드 믈로디노프와 함께 쓴 책 《위대한 설계》를 통해 우주는 신이 설계하지 않았다는 주장을 폈다. 호킹은 이 책을 통해 빅뱅은 중력 같은 물리학적 법칙의 불가피한 결과이며, 신의 손이나 우연으로 설명할 수 있는 것이 아니라고 주장했다. 그리고 "우주는 중력의 법칙과 양자이론에 따라 무無에서 필연적으로 만들어진 것이며, 어떤 초자연적인 존재나 신의 개입을 필요로 하지 않았다"고 했다.

과학으로 모든 것을 설명할 수 있다는 호킹의 신념에 대해 일부에서는 '과학 탈레반'이라고 비판하기도 했다. 이 같은 호킹의 무신론은 결국 독실한 성공회 신자였던 아내 제인과의 이혼을 불러왔다. 루게릭병도 막지 못한 두 사람의 사랑이 신앙 앞에는 가로막힌 셈이었다.

2009년 호킹은 1979년부터 30년간 있었던 케임브리지 대학의 석좌교수직인 루카스 석좌교수에서 물러났고, 2018년 3월 14일 케임브리지에 있는 자택에서 세상을 떠났다. 향년 76세.

2012년 생의 막바지에 이른 호킹은 영국 런던 주경기장에서 열린 런던 장애인 올림픽(패럴림픽) 개막 공연 중에 깜짝 등장, 8만 관객과 출전한 선수들을 향해 다음과 같이 마지막 대중 메시지를 남김으로써 깊은 감동을 안겨주었다.

"자신의 발밑만 보지 말고 고개를 들어 하늘의 별들을 보세요. 우리가 무엇을 보고 있는지 이해하려고 노력하고, 무엇이 우주를 존재하게 하는지 궁금해하고, 호기심을 가지세요. 어떤 상황에서도 우리가 할 수 있는 일이 있습니다. 그러므로 무엇보다 포기하지 않는 것이 중요합니다."

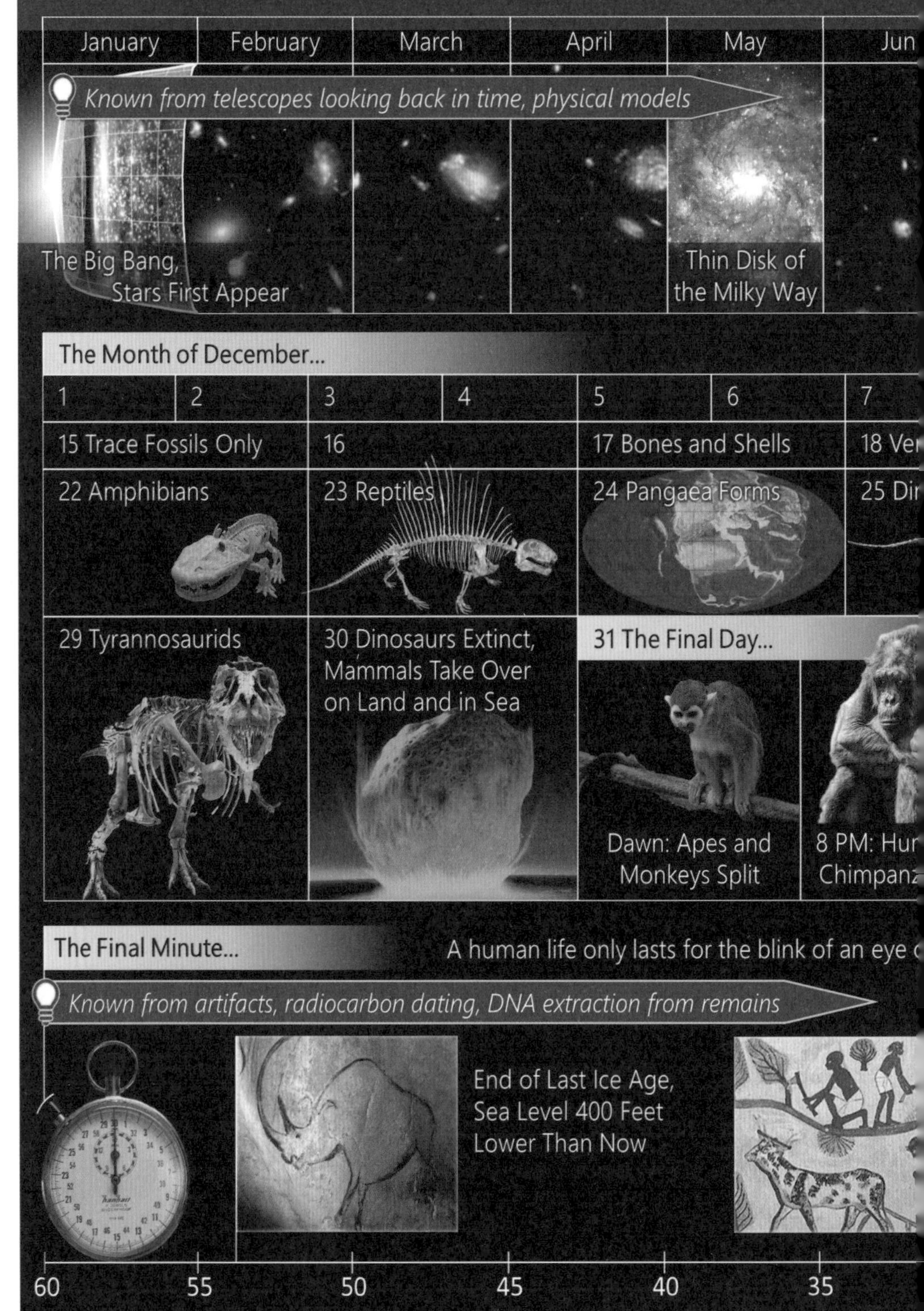

The Cosmic Calenda
January
February
March
April
May
Jun
Known from telescopes looking back in time, physical models
The Big Bang,
Stars First Appear
Thin Disk of
the Milky Way
The Month of December...
1
2
3
4
5
6
7
15 Trace Fossils Only
16
17 Bones and Shells
18 Ve
22 Amphibians
23 Reptiles
24 Pangaea Forms
25 Di
29 Tyrannosaurids
30 Dinosaurs Extinct,
Mammals Take Over
on Land and in Sea
31 The Final Day...
Dawn: Apes and
Monkeys Split
8 PM: Hu
Chimpanz
The Final Minute...
A human life only lasts for the blink of an eye
Known from artifacts, radiocarbon dating, DNA extraction from remains
End of Last Ice Age,
Sea Level 400 Feet
Lower Than Now
60
55
50
45
40
35

e 13.8 billion year history of the universe scaled down to a single year, where
e Big Bang is January 1st at midnight, and right now is midnight 1 year later

July	August	September	October	November	December
		The Solar System, Life	Oxygen from Photosynthesis	Eukaryotic Cells	Multicellular Life

Known from geologic record, fossils, genetic drift

	9	10	11	12	13	14
	19 Land Plants		20 Fish with Jaws		21 Insects	
	26 Mammals		27 Birds		28 Flowers	

9:25: Humans First Walk Upright

10:30: Human Brain Size Begins Tripling

11:52: Modern Humans Evolve

11:56 to 11:59: Human Migration

ic Calendar: 100 years * 365 * 24 * 60 * 60 / 13,800,000,000 = 0.23 Cosmic Seconds

Written records

Agriculture Leads to Permanent Settlements

Columbus Arrives in America (1.2 Seconds Ago)

Christ Born

Mohammed Born

Old Testament, Buddha

Dynastic China Begins

25 20 15 10 5 0

에피소드로 읽는 천문학의 역사
유쾌한 천문학자들

초판 1쇄 발행 2024년 5월 30일

지은이 이광식

펴낸이 김종년
펴낸곳 예술과마을
등록 2014년 3월 25일(제2014-000006호)
주소 38145 경상북도 경주시 북성로 80-11(동부동) 헤렌하우스 103호
전화 010-8030-6919
이메일 eulinjae@naver.com
제작 서정바인텍
정가 19,500원

ISBN 979-11-91786-07-1 (03440)